D1243320

Du même auteur

La Vérité sur les cosmétiques, Leduc.s, 2005.

Note de l'éditeur

Une première édition de cet ouvrage a été imprimée en mai 2006. L'auteur mettait en doute le caractère naturel de l'ingrédient « Plantservative WSR » (INCI : Lonicera Caprifolium) utilisé par certains fabricants comme conservateur. Est-il naturel ou non ? Le comité de certification ECOCERT a suspendu son agrément pour cet ingrédient et attend la validation de la DGCCRF (Direction générale de la concurrence, de la consommation et de la répression des fraudes) et de l'AFSSAPS (Agence française de sécurité sanitaire des produits de santé).
Dans l'attente du résultat de cette procédure, par souci de prudence et d'objectivité, nous avons préféré retirer, pour cette nouvelle édition, les commentaires concernant les produits qui utilisent ce conservateur.

Traduit de l'allemand par
Claudine et Jürgen Bartelheimer

Editing : Catherine Dupin

33, rue Linné
75005 Paris – France
E-mail : infos@leduc-s.com
Web : www.leduc-s.com
ISBN : 978-2-84899-152-8

RITA STIENS

LA VÉRITÉ SUR LES COSMÉTIQUES NATURELS

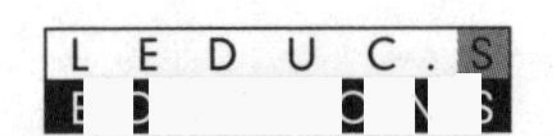

SOMMAIRE

AVANT-PROPOS

« Alors, franchement, pour qui roule-t-elle ? Pour l'industrie bio ? Pour les Verts ? », se demandait le magazine *Votre Beauté*, lorsque mon livre, *La vérité sur les cosmétiques* est paru (Éditions Leduc.s, 2005). Suis-je pour l'industrie bio ou pour les Verts ? Je suis avant tout pour créer les conditions qui permettront à chacun d'acheter en toute connaissance de cause. Seul un consommateur éclairé peut repérer les tromperies, juger de la qualité et des différences de qualité, etc.

Suis-je objective ? Voici mon avis sur la question : procéder à une recherche sans se mettre d'œillères, c'est déjà être sur la bonne voie. Cependant, dans la plupart des cas (surtout s'ils sont complexes), l'objectivité n'est pas directement le fruit de la recherche, car celle-ci débouche rarement sur des évidences. Il faut donc sérier, évaluer, interpréter les résultats. Que penser de gros titres comme : « Le méthylparabène tue les cellules », « Les dangereux rouges à lèvres aux huiles minérales », ou même des prévisions indiquant qu'en 2010, un Européen sur deux souffrira d'allergie ? Quelle valeur attribuer aux études et enquêtes à l'origine de telles affirmations ? On peut rarement répondre par un oui ou par un non franc. C'est pourquoi ma position face aux dangers potentiels est la suivante : « En cas de doute, toujours opter pour la sécurité. » Ce conseil est subjectif. Certains le suivront et en tireront les conséquences, d'autres l'ignoreront, certains le remettront en question et ne le tiendront pas pour justifié. Chaque argument et contre argument nourrissent la réflexion.

Croyance, doute, espoir : qu'est-ce qui est réellement bon pour la peau ?

Permettez-moi, pour aborder ce thème de la cosmétologie naturelle, de raconter une histoire personnelle. Depuis des années, les cosmétiques font l'objet de critiques et certaines matières premières sont sur la sellette. Comment se positionner entre les annonces alarmistes d'un côté, et les merveilleuses promesses de l'industrie cosmétique de l'autre ? Ma réaction recoupera probablement celle d'un bon nombre de consommateurs et consommatrices : j'ai lu tout ce qui me tombait sous la main, j'ai changé de produits cosmétiques, puis j'ai fini par ne plus trop prêter attention aux nouvelles horreurs dont on parlait et qui me paraissaient exagérées. Fascinée par les nouveaux agents actifs de toutes sortes, j'achetais une fois ceci, une fois cela, et pourquoi pas ce nouveau produit si encensé... J'essayais de plus en plus de crèmes, de gels, de fluides, et des produits de plus en plus spécifiques, pour me soigner encore mieux… jusqu'au jour où ma peau et mon corps se sont mis en grève.

La peau de mon visage était irritée, tirait de plus en plus et réagissait de manière extrêmement sensible. Je crémais et soignais encore mieux (du moins je le croyais) et m'en prenais à ma peau qui, loin d'être reconnaissante de mes efforts, m'en voulait.

Et puis j'ai eu l'occasion de vivre dix jours inoubliables. La source de ce bien-être était d'une part un récipient rempli d'une huile, d'autre part des mains qui faisaient pénétrer l'huile dans la peau et les cheveux en les massant doucement. Jamais auparavant je n'avais connu métamorphose aussi agréable que pendant ce séjour de vacances sur l'île du Sri Lanka. Les huiles ayurvédiques rendirent ma peau douce comme celle d'un bébé. Plus un seul bouton d'allergie au soleil, rougeurs et tensions avaient disparu de mon visage, comme par enchantement. Ma mallette de produits de beauté était restée fermée durant tout le séjour car ma peau n'avait, cette fois-ci, plus besoin de rien.

Ces vacances furent pour moi une vraie leçon de beauté. J'avais enfin entrepris quelque chose de bénéfique et d'agréable à la fois : je mangeais tous les jours des fruits frais, des légumes et les salades du buffet, je nageais dans la mer, je buvais nettement moins de café (le Sri Lanka n'est-il pas une île couverte de plantations de thé ?), je restais assise très détendue à l'ombre d'un arbre et je laissais ma peau en paix, si ce n'est au moment des massages à l'huile journaliers.

Les dix jours passèrent très rapidement et le quotidien me rattrapa. Je me promis de me débarrasser de mes mauvaises habitudes mais je dois avouer qu'une partie de ces bonnes résolutions est restée un vœu pieux. Cependant, depuis ce temps-là, je mange plus de produits frais (parce qu'ils sont vraiment meilleurs), moins d'aliments sucrés et de viande, et je fais plus d'exercice. Les cosmétiques ont perdu de leur importance pour moi et ma peau est plus facile à soigner que jamais.

Naïve ou à la pointe du progrès ? La redécouverte de moyens très simples

Que des huiles naturelles « simples » puissent aider en très peu de temps ma peau complètement déréglée à retrouver son équilibre m'a donné à réfléchir. Le fait que des générations de femmes avant nous se soient débrouillées avec un mini-arsenal de produits cosmétiques, et qu'elles aient eu malgré tout une belle peau présentant nettement moins de problèmes que ceux que déplorent aujourd'hui les dermatologues, n'est certes pas une preuve scientifique contre les cosmétiques modernes. Mais c'est un constat qui a son importance. Je ne conteste pas que l'environnement actuel fatigue et agresse la peau plus qu'autrefois et que notre mode de vie ait aussi sa part de responsabilité. C'est pourquoi je salue le progrès chaque fois qu'il est au service de la peau et des cheveux. Mais dans ce contexte, il est nécessaire de définir d'abord ce qu'est le progrès.

Toute personne souhaitant se frayer un chemin dans la jungle des produits cosmétiques se trouve dans l'obligation de séparer le bon grain de l'ivraie, la difficulté principale étant de ne pas tomber dans les pièges d'une séduction très bien orchestrée. Les images et les promesses alléchantes ont une telle emprise sur nous que notre bon sens n'a plus droit au chapitre. Indépendamment des effets sensationnels que nous fait miroiter la publicité, ce sont notre peau et nos cheveux qui ont affaire aux multiples ingrédients des cosmétiques que nous choisissons. Le pas le plus important à franchir pour bien soigner sa peau et ses cheveux est donc de se libérer de l'attrait de la publicité et de concentrer son attention sur une seule chose : le produit.

Digne de confiance ou pas ?
Même dans le milieu naturel, tout ce qui brille n'est pas or

Les fabricants de cosmétiques naturels opposent à la cosmétologie conventionnelle un concept et des produits fondamentalement différents. Les producteurs sérieux obéissent à des principes très stricts, notamment pour ce qui est autorisé ou non à entrer dans la composition d'une crème. Et c'est très bien ainsi. Malheureusement, les fabricants qui se parent des adjectifs « naturel », « écologique » ou « biologique » ne sont pas tous dignes de confiance. Certains d'entre eux misent sur la naïveté, le manque de connaissances ou d'informations des consommateurs. C'est ainsi que des produits ne contenant qu'un extrait de plante ou une seule huile végétale sont vendus sous l'appellation « cosmétique naturel ». Certains cosmétiques conventionnels sont même plus naturels et meilleurs pour la peau que ce type de « produit naturel ».

Dans ce livre, nous avons étudié non seulement des cosmétiques naturels et pseudo-naturels, mais aussi des produits présentés dans un cadre réputé être réservé à la santé : les pharmacies.

133 exemples de produits, pour vous permettre
de déterminer la qualité et vous faire une opinion

Pour savoir exactement ce qu'il en est des ingrédients et de la qualité d'un produit, il ne reste pas d'autre solution que de se forger sa propre idée. Certes, dans le domaine des cosmétiques naturels, les certifications sont là pour nous aider à faire le bon choix. Mais même quand label il y a, il faut savoir ce qu'il recouvre avant de pouvoir juger.

Que ce soit pour les cosmétiques à base de substances naturelles ou pour les produits conventionnels, les formules sont moins compliquées qu'on aurait tendance à le croire. Dans ce livre, vous trouverez 133 exemples dont vous pourrez découvrir, ingrédient par ingrédient, la composition exacte (de la base aux conservateurs en passant par les agents actifs et les additifs). Avec des commentaires pour vous éclairer sur la qualité globale du produit.

Le marché des cosmétiques Bio et naturels est en pleine expansion, et c'est une bonne raison de vérifier si les produits correspondent à ce qu'ils prétendent être et répondent aux attentes des consommateurs.

Jusqu'ici, la branche des cosmétiques naturels a bénéficié d'un important capital confiance de la part du consommateur. Et ce surtout parce que, sur fond de critiques adressées à l'industrie cosmétique conventionnelle, elle pouvait se targuer de représenter "le bien". Mais quel que soit le sujet, une pensée manichéenne ne mène à rien.

Que l'on considère la cosmétologie naturelle ou la cosmétologie conventionnelle, ce sont les faits concrets qui importent. Prenons par exemple des questions comme :

- En quoi un produit cosmétique naturel certifié se différencie-t-il d'un autre produit en ce qui concerne les ingrédients? Cette question comprend elle-même trois niveaux. Il faut prendre en considération les cahiers des charges qui fondent la cosmétologie naturelle d'une part, et d'autre part, la manière dont chacune des entreprises passe du cahier des charges aux produits. Les shampooings (pages 195 à 204) ne sont pas les seuls à montrer qu'il existe des différences significatives au sein même de la cosmétologie naturelle certifiée. Il existe par ailleurs un troisième niveau, fondamental lui aussi : la cosmétologie naturelle renonce à presque tous les ingrédients de synthèse, mais cela ne veut pas dire pour autant qu'ingrédient naturel soit synonyme de totalement sûr. Et en matière de dangers potentiels justement, il est important de porter un regard très nuancé sur la chose (chapitre 3).
- La cosmétologie naturelle est-elle automatiquement digne de confiance, par définition? Non. Comme toutes les autres branches, elle doit mériter la confiance du consommateur. Ce qui signifie qu'elle n'y réussira que si elle résiste à un accompagnement et regard critique de ses faits et gestes.

Assimiler une critique envers la cosmétologie naturelle à la destruction de la confiance que le consommateur lui porte risque d'inverser les choses. Si on veut avoir un succès on ne doit pas craindre les débats critiques.

Je souhaite que ce livre vous apporte des informations sur les fondements de la cosmétologie naturelle et vous offre la possibilité de jeter un œil dans les coulisses de l'élaboration de ses produits. Je serais ravie si ce livre pouvait aussi donner naissance à des débats engagés.

Rita Stiens

Chapitre 1

LES COSMÉTIQUES BIO : OÙ EST LA DIFFÉRENCE ?

Si l'on cherche la réponse à cette question dans les prospectus des différentes marques ou sur les sites web des firmes de cosmétiques, on se trouve emporté par un tourbillon de mots enchanteurs. Quelques exemples.

L'Occitane, entreprise du Sud de la France, se présente ainsi : « L'Occitane a pour vocation de faire revivre les couleurs, les senteurs et les traditions provençales. » Melvita se définit comme « l'une des premières marques de cosmétiques doux de France ». Quant à Sanoflore, elle axe sa publicité autour du slogan : « Découvrez la nature à l'état pur. » Yves Rocher dit être la « 1ère marque mondiale de cosmétique végétale » et Body Shop accompagne ses produits de l'expression : « Inspirés par la nature ». Nuxe affirme : « La Phytothérapie et l'Aromathérapie sont le fondement de nos formulations. »

Bienvenue dans la jungle des cosmétiques naturels et pseudo-naturels !

Les cosmétiques vendus en pharmacie donnent l'impression qu'ils sont différents, plus sains, meilleurs pour la peau. Ainsi, Avène est-elle « au service de la santé et de la beauté » et Vichy se vante-t-elle d'être la « première marque dermocosmétique européenne en pharmacie ». Comme pour augmenter encore la confusion, des produits conventionnels tentent de nous charmer par des mentions aux accents naturels : « aux fruits », « aux plantes » ou « aux huiles essentielles ». D'un point de vue sémantique, le gros de l'industrie cosmétique surfe sur la vague verte.

Pourquoi les fabricants de cosmétiques se tournent-ils tous vers des accroches publicitaires évoquant la nature ? Parce que dans le sillage du mouvement pour le bien-être, les produits naturels ont le vent en poupe. Cette tendance croît depuis quelques années sans discontinuer et aucun fléchissement n'est en vue. « Cosmétique végétale », « inspiré par la nature », « aromathérapie », « aux plantes »... quelles informations nous apportent de tels messages ? Aucune au premier abord, car tous les produits peuvent se parer des mots « naturel, végétal, sain ».

Il n'est pas surprenant que l'expression « Cosmétique bio » soit bien moins souvent présente. C'est le terme employé en France pour les produits naturels testés, contrôlés et munis d'un label de certification. En Allemagne, on a retenu les expressions « cosmétique naturel » ou « cosmétique naturel contrôlé » (non autorisées en France).

64 MILLIARDS D'EUROS PAR AN POUR LES COSMÉTIQUES

Avec 11,101 milliards d'euros, l'Allemagne est le plus grand marché des soins corporels en Europe. Elle est suivie par la France (10,109), la Grande-Bretagne (9,176), l'Italie (8,492) et l'Espagne (7,113). Viennent ensuite les Pays-Bas (2,434), la Belgique et le Luxembourg (1,690), puis la Suisse (1,599), la Suède (1,527), la Grèce (1,314), l'Autriche (1,248), le Portugal (1,100), le Danemark (0,935), la Norvège (0,892), la Finlande (0,718) et l'Irlande (0,546) (COLIPA, Annual Report 2005).

Un succès impressionnant : une croissance de 40 %

Bien que modeste par rapport au grand marché des cosmétiques, la branche bio occupe un créneau de choix. Selon les estimations, sa part de marché en Europe se situe entre 3 et 6 %. Son potentiel de croissance est encore plus intéressant que ses acquis. Tandis que l'industrie des cosmétiques enregistrait 3,6 % d'augmentation de son chiffre d'affaires en 2002, 3,5 % en 2003 et seulement 2 % en 2004, plus d'un fabricant de cosmétiques naturels se faisait remarquer par une croissance à deux chiffres, dépassant même largement les 20 % dans de nombreux cas. Le marché français dans cette branche a fait un bond de 40 % en 2005, enregistrant ainsi le taux de croissance le plus élevé d'Europe.

Le succès des cosmétiques naturels se mesure aussi à leur présence sur les salons professionnels.

- Avec 35 sociétés et marques présentes, le secteur a enregistré une progression de 17 % à NatExpo 2005 par rapport à l'édition précédente.
- En 2006, les cosmétiques naturels ont tenu pour la première fois leur propre salon professionnel dans le cadre du Bio-Fach, le plus important des salons bio d'Allemagne.

Cette progression est due à l'intérêt croissant des visiteurs et au nombre de plus en plus important d'exposants : depuis 2000, la surface louée et le nombre d'exposants du domaine des cosmétiques naturels ont doublé, et presque un visiteur sur trois ne souhaite pas seulement s'informer sur les aliments bio et l'écologie, mais vient spécifiquement pour se renseigner sur les cosmétiques naturels.

Le cadre juridique

Aucune disposition légale ne réglemente le secteur des cosmétiques bio ou naturels. S'il existe bien un texte sur lequel le « Comité d'experts sur les produits cosmétiques » du Conseil de l'Europe est tombé d'accord en 2000, sa seule justification est de servir de référence en cas de différends juridiques. Il joue aussi un rôle en cas de divergences d'appréciation entre les fabricants et les fonctionnaires des offices de contrôle. Mais il ne constitue pas une réglementation obligatoire pour les cosmétiques naturels (voir aussi la certification Ecocert page 25)

Le seul cadre juridique contraignant, applicable à tous les produits cosmétiques de l'Union européenne, qu'ils soient « normaux », naturels, bio ou végétaux, est la Directive communautaire sur les Produits Cosmétiques. Les réglementations nationales continuent également à jouer leur rôle, mais les grandes lignes sont déterminées par la grande machine à règlements de Bruxelles. Après plusieurs années de consultations et de réflexion, le 7e amendement de la Directive Communautaire sur les Produits Cosmétiques (76/768/CEE) a enfin été publié en 2003.

Pour pouvoir lancer un produit cosmétique sur le marché, il est nécessaire de respecter toute une série d'obligations dont les principes de base sont les suivants :

- Les produits cosmétiques doivent être sûrs, c'est-à-dire qu'ils ne doivent pas porter atteinte à la santé, même en cas d'usage prolongé.
- Les produits cosmétiques ont pour vocation d'entretenir la peau et non de la guérir. Contrairement aux médicaments, ils sont à usage externe et ne doivent pas avoir pour but d'apaiser ou de soigner des maladies ou des symptômes pathologiques.

La responsabilité se situe au niveau des fabricants

Contrairement aux médicaments, un produit cosmétique ne nécessite pas d'autorisation particulière pour être mis sur le marché. Il suffit de le déclarer et ce sont les producteurs et les importateurs qui doivent se porter garants de son innocuité. La loi prescrit la manière dont ils doivent s'acquitter de cette responsabilité.

Fabricants et importateurs sont tenus de fournir des documents relatifs à la sécurité :

- des informations sur la composition des produits ;
- des documents comportant les spécifications physiques, chimiques et microbiologiques des matières premières utilisées et des produits finis, ainsi que des données sur leur pureté et leur qualité microbiologique ;
- un dossier de sécurité, le nom et l'adresse de l'évaluateur et des documents sur les éventuels effets indésirables pour la santé des utilisateurs.

Malgré ces démarches administratives contraignantes, penser que tous les cosmétiques sont sûrs serait une illusion. Le nombre de personnes réagissant aux composants des cosmétiques par des problèmes de peau, des irritations ou des allergies, est chaque année en augmentation. Et depuis des années, instituts et organisations de protection des consommateurs font monter la pression pour qu'on tienne compte de cette réalité. L'indication du nombre de problèmes rencontrés par million de produits commercialisés, par exemple, nous renseigne sur les effets indésirables possibles. Il s'agit souvent de réactions allergiques ou d'irritations, mais pas seulement.

Mais jusqu'ici, l'industrie des cosmétiques est restée fidèle à la même stratégie de défense : ces problèmes sont balayés sous prétexte qu'ils restent individuels. Ce qui sous-entend qu'ils sont considérés comme des intolérances spécifiques non imputables au produit, mais dues à des prédispositions individuelles, c'est-à-dire une sensibilité de l'utilisateur. Pour résumer : ce n'est pas le produit qui est responsable mais la peau de celui qui l'utilise. Et pourtant, le nombre de composants interdits au cours de ces dernières années nous montre que de nombreuses matières premières étaient loin d'être inoffensives. Mais, jusqu'à aujourd'hui, seule la pointe de l'iceberg a été éliminée.

La déclaration INCI : la clé d'une plus grande transparence

Malgré l'obligation de déclarer les composants, certaines données restent encore secrètes. La directive sur les produits cosmétiques n'oblige pas, par exemple, à révéler la liste complète des composants d'une huile parfumée.

Quels sont les composants d'une crème, d'un shampooing, d'une ombre à paupières ou d'un produit solaire ? Dans quelle mesure un produit qui se dit naturel l'est-il réellement ? Grâce à la « Déclaration INCI » (INCI = International Nomenclature of Cosmetic Ingredients), le consommateur a la possibilité de pénétrer enfin dans les coulisses du monde des cosmétiques, puisque la composition doit être indiquée sur chaque emballage ou produit.

Le droit à l'information a été renforcé

Depuis 2004, des informations plus précises peuvent être exigées du fabricant. Ainsi, des indications plus détaillées sur les composants (en pourcentages) et les effets indésirables de chaque produit doivent être facilement accessibles pour le public, tout en tenant compte de la protection du « secret industriel et du droit de la propriété intellectuelle ».

Et comment le consommateur a-t-il accès à ces informations ? Cela peut se révéler très difficile dans la pratique. L'étiquette doit comporter le nom et l'adresse du fabricant ou de l'importateur au sein de l'Union européenne. Celle-ci doit être suffisante pour permettre d'accéder à l'ensemble de ses coordonnées. Dans le cas où l'étiquette ne mentionne que la commune, il faut déployer trop de temps et d'énergie pour réussir à trouver la personne à contacter (par téléphone, fax ou e-mail).

INFORMATIONS SUR LES FABRICANTS ET LES IMPORTATEURS SUR LE WEB

À l'adresse http ://www.european-cosmetics.info, on trouve un répertoire des noms et coordonnées des entreprises.

Et l'étiquette, qu'est-ce qu'elle raconte?

Greenpeace pose cette question et y apporte cette réponse : « Eh bien, pas grand-chose... ou plutôt pas l'essentiel ! Aucune indication n'est donnée sur la possible toxicité des ingrédients utilisés ». C'est à la fois vrai et faux. Sans traduction ni explications complémentaires, la déclaration INCI n'est effectivement pas compréhensible par les novices. Mais un lexique des composants sur les substances susceptibles d'être nocives, comme celui que vous trouverez dans le livre *La Vérité sur les cosmétiques* (Éditions Leduc.s, 2005), suffit pour que le non-initié soit à son tour en mesure de porter un jugement sur les produits.

La déclaration « dans le désordre » permet d'habiles manipulations

Comme il est extrêmement efficace de s'appuyer sur les plantes pour vanter un produit, certaines entreprises n'hésitent pas à introduire 8 à 10 composants végétaux en quantités infinitésimales.

Le premier point faible de la déclaration INCI est la possibilité de déclarer dans le désordre les ingrédients présents en faible quantité (moins de 1 %). Cela ouvre grand la porte aux abus publicitaires.

Deuxième point faible : cette possibilité permet de placer les plantes ayant le meilleur impact publicitaire en tête des substances présentes en petite quantité. Pour peu qu'elles soient suivies d'une douzaine d'autres noms, elles se retrouvent mises en valeur au milieu de la déclaration INCI. Cette position laisse penser au consommateur qu'il y a vraiment des plantes dans le produit. La réalité est souvent tout autre : malgré ce positionnement, il est possible que cette substance végétale ne soit présente qu'en toute petite quantité (0,001 %).

Enfin, il est également regrettable que les entreprises aient la possibilité de demander la confidentialité pour certaines substances. On peut penser qu'elles en abusent comme le montre la présence de codes (600 355 D ou FIL D2125/2 par exemple). De même, rien ne permet d'identifier les composants dits indispensables pour raisons techniques. Cependant, par mesure de sécurité, une quantité maximale a été fixée pour chacune de ces substances.

L'expression « composant indispensable pour raisons techniques » peut tout aussi bien être un ingrédient inoffensif comme le sel qui se forme, par exemple, lors de la production de tensioactifs, qu'un métal très allergène comme le nickel.

Troisième point faible et inconvénient supplémentaire : derrière une seule et même appellation INCI peuvent se trouver des ingrédients différents. Cela signifie qu'il est difficile de connaître la nature chimique de la substance déclarée. Les huiles minérales, par exemple, peuvent avoir une longue chaîne ou une chaîne courte, ce qui fait une grande différence du point de vue toxicologique (voir page 156). Mais comment savoir par la dénomination INCI si l'on à affaire à l'une ou à l'autre structure chimique ? Heureusement, ce problème ne se pose plus pour les ingrédients autorisés plus récemment.

L'INCI : utile mais pas d'une lecture facile

La première fois que l'on se penche de près sur une déclaration INCI des composants, on peut être saisi par le découragement. Cela vient tout d'abord du fait que les termes INCI (Phenoxyisopropanol ou Dimethicone Copolyol) ne sont pas du tout familiers aux non-initiés. D'autre part, la déclaration est souvent imprimée en lettres minuscules et d'une couleur qui ne se détache pas sur le fond de l'emballage. Ceci est à la fois irritant et révélateur du peu de considération du fabricant pour le consommateur. S'il accorde de l'importance à la transparence, il fera en sorte que ce dernier puisse lire sans loupe ce qu'il doit pouvoir savoir.

Autre inconvénient, les composants naturels sont très difficiles à identifier car on utilise les dénominations botaniques du grand médecin et naturaliste suédois, Carl von Linné (1707-1778), et non la nomenclature CFTA (Cosmetic, Toiletry and Fragrance Association). La réglementation américaine CFTA désigne l'huile de jojoba par « Jojoba Oil », ce qui est plus compréhensible que le terme botanique « Simmondsia Chinensis ».

Cependant, cela devrait changer lorsque la nouvelle réglementation concernant la déclaration des composants végétaux entrera en vigueur (après avoir été victime des lenteurs de l'administration de la Communauté européenne). Il est à noter que quelques fabricants, cependant, l'appliquent déjà.

Cette réglementation prévoit que la déclaration INCI ne s'arrête pas au nom du produit de départ, comme par exemple Prunus Armeniaca (abricot), car cela ne nous renseigne pas sur ce qui a réellement été utilisé : s'agit-il d'un extrait huileux ou aqueux, d'une poudre ? Quelle partie de la plante a été utilisée pour l'obtenir ?

Tout cela devrait être plus précis et plus accessible. Au lieu de « Simmondsia Chinensis », on écrirait dans la déclaration INCI « Simmondsia Chinensis (Jojoba) Seed Oil ».

Instructions concernant la déclaration des composants

Les composants doivent être répertoriés sur l'emballage ou sur la notice d'accompagnement, dans un ordre et sous une forme prédéterminés.

- L'ordre dépend de la concentration, les composants principaux se trouvant au début. Ce sont les premiers composants indiqués (de quatre à huit) qui constituent le gros du produit. Quant aux substances représentant moins de 1 %, elles sont énumérées dans le désordre. C'est ainsi qu'un principe actif représentant 0,003 % peut se trouver avant un composant qui représente 0,99 % du produit.
- Les colorants se trouvent en fin de liste sous la dénomination CI (Color Index) suivie d'un nombre de 5 chiffres correspondant au numéro d'indexation des couleurs. Pour les produits de maquillage vendus en différentes nuances, tous les colorants entrant en ligne de compte dans la gamme entière sont indiqués entre crochets, comme par exemple : [+/- CI 15580, CI 18965] etc. Le signe +/- signifie que certains de ces colorants sont seulement présents dans un seul et même produit.
- Dans certains cas particuliers, le fabricant peut obtenir un code secret à 7 chiffres pour un composant. Le code figure alors sur la déclaration.

Le commerce par internet : pas de déclaration INCI en général

Il est extrêmement regrettable pour les consommateurs que les sites de vente par internet n'aient pas l'obligation de fournir la déclaration INCI avant l'achat. Sur le web, on achète à l'aveuglette sans pouvoir vérifier si l'éloge qui est fait du produit est justifié par sa composition. Si on veut savoir ce qu'on achète, on doit se donner la peine de poser la question au fabricant. Or, il faut parfois attendre trois semaines pour obtenir une réponse.

L'absence de déclaration INCI dans les boutiques en ligne n'est pas inéluctable, et les choses pourraient changer si les organisations de consommateurs les prenaient en main. En Allemagne, par exemple, les autorités compétentes se sont inquiétées de savoir pourquoi il n'y avait pas de déclaration INCI sur internet. Apparemment, personne n'avait encore pris conscience de cet état de fait et de la nécessité d'y remédier.

Depuis que la déclaration INCI a été créée, c'est un droit fondamental du consommateur que de savoir ce que renferment les produits cosmétiques ! Les entreprises réagissent très différemment face à ce droit. Certaines d'entre elles se distinguent par un souci exemplaire de transparence, d'autres ne fournissent aucune déclaration des composants et adoptent même parfois une attitude ambiguë. L'une d'entre elles, par exemple, propose sur un site internet une touche « ingrédients » qui ne donne en fait accès qu'à une partie d'entre eux : les composants naturels. La manœuvre est habile et a de quoi fâcher car elle donne l'impression que le produit est uniquement composé de ces ingrédients-là.

Au lieu des précieuses substances naturelles, on trouve dans certains produits, soi-disant végétaux, des ingrédients chimiques suspects, comme par exemple les substances qui libèrent du formaldéhyde, ou les émulsifiants à base de polyéthylèneglycols (PEG). On rencontre aussi des huiles minérales bon marché, au lieu des huiles végétales bien meilleures pour la peau.

Cosmétiques bio : les certifications comme sigles de qualité

Les cosmétiques qui se parent des adjectifs « bio » ou « végétal » affirment être meilleurs pour la santé et de qualité supérieure. Ils doivent donc être jugés à l'aune de ces affirmations. Nous constaterons dans ce livre combien certains des produits présentés comme étant naturels s'éloignent des critères requis.

Pour le consommateur, le problème est de savoir quels produits peuvent se réclamer ou non de l'appellation « naturel ». Malgré l'euphorie écologique des années 70, il est curieux de constater que les efforts pour obtenir des cosmétiques de qualité naturelle ont été complètement abandonnés. Des références à la nature, un fruit ou une plante sur l'étiquette ou la simple mention « à la camomille » suffisaient soudain à nourrir l'illusion que l'on achetait un produit particulièrement naturel.

Cette évolution a contraint les fabricants de cosmétiques naturels à passer à l'action. Les concurrents d'autrefois ont dû s'allier pour élaborer une réglementation pouvant être utilisée comme instrument de garantie de qualité et de marketing pour une cosmétologie naturelle authentique.

Pour permettre de bien faire la différence, des systèmes de contrôle ont été élaborés pour les produits cosmétiques naturels : les certifications. Les produits certifiés sont reconnaissables à un label imprimé sur l'étiquette.

Bio ou pas bio? Le long chemin vers la certification

À l'échelle nationale comme à l'échelle européenne, on lutte depuis la fin des années 80 et le début des années 90 pour trouver des critères permettant de définir ce qu'est un cosmétique naturel. Qu'il ait fallu des années avant d'arriver à établir un ensemble de règles n'est pas étonnant si l'on s'intéresse de près au sujet. Il est aisé de vanter les avantages de la nature. Mais, s'atteler à définir le lien entre la nature et les cosmétiques fait non seulement entrer de plain-pied dans la jungle des processus chimiques mais aussi dans un imbroglio de revendications et de convictions philosophiques et éthiques.

Le fabricant de cosmétiques bio ne peut pas se passer de la chimie et cette science ne mérite pas tous les maux que l'on a coutume de lui attribuer. Personne ne peut utiliser une amande, une feuille ou une fleur de camomille à l'état pur. La chimie doit à son ancêtre, l'alchimie, de nombreux procédés et découvertes nécessaires pour accéder au potentiel naturel d'une matière première.

La fonte, l'alliage, la distillation, le filtrage et la teinture comptent parmi les processus chimiques les plus anciens. La médecine, tout comme la cosmétologie naturelle, sont filles de l'alchimie et de la chimie.

L'objectif suprême : définir un niveau de qualité plus élevé

Le processus mis en marche au début des années 90 s'est accéléré au cours de la décennie pour commencer à donner des résultats début 2000. Le préambule du référentiel Ecocert permet de prendre conscience de l'objectif poursuivi et des circonstances dans lesquelles a été établie la réglementation en vue de la certification. Extrait :

« Ce référentiel est le résultat d'un partenariat entre Ecocert et certains professionnels de la cosmétologie, qui expriment depuis longtemps le besoin de trouver une solution aux problématiques suivantes :

- l'absence de référentiel officiel, concernant les cosmétiques à base de substances naturelles et concernant l'appellation BIO sur les produits cosmétiques ;
- l'existence d'un grand nombre de réglementations privées européennes et extracommunautaires, peu connues et/ou peu reconnues par l'ensemble des professionnels des cosmétiques ;
- la difficulté, voire l'impossibilité, pour le consommateur de reconnaître quels produits sont fabriqués avec une quantité significative de substances naturelles biologiques et selon des procédés respectueux de l'environnement. »

La protection de l'environnement est une des préoccupations essentielles de la cosmétologie naturelle. Pourquoi établir un cahier des charges ? L'une des principales raisons est évoquée dans le préambule du référentiel d'Ecocert : la nécessité de soutenir les fabricants de produits cosmétiques respectueux des qualités des substances naturelles et de l'environnement. En d'autres termes, il s'agit de faire reconnaître le savoir-faire de certains fabricants de cosmétiques respectueux de la nature tout au long du processus de production.

Il s'agit en fait d'établir :

- un niveau de qualité plus élevé que celui défini par la législation française et européenne des produits cosmétiques et d'hygiène corporelle, afin de garantir une réelle valorisation des substances naturelles, une réelle mise en pratique du respect de l'environnement tout au long de la chaîne de production, et un réel respect du consommateur ;
- un lien entre certains produits cosmétiques et l'agriculture biologique ;
- un lien entre certains produits cosmétiques et le respect de l'environnement.

« MOINS, C'EST PLUS »

Tous les fabricants de cosmétiques bio sont d'accord pour dire que « moins il y en a, mieux c'est ». L'inventaire INCI des substances cosmétiques utilisables compte plus de 6 000 substances, alors que la liste positive des ingrédients autorisés du BDIH allemand, qui octroie le label « Cosmétiques naturels contrôlés BDIH », n'en autorise que 690.

Quatre labels français et un allemand

Bien que le travail de chaque organisme de certification soit respectable et légitime, il est pénible pour le consommateur d'avoir à faire la différence entre les différents labels. En effet, pour savoir ce que recouvre exactement une certification donnée, il est nécessaire de prendre la peine de consulter les cahiers des charges correspondants.

Quatre labels se retrouvent le plus couramment en France.

- Le label « Cosmétique BIO Charte Cosmébio ».
- Le label « Cosmétique ECO Charte Cosmébio ».

Tous deux sont à la fois utilisés par Ecocert et Qualité-France.

- Le label BDIH « Cosmétiques naturels contrôlés ».
- Le label « Nature & Progrès Cosmétique Bio-écologique ».

Il existe beaucoup de bonnes raisons pour créer un label de certification mais, comme toujours, c'est aussi une affaire commerciale. Les certifications ne sont pas une œuvre de bienfaisance mais une branche commerciale lucrative.

Pourquoi ces différents labels ? Pour la bonne raison que chacun d'entre eux a sa propre histoire et prend ses racines dans les convictions de l'organisation qui le sous-tend. En supprimer un pour le remplacer par un nouveau créerait un vide car il faut du temps avant qu'un label ne soit reconnu comme un symbole de qualité familier.

Les organisations représentées par ces labels

En Allemagne et en France, ce sont les organisations BDIH, Nature & Progrès et Ecocert qui ont initié et porté les efforts de mise en place des certifications.

En Allemagne, le pionnier de la certification fut, au milieu des années 90, le BNN, l'interprofessionnelle allemande pour produits et aliments naturels (Bundesverband Naturwaren

Naturkost). Cette association regroupait à la fois fabricants, distributeurs et détaillants de la filière Bio. L'association élabora un premier cahier des charges qui resta en grande partie lettre morte. Son échec sur le terrain était dû à l'extrême méfiance qui régnait à l'époque entre les fabricants de produits naturels, personne ne voulant laisser l'autre regarder dans son jeu.

Personne ne voulant dévoiler ses cartes, les premiers documents restèrent lettre morte. On discutait autour des idéaux car personne ne voulait divulguer d'informations concernant les processus de fabrication.

La deuxième tentative sérieuse dut attendre 1997 et eut lieu dans le cadre du BDIH (Bundesverband Deutscher Industrie und Handelsunternehmen für Arzneimittel, Reformwaren, Nahrungsergänzungsmittel und Körperpflegemittel), l'association fédérale des entreprises commerciales allemandes pour les médicaments, les produits diététiques, les compléments alimentaires et les soins corporels. La confiance qui régnait alors était plus solidement établie, et la collaboration entre les divers fabricants de cosmétiques naturels se révéla plus constructive.

Après les premières réunions, les représentants des divers fabricants acceptèrent l'offre de travailler désormais sous couvert du BDIH, au sein d'un « groupe de travail sur les cosmétiques naturels ». On trouvait autour de la table des discussions les représentants de toutes les grandes marques : Weleda, Wala, Logona ou Lavera. Le cahier des charges achevé en 2001 porte la griffe de l'ensemble des participants : il a été mis au point par des professionnels de terrain pour une utilisation pratique.

Que les substances végétales proviennent de l'Agriculture Biologique est également une caractéristique importante des produits portant le label allemand BDIH. Cependant, contrairement au label Cosmébio, la proportion d'ingrédients issus de l'agriculture biologique contrôlée n'est pas chiffrée.

Nature & Progrès est à l'origine du mouvement français, avec l'élaboration d'un premier cahier des charges. Le référentiel Ecocert, lui, n'est entré en vigueur que quatre ans plus tard.

Les pères de la certification française sont des organismes appartenant à la mouvance de l'agriculture biologique. D'ailleurs, le référentiel Ecocert fut le seul de tous les cahiers des charges présentés au ministère de l'Industrie à être agréé par celui-ci. C'est pourquoi il a fallu aussi tenir compte des critères de l'État pour la certification des produits.

Selon la définition française, il ne suffit pas que les ingrédients soient d'origine naturelle ou végétale. La nature dont il est question doit répondre, de surcroît, à une exigence particulière : la qualité bio.

Le BDIH représente presque 400 entreprises

Le BDIH fut fondé en 1951 en Allemagne. Il conseille ses adhérents dans toutes les questions concernant la fabrication et la commercialisation des produits cosmétiques, des aliments (tout particulièrement les compléments alimentaires et les aliments diététiques), des produits de soins et parapharmaceutiques en vente libre. Les cercles d'experts et les groupes de travail constituent un instrument de réflexion fondamental chargé de résoudre les questions d'actualité.

Malheureusement, au BDIH, la transparence a ses limites : la liste des ingrédients autorisés dans les cosmétiques naturels (liste positive) est gardée sous clé.

- Le « groupe de travail cosmétiques naturels » élabore le cahier des charges « cosmétiques naturels contrôlés » afin de déterminer quels produits cosmétiques peuvent obtenir le sigle de certification de la fédération.
- Ce cahier des charges réglementant la certification des cosmétiques naturel est librement accessible sur Internet.

En 1998, Nature & Progrès présente le tout premier cahier des charges français

Ce sont des consommateurs, des médecins, des agronomes et des nutritionnistes qui mirent sur pied, en 1964, une première charte, ce qui permit plus tard de déboucher sur la création de Nature & Progrès. C'est aujourd'hui une fédération internationale regroupant une trentaine d'associations départementales et régionales en France, y compris dans les Dom-Tom. Elle est présente également en Espagne et en Belgique (avec pas moins de 20 groupes régionaux).

En France, la nécessité de sélectionner les fabricants de cosmétiques pour les salons et foires bio, notamment à Marjolaine (Paris), ont amené Nature & Progrès à faire traduire dès 1996 la liste des ingrédients autorisés par la Fédération allemande des produits et aliments naturels (le BNN, Bund Naturkost Naturwaren) afin d'effectuer un premier « ménage » dans ce qui était exposé aux salons dont l'association avait la responsabilité.

« Pour notre santé et celle de la terre » dit le slogan de l'organisation Nature & Progrès, qui se considère comme le fer de lance du mouvement écologique.

Comme le précise Emmanuel Jaccaud, de la Commission Cosmétiques de Nature & Progrès : « L'adhésion à Nature & Progrès allie l'esprit solidaire à l'esprit associatif. Ce sont en effet les cotisations des professionnels qui permettent à Nature & Progrès de tenir en toute indépendance un discours militant sur l'écologie et l'agriculture biologique. »

• En 1998, Nature & Progrès rédige le premier cahier des charges français « cosmétiques, produits d'hygiène et savonnerie », qui vient tout juste d'être réactualisé.

Emmanuel Jaccaud qualifie ces travaux de réactualisation de travail collectif : « Ce travail est l'aboutissement d'une large consultation associant les adhérents professionnels et les consommateurs, auxquels se sont joints des pharmaciens, dermatologues, associations de protection de l'environnement et distributeurs de produits biologiques. »

• Le cahier des charges ainsi que la liste des adhérents et la plaquette de communication sont téléchargeables gratuitement sur le site Nature & Progrès (www.natureetprogres.org).

Ecocert, actif dans 50 pays du monde

Ecocert est issu de l'A.C.A.B. (Association des Conseillers en Agriculture Biologique) et fut fondé en 1991. Il compte actuellement parmi les plus importants organismes de certification européens. L'ensemble des sociétés du groupe Ecocert, c'est :

• une implantation dans 6 pays européens et 15 pays tiers par le biais de filiales ou de bureaux de représentation ; et une intervention permanente sur 80 pays ;
• plus de 30 000 agriculteurs et plus de 5 000 entreprises ;
• 80 000 produits certifiés ;
• une équipe de plus de 250 ingénieurs et techniciens ;
• la capacité de détecter très précisément les points de non-conformité aux cahiers de charges ;
• une croissance de 10 % par an.

Il est toujours possible, pour un laboratoire non-adhérent à l'association Cosmébio, de faire certifier ses produits par le label « Ecocert ». Du coup, ce dernier devient à la fois organisme de certification et marque de qualité, donc en quelque sorte juge et partie. Un équilibre qui n'est probablement pas toujours facile à gérer.

Dès 1992, Ecocert obtient l'agrément du ministère de l'Agriculture, de la Pêche et de l'Alimentation, ainsi que celui du ministère de l'Économie et des Finances. En 2002, Ecocert a déposé un référentiel pour la certification des cosmétiques au ministère de l'Industrie. Issu du travail d'une dizaine de laboratoires spécialisés dans les produits naturels, il regroupe les labels Cosmébio.

• Les deux labels « Cosmétique BIO » et « Cosmétique ÉCO » sont réservés aux laboratoires adhérant à l'association Cosmébio.
• Malheureusement, Ecocert ne fournit pas aux intéressés la possibilité d'un accès libre aux informations concernant les

critères de certification. Pour en prendre connaissance, il faut payer 80 €. Pour cette somme rondelette, on reçoit le « Référentiel Ecocert définissant les produits cosmétiques écologiques et biologiques ».

LE LOGO AB POUR LES HUILES ESSENTIELLES

Le logo AB (agriculture biologique) n'est utilisé dans le domaine des cosmétiques que pour les huiles essentielles produites à l'intérieur de l'Union européenne, ou dont la production en Europe n'est pas suffisante pour couvrir les besoins du marché. Ainsi, une huile essentielle d'orange produite en Italie pourra obtenir le logo, tandis que la même huile bio fabriquée en Amérique du Sud n'aura pas la chance de l'obtenir. On peut donc dire que le logo AB sert avant tout une politique commerciale. C'est une mesure protectionniste pour protéger les huiles locales des produits concurrents.

Le processus de certification concerne l'entreprise dans sa totalité

La certification ne porte pas seulement sur le produit cosmétique concerné, mais sur l'ensemble du processus de production, de l'achat des matières premières jusqu'à l'entreposage, en passant par la production. Le produit n'est donc qu'une partie d'un grand tout, et c'est toute l'entreprise qui est mise « sur la sellette ».

Chacune des organisations a ses propres exigences concernant le nombre de produits d'une entreprise qui doivent être certifiés.

- Le BDIH indique que le certificat de conformité est donné produit par produit, il n'y a pas de certification de marque. 60 % des produits d'une marque doivent être conformes au cahier des charges avant que le premier produit ne puisse arborer fièrement le logo.
- Nature & Progrès aussi exige que plus de deux tiers des produits d'une entreprise soient certifiés. Emmanuel Jaccaud, de la Commission Cosmétiques de cette association, déclare : « Par souci de cohérence dans la démarche, la mention est attribuée seulement si la société valide dès le démarrage au

moins 70 % de sa gamme sous mention Nature & Progrès. Cet engagement intègre l'obligation d'évoluer vers le 100 % de cosmétique bio dans les 5 ans à venir. Cela évite qu'une société communique sur 1 ou 2 produits en bio alors que le reste de la gamme de cosmétiques est bourré de pétrochimie ! »

- Le référentiel d'Ecocert, lui, ne contient pas d'indication de seuil. Une entreprise peut donc ne commercialiser qu'un unique produit certifié. Bien entendu, ce cas de figure est improbable car cela n'a pas grand sens de soumettre toute l'entreprise au processus de certification pour finalement ne mettre qu'un seul produit labellisé sur le marché. Mais en théorie cette possibilité existe.

En fixant la barre à 60 et 70 %, le BDIH et Nature & Progrès infléchissent l'orientation des entreprises en direction des produits cosmétiques naturels. En ce qui concerne le caractère naturel de la gamme de produits, le cahier des charges d'Ecocert, par contre, autorise aussi des profils d'entreprises moins tranchés.

Surveillance et contrôle

Les contrôles, généralement annuels, sont l'alpha et l'oméga de la délivrance des certifications pour produits cosmétiques. Le travail du contrôleur ressemble par certains côtés à celui d'un inspecteur des impôts. Ainsi les entreprises doivent-elles fournir une kyrielle de documents afin d'apporter des preuves complètes en ce qui concerne, par exemple, les substances issues de l'agriculture biologique contrôlée.

Tous les processus sont contrôlés : lieux de transformation externes, conditions d'entreposage, transport, comptabilité, arrivage des matières premières, élaboration des formules et préparation des produits, jusqu'à la documentation des réclamations. Pour chaque matière première, il faut, le cas échéant, fournir un certificat en cours de validité ou la preuve qu'un contrôle a été effectué. Un dossier de contrôle comprend différentes rubriques : suivi des lots, prélèvement d'échantillons, documents examinés, documentation sur les formules, protocoles de fabrication ou listes d'inventaire (pour comparer les quantités employées).

La nature à l'état pur, comme par exemple dans le cas du lavage des cheveux au rhassoul, exige un changement de mentalité de la part de l'acheteur. Et ceci ne fait pas l'affaire de tout le monde. C'est pourquoi la cosmétologie naturelle a dû et doit encore se fixer comme objectif central de développer des produits dont les qualités puissent se mesurer à celles des cosmétiques conventionnels.

À la recherche de la nature de la nature

Pour les puristes, la seule alternative conséquente à un shampooing banal contenant des tensioactifs est un lavage des cheveux avec du rhassoul, une argile que l'on mélange avec de l'eau. Si l'on considère le rhassoul d'un point de vue pratique (un critère important pour décider de l'acceptabilité d'un produit), sa cote de popularité baisse. L'acheteur considère comme pratique celui qui répond à ses attentes habituelles : ainsi, un produit pour se laver les cheveux doit être prêt à l'emploi, dans une bouteille, et ne pas nécessiter de préparation préalable. Il doit bien mousser, adoucir la chevelure et faciliter le démêlage.

Que recouvre l'expression « Cosmétique naturel »?

Qu'est-ce que la cosmétologie naturelle ? Voici la réponse du BDIH : la cosmétologie naturelle est une possibilité parmi d'autres de vivre en adéquation avec la vision globale que l'on a de la nature, et de se comporter de manière responsable vis-à-vis de l'environnement.

Dans quelle mesure la cosmétologie naturelle peut-elle se laisser séduire par les procédés de la chimie moderne ? À quoi est-elle prête à renoncer ? Cette question a été âprement débattue pendant trois bonnes années au sein du groupe de travail sur les cosmétiques naturels du BDIH, avant qu'un consensus ne soit trouvé et ne permette enfin d'établir un cahier des charges.

Son préambule explique clairement que lorsqu'on parle de cosmétiques naturels, il ne s'agit pas seulement que les ingrédients du produit soient naturels. Bien que le texte contienne davantage de bonnes intentions que d'obligations, il faut savoir que chaque mot fut longuement pesé avant d'être employé.

Le travail de titans que cela a représenté se devine aux remarques accompagnant le cahier des charges « Cosmétiques Naturels Contrôlés » du BDIH. Le problème n'était bien sûr pas de savoir si on pouvait employer des substances potentiellement dangereuses, mais de déterminer ce qui était dangereux. Le débat sur les parabènes anime les milieux des professionnels des cosmétiques naturels montre combien cette question porte à controverse. De même, il faut éclaircir ce que l'on entend par « chimie douce ».

Préambule du cahier des charges « Cosmétiques Naturels Contrôlés » du BDIH

« Le cahier des charges qui suit est une tentative pour définir d'une manière scientifiquement correcte et vérifiable ce que recouvre le terme "cosmétique naturel", et ce pour répondre aux attentes légitimes du consommateur.

Il doit permettre une concurrence loyale entre les différents fabricants et distributeurs de cosmétiques naturels. »

La proposition de préambule a été rédigée par le représentant d'une entreprise à philosophie anthroposophique (voir page 92). Même si peu d'entreprises adhèrent totalement à cette doctrine, son principe de globalité s'est avéré fédérateur. L'ensemble des participants était d'accord sur le fait que le concept de cosmétique naturel ne devait pas être considéré isolément mais être intégré à une conception plus globale de l'être humain et de la nature. Les deux paragraphes suivants esquissent quelques conséquences de cette conception.

« Le présent cahier des charges doit contribuer à rendre plus transparente la notion de "cosmétique naturel" et à en donner une définition très précise, de manière à répondre aux attentes légitimes du consommateur, à savoir disposer de produits écologiques dont l'innocuité soit garantie.

Lors de l'obtention des matières premières utilisées, on fera en sorte que la nature soit le moins perturbée possible et conserve son mode de vie, ce qui suppose de tenir compte de la nécessité de protéger les espèces animales et végétales. Toute manipulation du code génétique de la faune ou de la flore est proscrite. La transformation des matières premières en préparations cosmétiques doit avoir lieu en douceur, avec peu de processus chimiques. Les emballages doivent être réduits et non polluants pour l'environnement.

La préférence pour les matières premières naturelles s'explique en grande partie par leur supériorité d'un point de vue écologique, surtout si elles proviennent de l'agriculture biologique contrôlée ou de toute autre forme de production responsable à partir de ressources naturelles. De plus, ces substances naturelles doivent exclusivement avoir évolué avec l'espèce humaine de manière à ce que les risques toxicologiques potentiels soient réduits. »

Les fabricants de cosmétiques naturels luttent contre la pression croissante de l'administration tendant à traiter à égalité les plantes que l'homme consomme depuis des centaines d'années, qui font partie de la médecine naturelle établie et que nous côtoyons depuis des siècles, et les dizaines de milliers de produits chimiques de synthèse développés dans les laboratoires.

Qu'il y ait peu d'éléments concrets dans ces paragraphes tient au fait que les entreprises concernées sont nombreuses et ont des conceptions différentes. Il fallut donc trouver un juste milieu où chacun puisse se retrouver et soit en mesure de respecter.

La précision concernant le potentiel toxicologique réduit des substances naturelles est tout à fait actuelle, sur fond de débat autour de la proposition de règlement du Parlement Européen et du Conseil pour l'enregistrement, l'évaluation et l'autorisation des substances chimiques, et autour des restrictions applicables à ces substances, connues sous le sigle REACH (**R**egistration, **E**valuation and **A**utorisation of **Ch**emicals) (voir page 124).

Les derniers paragraphes précisent bien qu'une matière première naturelle n'est pas automatiquement une substance de grande qualité et que la cosmétologie naturelle moderne ne saurait se passer de processus chimiques :

« L'exigence de conditions de production transparentes et socialement acceptables est généralement mieux respectée lorsqu'il s'agit de substances naturelles. La plupart d'entre elles sont issues du règne végétal et quelques-unes sont d'origine minérale ou animale. S'y ajoute un tout petit nombre de produits plus techniques auxquels on ne peut pas totalement renoncer du fait des attentes actuelles du consommateur, ces dernières ne pouvant être satisfaites avec des produits 100 % naturels.

Que les producteurs et distributeurs de matières premières soient prêts ou non à délivrer les informations demandées fournit déjà un important critère d'appréciation. Les produits ne présentant pas une transparence suffisante dans le domaine des matières premières ne peuvent être labellisés. »

Les nouvelles découvertes et les expériences pratiques élargissent continuellement le champ des connaissances. C'est pourquoi le BDIH précise que son cahier des charges « doit être considéré comme vivant et pouvant continuellement être modifié en fonction des nouvelles découvertes et des progrès effectués ».

On entend par « tout petit nombre de produits plus techniques dont on ne peut pas entièrement se passer », les émulsifiants, tensioactifs et quelques additifs que l'on retrouve dans la liste positive des ingrédients autorisés. Ils ont été obtenus par certains procédés chimiques avant de servir de matière première.

La transparence concernant la chaîne des fournisseurs est un point-clé. Couplée avec le contrôle de la qualité dans l'entreprise, cette transparence permet de garantir qu'aucune matière première contenant des impuretés ou polluée de quelque façon que ce soit n'a pu être utilisée.

Les sept critères pour la fabrication d'un produit

La substantifique moelle du cahier des charges est constituée des sept critères indispensables à la fabrication d'un produit cosmétique, sachant que chacun de ces critères a donné lieu à des discussions très explosives.

Lors de la réflexion pour l'élaboration de certains critères du cahier des charges, quelques thèmes firent éclater le groupe : certains fabricants se dissocièrent du projet car ils ne voulaient ou ne pouvaient accepter le chemin tracé.

➢ Critère n° 1 : Les matières premières

« Matières premières végétales autant que possible issues de :
- *la culture biologique contrôlée, en considération de la qualité et de la disponibilité ;*
- *la cueillette sauvage biologique contrôlée. »*

La question était de savoir quelles matières seraient inscrites sur la liste des matières premières de l'agriculture biologique contrôlée. Une question fondamentale puisque toute substance inscrite sur cette liste doit obligatoirement provenir de l'agriculture biologique contrôlée. Une telle décision coûte cher. Certaines matières premières de l'agriculture biologique contrôlée coûtent deux fois plus cher que les conventionnelles, et d'autres encore bien davantage. Contrainte supplémentaire, il fallait s'assurer que toutes les substances que l'on inscrirait dans la liste positive des produits bio contrôlés soient disponibles en quantité suffisante.

Pour le consommateur, la formulation « autant que possible » signifie que même un produit ne contenant pas de matières premières de l'agriculture biologique contrôlée mais des végétaux de l'agriculture conventionnelle peut être certifié.

Dans la déclaration des composants, les ingrédients issus de l'agriculture biologique contrôlée sont signalés dans la plupart des cas par un astérisque (*). Ce n'est pas une obligation mais cela se pratique couramment car la valeur des produits de l'agriculture biologique contrôlée représente un plus au niveau de la qualité.

➢ Critère n° 2 : La protection des animaux

« On n'accepte de tests sur les animaux ni au cours de la fabrication ni au cours du développement ou du contrôle des produits finaux, ni au passage de la commande des matières premières.
- *Les matières premières qui n'étaient pas encore disponibles sur le marché avant le 1er janvier 1998 ne doivent être utilisées que si elles n'ont pas fait l'objet de tests sur des animaux. Les essais réalisés par des tiers restent ici exclus, même s'ils n'ont pas été pris en charge à*

À première vue, la cosmétologie naturelle et la protection des animaux n'ont aucun rapport l'une avec l'autre. La protection des animaux est une question d'éthique, alors que la cosmétologie naturelle se penche sur la qualité des matières premières et les processus chimiques. Que les deux problématiques soient ici liées vient du parti pris de la cosmétologie naturelle, comme il est défini dans le préambule.

l'instigation du client et si les deux parties ne sont pas non plus liées sur le plan du droit des sociétés ou au niveau contractuel.
- *Le recours à des matières premières issues de vertébrés morts (par exemple : graisse de baleine, huile de tortue, huile de vison, graisse de marmotte, graisse animale, collagène animal et cellules nouvelles) n'est pas autorisé. »*

La protection des animaux est un sujet extrêmement sensible. Les discussions sur ce qu'un fabricant de cosmétiques naturels peut assumer ou non du point de vue de l'éthique ont parfois fait approcher le point de rupture. En ce qui concerne les composants, il s'agissait de résoudre plusieurs questions.
- La cosmétologie naturelle doit-elle renoncer à la couleur rouge vif ? En effet, un tel rouge ne peut être obtenu qu'avec des colorants azoïques toxiques ou à partir du carmin, une substance colorante tirée des femelles de cochenille.
- La cosmétologie naturelle doit-elle renoncer à la soie (par exemple à la poudre de soie utilisée comme agent de brillance dans les produits capillaires), et aux substances hydrogénées (graisses solidifiées utilisées) pour les rouges à lèvres. La soie vient des cocons de vers à soie que l'on ramasse avant que la chenille n'en soit sortie car les longs fils sont alors intacts et peuvent être utilisés par l'industrie textile. Celle employée pour les cosmétiques provient, elle, des déchets de cocons.
- Les cosmétiques naturels doivent-ils renoncer aux agents naturels utilisés dans les laques pour former un film sur le cheveu ? La matière première utilisée est le chitosan que l'on tire de la carapace des crustacés, un résidu de l'industrie alimentaire qui, elle, n'utilise que la chair.
- La cosmétologie naturelle doit-elle se passer du saindoux qui a toujours été utilisé dans les cosmétiques naturels ?

Après d'âpres discussions, il fut décidé que le carmin de la cochenille, la soie cosmétique et le chitosan seraient autorisés, tandis que la graisse de porc ne le serait pas. Comment expliquer cette décision ? La ligne de démarcation choisie fut celle de l'Association de protection des animaux : l'utilisation de substances animales provenant d'invertébrés morts est autorisée mais pas celles issues de vertébrés.

➢ Critère n° 3 : Les matières premières minérales

« Le recours à des sels inorganiques (sulfate de magnésium, par exemple) et à des matières premières minérales (comme le chlorure de sodium) est en principe autorisé. Pour les exceptions, cf. point 5. »

Les quelques matières premières minérales autorisées pour la fabrication des cosmétiques naturels constituèrent également un vrai casse-tête. Pour celles ne posant aucun problème, comme par exemple le chlorure de sodium (sel) ou le sulfate de magnésium, tout le monde tomba rapidement d'accord, mais les avis étaient plus partagés en ce qui concerne une poignée de matières premières minérales dont les modes d'extraction ou de fabrication étaient controversés.

Le problème des matières premières minérales déchaîna lui aussi les passions. Une fois les décisions prises, certains fabricants quittèrent la table des négociations car elles étaient incompatibles avec leur conception de la cosmétologie naturelle.

Le point d'achoppement était le suivant : si l'on ne veut pas renoncer aux produits avec filtres solaires et à certaines substances colorantes, faut-il autoriser l'utilisation des substances minérales qui sont obtenues ou transformées dans des conditions problématiques ? La lutte en vue d'obtenir « l'absolution » de ces dernières fut serrée, et notamment autour de deux d'entre elles :

- le dioxyde de titane micronisé (un filtre solaire minéral) que l'on ne peut obtenir qu'à l'aide d'acides forts et à des températures élevées ;
- le « bleu de Prusse », un colorant minéral obtenu par de la chimie « dure », mais qui, au bout du compte, se révèle bien moins nocif que de nombreuses matières organiques.

➢ Critère n° 4 : Les matières premières à intervention réduite

« Pour la fabrication de cosmétiques naturels, on peut utiliser des composants qui ont été obtenus par hydrolyse, hydrogénation, estérification, transestérification ou autres dissociations et condensations des substances naturelles suivantes :

- *graisses, huiles et cires,*
- *lécithines,*
- *lanoline,*
- *mono-, oligo- et polysaccharides,*
- *protéines et lipoprotéines.*

Le recours concret aux matières premières est réglementé par l'actuelle liste positive pour le développement et la fabrication des cosmétiques naturels contrôlés. »

Pour des raisons juridiques, le cahier des charges du BDIH a dû être aligné sur celui de l'Union européenne, le problème étant que les connaissances de l'époque ne sont plus comparables à celles d'aujourd'hui. Autrefois, lorsqu'on évoquait les processus chimiques doux, on ne pensait qu'aux émulsifiants et aux tensioactifs. Personne ne songeait encore à la vitamine E (tocophéryl acétate), par exemple, qui est un agent actif et non un émulsifiant, ou grâce à des ingrédients hydrogénés (solidifiés) comme l'huile de noix de coco hydrogénée utilisée pour donner de la consistance aux produits ou d'autres substances comparables. Il faut cependant savoir que les processus chimiques doux évoqués au point 4 sont également nécessaires pour de telles substances.

Dans les produits cosmétiques naturels certifiés par le cahier des charges BDIH, on emploie des colorants minéraux comme les oxydes de fer, des colorants végétaux comme la chlorophylle, des colorants anorganiques, ou des colorants d'origine animale comme le carmin.

➢ Critère n° 5 : Un renoncement délibéré

- *« aux colorants organiques synthétiques,*
- *aux substances odorantes synthétiques,*
- *aux matières premières éthoxylées,*
- *aux silicones,*
- *à la paraffine et autres produits dérivés du pétrole.*

Le critère d'autorisation pour les substances odorantes naturelles est la norme ISO 9235. »

Pour un cosmétique naturel, ces dispositions signifient que :

- seules les huiles essentielles ou des composants de ces huiles peuvent être employés. Ils ne doivent être isolés que par un procédé physique. Les parfums de synthèse ne sont pas autorisées ;
- les colorants de synthèse ne sont pas utilisés non plus.

De nombreux fabricants de cosmétiques naturels utilisent comme argument publicitaire que « ce produit ne contient aucun conservateur de synthèse ». Et le consommateur s'en réjouit car les conservateurs de synthèse sont, non sans raison, dans le collimateur.

➢ Critère n° 6 : La conservation

« Pour la sécurité microbiologique des produits, outre les systèmes de conservation naturels, seuls certains conservateurs à l'état naturel sont autorisés :

- *acide benzoïque, ses sels et éthylesters,*
- *acide salicylique et ses sels,*
- *acide sorbique et ses sels,*
- *alcool benzylique.*

En cas de recours à ces conservateurs, il est obligatoire d'ajouter : "conservé avec … [nom du conservateur]". »

Si l'on respecte la loi à la lettre, on ne doit utiliser pour les cosmétiques que les conservateurs listés dans la directive sur les cosmétiques ; les conservateurs doivent être listés aussi dans les cahiers des charges sur les cosmétiques naturels. Ceux qui sont cités ci-dessus sont « identiques aux conservateurs naturels » et ce sont eux qui posent le moins de problèmes.

Mais la plupart des fabricants de cosmétiques naturels boudent les substances de cette liste car ils se refusent à indiquer sur le produit « *conservé avec … [nom du conservateur]* ». À la place, ils emploient des ingrédients qui, outre leur fonction première, ont un pouvoir conservateur. C'est le cas, par exemple, de l'alcool (solvant) ou de certaines substances odorantes naturelles.

QUELQUES MILLIERS DE PRODUITS BÉNÉFICIENT DE LA CERTIFICATION

- Plus de 2 500 produits provenant de 50 entreprises sont certifiés « Cosmétiques naturels contrôlés BDIH ». On estime qu'au moins la moitié de tous les cosmétiques naturels certifiés vendus en Europe portent le label BDIH.
- Nature & Progrès compte plusieurs sociétés adhérentes dont 19 sont actuellement titulaires de la mention. Quatre sont en cours de validation. Le nombre d'adhérents est passé de 10 à 19 entre 2003 et 2006.
- 1 200 produits bénéficient du label Ecocert.
- Cinq ou six laboratoires environ sont certifiés par Qualité France.

➢ Critère n° 7 : Pas de traitement par ionisation

« *Il n'est pas permis de désinfecter les matières premières organiques et les produits finaux cosmétiques au moyen de rayonnements radioactifs.* »

Cette précision s'explique par le fait qu'il est très courant de traiter des matières premières organiques, comme les plantes séchées ou les épices, par des rayonnements ionisants, pour empêcher le développement de germes.

Comme l'irradiation de matières premières végétales peut mener à des transformations organiques nocives, celles-ci sont taboues dans le domaine des cosmétiques naturels.

Différences entre les cahiers des charges et les labels

Les cahiers des charges ont tous deux points en commun : d'une part, ils déterminent une liste référence des composants, à laquelle chaque produit certifié devra se conformer et, d'autre part, ils mettent en place des mécanismes de contrôle pour s'assurer que les critères choisis sont respectés.

BDIH et Ecocert : une très large conformité

Les cahiers des charges du BDIH et d'Ecocert ne se différencient pratiquement pas en ce qui concerne les principes de base, la liste des ingrédients et les procédés chimiques autorisés. Mais contrairement au cahier des charges du BDIH, le référentiel Ecocert autorise 5 % de substances synthétiques, lesquelles sont répertoriées. Il s'agit surtout de conservateurs se trouvant également dans la charte du BDIH. Cependant, pour les tensioactifs (ces substances lavantes qui jouent surtout un rôle central dans les shampooings et les gels-douche), les différentes réglementations entraînent des différences de qualité notables au niveau des produits.

En ce qui concerne la question de l'autorisation par Ecocert de parabènes et du phénoxyéthanol, dans le référentiel de 2003, on pouvait lire que « l'acide para-hydroxybenzoïque, ses sels et ses esters » et le « Phenoxy-2-ethanol » étaient tolérés en tant qu'« agents de conservation », mais « uniquement dans les ingrédients » (extrait de la note d'information des experts CEE aux consommateurs).

Les indications commençant par « ne contient pas de ... » ou « sans ... » ne veulent pas dire grand-chose. Un produit sans parabènes est-il systématiquement meilleur qu'un autre ? Pas nécessairement. Un fabricant peut très bien remplacer sa panoplie habituelle de conservateurs (les parabènes) par d'autres encore plus suspects.

Bernard Chevilliat, membre du Conseil d'administration de Cosmébio, précise : « Le cahier des charges Cosmébio/Ecocert ne permet pas l'utilisation des parabènes et du phénoxyéthanol à titre de conservateurs. Il tolère jusqu'à la fin de l'année 2006 l'usage de matières premières en comportant une faible quantité. Mais cette dérogation temporaire n'a été donnée qu'à titre transitoire pour permettre aux fabricants de matières premières de proposer une alternative. La plupart des marques certifiées ont pris le parti de ne pas employer de composants conservés avec ces conservateurs. On ne peut donc pas sérieusement dire que le cahier des charges Cosmébio/Ecocert permette cette utilisation. » Jusqu'ici, la concentration maximale autorisée pour les parabènes et le phénoxyéthanol était de 0,5%. A partir de 2007, on passera à 0,2% seulement.

Nature & Progrès : nettement plus restrictif

Nature & Progrès accorde une importance particulière à une ligne « dure ». Comme le souligne Emmanuel Jaccaud : « Nous considérons que le référentiel est rigoureux dans son contenu technique et dans ses critères d'attribution. »

Le cahier des charges de Nature & Progrès est d'une tout autre facture. Il est par exemple nettement plus restrictif en ce qui concerne les composants et les processus chimiques autorisés.

La première restriction concerne le choix des certifications bio qui seront reconnues. Alors que les cahiers des charges du BDIH et d'Ecocert demandent seulement que les ingrédients proviennent de l'agriculture biologique contrôlée « dans la mesure du possible », Nature & Progrès exige l'utilisation de matières premières végétales certifiées Nature & Progrès. Le cahier des charges indique : « *Les ingrédients utilisés doivent être en priorité sous mention N & P. À défaut, sous mention simple, Demeter ou certifiés AB selon le règlement CEE 2092/91.* »

S'il est vrai que « sous mention Nature & Progrès » est accompagné d'une réserve (« Cette priorité dépend des volumes disponibles et de la proximité géographique »), le respect de cette clause, si elle est prise au sérieux, doit conduire à l'utilisation majoritaire de matières premières d'origine végétale Nature & Progrès.

Un fabricant de cosmétiques moderne présentant une gamme complète de produits ne peut pas respecter les limites très étroites de cette règle de Nature & Progrès. Mais cela ne permet pas de conclure qu'il soit moins naturel qu'un fabricant travaillant selon les critères de Nature et Progrès.

Chaque cahier des charges est un compromis entre idéal et principe de réalité

La nature d'un cahier des charges dépend de son rédacteur et du public ciblé. Chez Nature & Progrès, la réglementation concernant la fabrication des savons prend par exemple une grande place. Les savons sont des produits assez simples et il est relativement facile de les fabriquer de manière naturelle. Cependant, même ce segment du marché amène à se poser des questions fondamentales. Pour fabriquer du savon, il faut une solution de soude caustique, et la charte Nature & Progrès autorise son utilisation bien que son processus de fabrication soit plutôt incompatible avec une définition très rigoureuse des cosmétiques naturels. Mais comment fabriquer un savon digne de ce nom sans soude caustique ?

Le problème fondamental de la cosmétologie bio apparaît comme un fil rouge tout au long du cahier des charges de Nature & Progrès : il s'agit de trouver un équilibre entre le souci de rester naturel et biologique, et les incontournables de la fabrication du produit.

Les différences entre une charte restrictive et une charte souple ne peuvent pas se réduire à la dichotomie « bon » ou « mauvais ». Elles trouvent aussi leurs racines dans les convictions des fabricants.

D'autres règles nous font comprendre la complexité du problème. Elles ramènent toujours à la question centrale : si telle ou telle substance appartenant à un groupe particulier (les alcools gras par exemple) est autorisée, pourquoi pas les autres substances du même groupe ?

- Nature & Progrès autorise les alcools béhénylique et cétylique mais pas l'alcool myristique. Interrogée sur la question, l'organisation apporte quelques précisions sur le texte de son cahier des charges : « Ces deux alcools sont cités à titre d'exemple. L'ensemble des alcools gras est accepté dès lors qu'ils sont d'origine végétale. En conséquence, l'alcool myristique est bien sûr autorisé. »
- La lécithine n'est jamais autorisée. Or, si l'on conçoit très bien que la lécithine animale ne soit pas admise, il ne faut pas oublier qu'il existe aussi de la lécithine végétale. Nature & Progrès nous fait savoir qu'une amélioration a été apportée à ce sujet, dans la nouvelle mouture du cahier des charges : « Ce point vient d'être récemment revu par notre commission Cosmétiques. Par souci de cohérence avec nos autres cahiers des charges, la lécithine végétale est autorisée sous réserve d'être garantie sans OGM. Ce point est validé pour modification du cahier des charges au 1er janvier 2006. »

La chimie douce : Nature & Progrès indique la direction à suivre

Le concept de chimie douce est central pour la définition des cosmétiques naturels. Dans ce domaine, le cahier des charges Nature & Progrès fait une proposition intéressante pour toute la profession sous la forme du principe de base suivant : « *L'essentiel étant de toujours maintenir la structure d'origine du carbone organique, les modifications chimiques doivent se limiter aux groupes fonctionnels, afin de préserver l'environnement et maintenir la biodégradabilité.* »

L'exigence de préserver la chaîne carbonée détermine la différence fondamentale entre chimie douce et chimie dure. Le processus habituel utilisé par l'industrie cosmétique conventionnelle consiste à découper à volonté les chaînes du carbone. À n'en pas douter, cette intervention chimique « dure » détruit les liaisons naturelles. L'idée de préserver la structure d'origine du carbone organique indique le chemin à suivre pour poursuivre la réflexion.

Un pseudo cahier des charges : le label Neuform

Comme l'illustre bien l'exemple du label « Neuform », les cahiers des charges de certification des cosmétiques ne constituent un indicateur fiable que si les règles sont obligatoires et ne peuvent pas être prises à contrepied par le biais d'un système d'exceptions.

On le rencontre en Allemagne, dans les 2 500 magasins diététiques Neuform, depuis des décennies, tant pour les produits alimentaires que pour les cosmétiques. Les normes Neuform sont tellement loin derrière celles des autres cahiers des charges qu'elles permettent de certifier des produits qui ne sont que de pseudo-cosmétiques naturels.

- Le label Neuform permet par exemple d'utiliser, pour la fabrication des cosmétiques, des tensioactifs contenant des PEG et des conservateurs comme les parabènes et le phénoxyéthanol.

« À cause de leur bonne fonctionnalité, on ne peut pas se passer de tensioactifs contenant des PEG », lit-on dans la brochure qualité de Neuform. Un argument peu convaincant quand on sait que les fabricants de vrais cosmétiques naturels réussissent à s'en passer.

- D'autre part, le cahier des charges comprend des passages d'une grande souplesse. Finalement, en ce qui concerne les substances odorantes, les additifs, les écrans anti-UV et les tensioactifs, le fabricant peut utiliser pratiquement ce qu'il veut à partir du moment où il dit avoir besoin « d'obtenir un effet particulier ».
- Le passage concernant les produits solaires est particulièrement étrange : « Pour les produits solaires, l'emploi de filtres UV est imposé par la loi. Leur utilisation est nécessaire dans les produits solaires portant le label Neuform pour protéger les personnes sensibles à la lumière du soleil au vu des dangers de plus en plus grands que représente l'exposition aux rayons UV intensifs. »

Si le législateur prescrit effectivement l'utilisation des filtres pour assurer une protection solaire, personne n'est pour autant obligé d'utiliser des filtres synthétiques suspects ! Le fait que ceux-ci soient employés dans les produits labellisés Neuform ne peut en aucun cas être justifié par la loi puisqu'il existe d'autres filtres. La preuve, les produits labellisés par le BDIH, Ecocert ou

Nature & Progrès, tout en suivant la réglementation à la lettre, ne contiennent pas de filtres UV de synthèse.

- Il faut ajouter que les produits Neuform ne sont pas contrôlés par des instituts indépendants mais par les laboratoires du fabricant (!) et par Neuform lui-même.

Des différences dans l'appréciation des produits

Des différences notables au niveau des critères d'attribution d'un certificat apparaissent entre le label allemand « Cosmétiques naturels contrôlés BDIH » et le label « Nature & Progrès Cosmétique Bio-écologique » d'une part, et les labels « Cosmétique BIO Charte Cosmébio » et « Cosmétique ECO Charte Cosmébio » d'autre part.

- Nature & Progrès certifie les produits sur la base de son cahier des charges. L'acheteur reconnaît un produit certifié Nature & Progrès au label qui est imprimé sur l'étiquette.
- Le label BDIH est, lui aussi, facile à comprendre : le choix des ingrédients est basé sur la liste positive. Si le produit ne contient que des substances y figurant, il correspond au cahier des charges et mérite d'être certifié.

La certification allemande s'appuie sur la définition du terme « cosmétologie naturelle », c'est-à-dire que les ingrédients doivent être d'origine végétale et naturelle. Dans la liste des composants, les ingrédients bio (issus de l'agriculture biologique) sont généralement suivis d'une petite étoile (*).

Les certifications accordées en fonction de pourcentages demandent beaucoup de calculs

Pour les labels « Cosmétique BIO Charte Cosmébio » et « Cosmétique ÉCO Charte Cosmébio », les choses se compliquent : on calcule le pourcentage de substances naturelles et le pourcentage d'ingrédients issus de l'agriculture biologique. Les deux chiffres ainsi obtenus et le logo peuvent alors être utilisés comme argument publicitaire.

Pour obtenir le logo « Cosmétique BIO Charte Cosmébio », le produit doit remplir les critères suivants :

- 95 % des **ingrédients d'origine végétale** doivent provenir de l'agriculture biologique ;

• 10 % au moins de **tous les ingrédients** du produit doivent provenir de l'agriculture biologique.

En ce qui concerne le logo « Cosmétique ECO Charte Cosmébio », les pourcentages sont moins élevés :

• 50 % **de tous les ingrédients d'origine végétale** doivent provenir de l'agriculture biologique ;

• 5 % au moins de **tous les ingrédients** du produit doivent provenir de l'agriculture biologique.

Qualité France procède de manière comparable. Seule différence : le pourcentage est calculé sur le total des ingrédients, il n'y a pas de pourcentage minimal sur le total des végétaux.

Un challenge : découvrir ce qui se trouve derrière les chiffres

Si vous aimez faire des puzzles, vous lirez avec plaisir les exemples qui suivent. Mais il vous arrivera aussi, par moments, de vous arracher les cheveux car il faut une bonne dose de patience pour assembler les petites pièces du puzzle. Il n'est pas aisé en effet de découvrir le secret des chiffres du label « Cosmétique BIO Charte Cosmébio ». Mais effectuer ces opérations de calcul, pas à pas, permet de faire des découvertes supplémentaires concernant la composition d'un produit cosmétique.

« Purement » végétal ou de culture bio : une opération mathématique difficile

La réglementation concernant les labels « Cosmétique BIO Charte Cosmébio » et « Cosmétique ECO Charte Cosmébio » indique :

Que 95 % des ingrédients d'un produit doivent être naturels est un élément déterminant car il indique que seuls les produits composés presque uniquement de produits d'origine naturelle pourront prétendre à la certification.

➢ Première exigence

Pour pouvoir prétendre à quelque certification que ce soit, un produit doit contenir 95 % d'ingrédients naturels sur le total des ingrédients utilisés. Le chiffre de 95 % s'explique par le fait que seuls 5 % d'ingrédients de synthèse sont tolérés. La liste de ces (rares) ingrédients est elle-même précisément déterminée. Ces 95 %, par contre, incluent aussi l'eau car l'eau potable fait partie du référentiel des ingrédients naturels d'Ecocert. Une crème, par exemple, contient 50 à 60 % d'eau.

QUEL QUE SOIT LE POURCENTAGE : LA QUALITÉ NATURELLE N'EST PAS REMISE EN QUESTION

Il faut le souligner expressément : l'analyse des chiffres concernant les labels « Cosmétique BIO Charte Cosmébio » et « Cosmétique ECO Charte Cosmébio » ne sert qu'à éclairer leur signification. Elle ne permet en aucun cas de tirer des conclusions sur la qualité d'un produit. Tous les labels garantissent la qualité naturelle d'un produit puisqu'ils exigent (à quelques exceptions près qui ont été répertoriées) l'emploi exclusif d'ingrédients d'origine naturelle.
De plus, les formules des produits cosmétiques répondent aux mêmes exigences de base, quel que soit le label de certification. Ainsi, toute crème doit contenir une grande partie d'eau, et les toniques encore plus ; quant au shampooing, il ne peut se passer d'une bonne dose de tensioactifs.

➢ Deuxième exigence

Comme l'acheteur d'un produit portant le label Cosmébio est souvent confronté à des chiffres, il devrait avoir la possibilité de les comprendre. Mais on ne lui facilite pas les choses.

Un produit doit contenir 95 % **d'ingrédients végétaux certifiés bio** sur le total des ingrédients végétaux utilisés.

Pour comprendre ce chiffre, il faut savoir que la part d'ingrédients végétaux dans une crème pour le visage atteint en moyenne 20 à 40 %, et dans une lotion pour le corps, 10 à 30 %. Dans une crème ou une lotion, les 95 % d'ingrédients végétaux certifiés bio se calculent donc sur un pourcentage de produit compris entre 10 et 40 % au maximum. 95 % de 10 à 40 % de produit représentent donc entre 9,5 % et 38 % de produit. Il faut également tenir compte du fait que sous une forme spécifique (l'hydrolat, voir encadré), l'eau est considérée comme un ingrédient végétal certifié bio.

➢ Troisième exigence

Il doit y avoir **10 % d'ingrédients certifiés bio sur le total des ingrédients** utilisés dans un produit. Les exemples suivants montrent pourquoi cette troisième exigence est si importante.

EXEMPLE 1 : une crème de jour

Pourquoi 98 % représentent en réalité 22,757 %

La crème que nous présentons ici répondrait aux critères du BDIH et d'Ecocert en ce qui concerne les ingrédients. De plus, tous les ingrédients (100 %), et non pas seulement 95 %, sont naturels ou d'origine naturelle.

La formule de la crème de jour (INCI)

2,500 %	Glyceryl Stearate Citrate
5,000 %	Palmitic Acid, Stearic Acid
6,500 %	**Glycine Soja (b)**
0,100 %	Tocopherol
1,000 %	**Simmondsia Chinensis (b)**
4,000 %	**Theobroma Cacao (b)**
66,675 %	Aqua
0,020 %	Lactic Acid
0,250 %	Sodium Lactate
0,700 %	Betaine
0,150 %	**Tilia Cordata (b)**
0,150 %	**Hamamelis Virginiana (b)**
0,500 %	Xanthan Gum
12,000 %	**Alcohol (b)**
0,150 %	**Parfum**
0,300 %	**Citrus Nobilis**
0,005 %	**Zingiber Officinalis**

Que révèlent les chiffres « bio » des labels Ecocert et Cosmébio ?

Un produit doit contenir **95 % d'ingrédients végétaux certifiés bio sur le total des ingrédients végétaux mis en œuvre.**

Le calcul s'effectue en trois étapes.

- Premier temps : on calcule le pourcentage des ingrédients végétaux.

Dans le cas de notre crème, les ingrédients végétaux sont indiqués en caractères gras ; ils sont au nombre de 9, sur un total de 17. Ils représentent 22,757 % de l'ensemble du produit.

- Deuxième temps : on calcule le pourcentage des ingrédients végétaux certifiés Bio.

Dans notre cas, ce sont les ingrédients en caractères gras, suivis de (b), en l'occurrence 6 sur 17 ingrédients ; ils représentent 22,301 % du produit (voir encadré).

- Le calcul final

22,757 % du produit sont des ingrédients végétaux, et 22,301 % d'entre eux sont biologiques. Calculons : 22,301 % de 22,757 % font 98 %. Donc 98 % des ingrédients d'origine végétale sont des ingrédients végétaux certifiés bio.

C'est ainsi que du chiffre 22,302 % d'ingrédients bio dans le produit, on arrive au chiffre de 98 %.

22,302 % d'ingrédients bio dans l'ensemble du produit, cela remplit largement l'exigence des « 10 % d'ingrédients certifiés bio sur le total des ingrédients mis en œuvre ».

POURQUOI EST-CE QUE TOUT N'EST PAS VÉGÉTAL OU BIOLOGIQUE ?

Dans notre exemple, si on additionne les pourcentages des ingrédients végétaux ou des ingrédients biologiques, on obtient des chiffres plus élevés. La valeur moins élevée s'explique par le fait que, pour prendre l'exemple des 0,150 % d'extrait d'Hamamelis Virginiana, seule une partie va compter puisque cet extrait contient aussi de l'alcool. Suivant le taux d'alcool, les 0,150 % d'extrait sont comptabilisés seulement, par exemple, à hauteur de 60 %. Si l'alcool de l'extrait est bio en revanche, ce dernier sera considéré comme un extrait 100 % végétal, ou bio. Tous les écarts entre la somme des pourcentages de la formule du produit et les pourcentages qui vont finalement entrer en ligne de compte s'expliquent par la nécessité d'effectuer ce type de « soustractions ».

EXEMPLE 2 : un shampooing

Pourquoi 97 % représentent en vérité seulement 0,620 % de bio

Si l'on se penche sur les produits qui, de par leur nature, ne peuvent contenir qu'une partie de « vrais » ingrédients bio, on comprend qu'il faille relativiser l'importance donnée aux indications en pourcentages. Un shampooing, par exemple, est un produit qui doit avant tout laver les cheveux, et ce sont les tensioactifs qui lui apportent ce pouvoir. Naturel ou non, un shampooing est donc en grande partie constitué d'eau et de tensioactifs.

Dans le shampooing que nous présentons, 100 % des ingrédients sont d'origine naturelle, mais l'eau et les tensioactifs représentent à eux seuls 90 % du produit.

La composition du shampooing (INCI)

45,490 %	Aqua
10,000 %	**Calendula Officinalis (b)**
5,000 %	Glycerin
1,200 %	Betaine
0,100 %	**Tilia Cordata (b)**
0,100 %	**Malva Sylvestris (b)**
0,750 %	Xanthan Gum
0,450 %	Citric Acid
0,100 %	Phytic Acid
16,000 %	Coco Glucoside
2,000 %	Glyceryl Oleate
9 %	Lauroyl Sarcosinate
9 %	Cocamidopropyl Betaine
0,350 %	**Prunus Armeniaca (b)**
0,010 %	**Citrus Grandis**
0,150 %	**Parfum (b)**
0,300 %	**Citrus Nobilis**

La bétaïne (1,2 %) entrant dans la formule du shampooing n'est pas un tensioactif mais un agent capillaire naturel tiré de la betterave à sucre. Comme il existe un tensioactif doux qui porte le nom de « Cocamidopropyl Betaine » dans la nomenclature INCI, on a souvent tendance à en conclure un peu rapidement que la « Betaine » est un tensioactif.

Que signifie le chiffre de « 97 % d'ingrédients végétaux certifiés bio sur le total des ingrédients végétaux mis en œuvre » ?

- 7 des 17 composants sont végétaux (ce sont ceux en caractères gras). Ils représentent 10,930 % de l'ensemble du produit (voir encadré). 10 % de ces 10,930 % sont de l'eau mais peuvent être pris en considération pour les calculs car il s'agit d'un hydrolat.
- La deuxième étape consiste à déterminer la part des ingrédients certifiés bio. Dans notre exemple, ce sont les ingrédients en caractères gras suivis d'un (b), c'est-à-dire 5 des 17 ingrédients. Ces 5 ingrédients représentent 10,620 % (voir encadré). Ce chiffre aussi comprend 10 % d'eau car il s'agit d'un hydrolat.
- Dernière étape du calcul : dans ce shampooing, il y a 10,930 % d'ingrédients végétaux, dont 10,620 % sont biologiques.

Malheureusement, jongler avec les chiffres, comme c'est le cas du label « Cosmétique BIO Charte Cosmébio », est une des techniques favorites de marketing. Utilisés pour souligner les atouts naturels des produits, ces chiffres, il faut l'avouer, ne veulent pas dire grand-chose.

10,620 de 10,930, cela fait 97 %. On peut donc dire que 97 % des ingrédients végétaux sont des ingrédients végétaux certifiés bio.

Pour un produit contenant 10,620 % d'ingrédients bio, on arrive au chiffre de 97 %.

Si l'on ne compte pas l'eau (l'hydrolat), il y a dans ce shampooing tout juste 0,620 % de composants bio.

L'HYDROLAT : UN COMPOSANT BIO ?

L'hydrolat est un dérivé de la distillation à la vapeur d'eau de végétaux en vue d'obtenir des huiles essentielles. L'huile essentielle est extraite et entraînée vers le haut par la vapeur d'eau, l'huile et l'eau se dissociant ensuite au moment du refroidissement. On recueille l'huile essentielle et il reste l'eau : l'hydrolat. Peut-on dire que celui-ci est vraiment bio ? Les avis sont très partagés comme on peut le constater entre autres dans le document mis au point par Ecocert et le BDIH en vue de concevoir un label européen (voir page 53).

EXEMPLE 3 : L'art et la manière de manipuler les chiffres publicitaires

Souvent, les chiffres qui accompagnent un produit sont exacts. Mais cette forme d'exactitude cache quelque chose.

Pourquoi « 100 % des ingrédients végétaux de l'agriculture biologique » ne représentent que quelques pour cent

Cet exemple est destiné à illustrer le peu de crédit que l'on peut accorder aux chiffres. Voici ceux utilisés pour faire la publicité du shampooing précédent.

La première phrase, écrite en caractères gras, dit :

- **« 100 % des ingrédients végétaux sont issus de l'Agriculture Biologique ».**

On n'est pas étonné que cette phrase soit écrite en caractères gras car elle permet, dès la première lecture, que deux informations soient mémorisées : le chiffre 100 %, et l'indication « agriculture biologique ».

Un test de compréhension montrerait à coup sûr que la grande majorité des lecteurs de cette phrase pense avoir affaire à un produit 100 % bio.

La phrase suivante indique :

- « 99,76 % du total des ingrédients sont d'origine naturelle. »

100 % de l'agriculture biologique mais seulement 99,76 %

d'ingrédients d'origine naturelle, comment cela est-il possible ? C'est une bonne question dont la réponse n'est pas si simple qu'on pourrait le croire.

C'est la troisième phrase qui va nous éclairer :

- « 11,22 % du total des ingrédients sont issus de l'Agriculture Biologique ».

Et la boucle est bouclée entre la première phrase (celle en caractères gras) et la dernière phrase : si la quantité totale d'ingrédients végétaux est identique à celle des ingrédients de l'agriculture biologique (11,22 % dans notre exemple), on peut alors affirmer que 100 % des ingrédients végétaux sont issus de l'agriculture biologique.

Comme dans l'exemple du shampooing présenté page 49, le chiffre de 100 % correspond en grande partie à de l'eau/hydrolat, et en toute petite partie à des composants bio.

Cahiers des charges en Italie et en Angleterre

Comme en France, la mise au point de cahiers des charges pour les cosmétiques naturels en Italie et en Angleterre a été portée par des acteurs historiques de l'agriculture biologique. En Angleterre, c'est l'association « Soil Association », et en Italie « l'AIAB », qui ont intégré un volet cosmétique dans leur démarche qualitative. Pour le moment, les deux organisations ne certifient pas beaucoup de laboratoires. Elles travaillent avec le BDIH allemand et avec Ecocert pour mettre au point un label européen, et aussi un socle commun permettant de définir à l'échelle européenne ce qu'est un cosmétique naturel. L'association belge ÉcoGarantie participe également à ce travail de réflexion.

L'agriculture biologique, sœur jumelle de la cosmétologie bio

Les ingrédients cosmétiques issus de l'agriculture biologique contrôlée jouent un rôle central dans les certifications, surtout pour les labels français. Les deux points clés de l'agriculture biologique sont le renoncement total aux pesticides modernes et aux engrais de synthèse. La qualité du sol est assurée par des techniques naturelles comme, par exemple, le respect de la rotation des cultures ; les ravageurs et les mau-

L'agriculture biologique contrôlée est réglementée depuis le début des années 90 par la directive européenne 2092/91 qui prescrit entre autres que chaque exploitation biologique sera contrôlée au moins une fois par an par un organisme de contrôle indépendant et reconnu par l'État.

vaises herbes sont combattus exclusivement à l'aide de produits et procédés biologiques et écologiques.

Les agriculteurs suisses : la qualité sans label bio

La directive européenne pour l'agriculture biologique ne s'applique qu'aux pays de la Communauté européenne. Pour utiliser des matières premières ne venant pas d'Europe, on doit se procurer un « certificat d'analogie ». Pour l'obtenir, il faut prouver, documents à l'appui, que la marchandise provient d'une exploitation agricole travaillant selon des critères comparables à ceux qu'impose la directive bio européenne.

Les cosmétiques bio contiennent des ingrédients provenant de l'agriculture biologique contrôlée mais aussi de l'agriculture conventionnelle. Ces derniers ne sont pas obligatoirement de qualité inférieure. La Suisse, par exemple, est un pays où les végétaux poussent et sont récoltés dans des lieux et régions privilégiés. La plupart d'entre eux ne sont pas certifiés, ce qui ne les empêche pas de présenter une qualité équivalente à celle des produits bio. Le fait qu'ils ne soient pas labellisés vient de la mentalité des agriculteurs qui ne voient pas l'intérêt d'un processus administratif exigeant.

À côté de cette bonne agriculture suisse, on trouve bien sûr des exploitations où l'on n'hésite pas à traiter les champs de calendula ou d'autres cultures avec des produits chimiques conventionnels. La qualité des végétaux non issus de l'agriculture biologique contrôlée dépend par conséquent de chaque fabricant de cosmétiques et du soin qu'il apporte ou non au choix de ses fournisseurs.

L'AGRICULTURE BIOLOGIQUE, FILLE DU 20e SIÈCLE

En agriculture biologique, il existe deux mouvements principaux : l'agriculture biodynamique et l'agriculture bio-organique.

- C'est à Rudolf Steiner que l'on doit l'agriculture biodynamique et sa philosophie anthroposophique. En 1924, il a tenu une série de conférences sur ce thème. Ce « Cours aux agriculteurs » est considéré comme un élément fondateur de l'agriculture biodynamique.
- À partir de 1951, les Suisses Hans et Maria Müller, et l'Allemand Hans-Peter Rusch, ont collaboré au développement de l'agriculture bio-organique. Ce concept se différencie de celui d'agriculture biodynamique par la conception du travail du sol. La terre n'y est pas labourée mais seulement décompactée.

La directive européenne « Bio » ne concerne pas les cosmétiques

Tous les grands organismes de certification, comme Ecocert par exemple, sont également actifs dans des pays non européens. Ils agissent et travaillent sur place. Parmi les exploitations agricoles généralement bien contrôlées, on trouve aussi des agriculteurs qui œuvrent en partenariat avec des fabricants de cosmétiques européens. C'est le cas par exemple des champs de roses Dr. Hauschka en Turquie.

Pour que les choses soient plus claires, le BDIH allemand plaide pour qu'en matière de végétaux pour les cosmétiques, et contrairement aux ingrédients de l'agroalimentaire, seule la source soit certifiée et non l'ensemble de la chaîne (distribution et fabrication).

Cependant, le problème vient du fait que la directive européenne « Bio » n'est pas applicable aux cosmétiques mais à l'agro-alimentaire. On s'est ensuite contenté de « l'adopter » pour les cosmétiques. Selon la réglementation européenne en vigueur, c'est l'ensemble de la chaîne, activités commerciales comprises, qui doit être certifié. Cela signifie qu'un fournisseur de beurre de karité pour les cosmétiques devrait avoir une certification pour l'ensemble de son entreprise, ce qui n'est pas souvent le cas.

Le label européen est en vue

Très fructueuse, la collaboration entre le BDIH allemand, l'organisme français Ecocert, l'Association britannique Soil, l'AIAB italienne et l'ÉcoGarantie belge a donné naissance aux « European Standards », normes européennes pour les cosmétiques.

L'une des pierres d'achoppement des discussions fut le thème de l'eau. Selon les cahiers des charges des labels français « Cosmétique BIO Charte Cosmébio » et « Cosmétique ECO Charte Cosmébio », l'eau est considérée comme ingrédient bio lorsqu'elle est utilisée sous forme d'hydrolat. Mais, au cours des négociations, Ecocert a accepté de renoncer à cette revendication pour le futur logo européen. Une fois cet obstacle tombé, plus rien d'insurmontable ne pouvait empêcher les protagonistes de trouver une solution commune.

Ce nouveau cahier des charges commun est une base de travail pour le développement d'un label européen pour les cosmétiques naturels qui serait un « label plus », les labels existants étant conservés. La concrétisation de ce travail commun est prévue pour courant 2006.

Chapitre 2

LES LABORATOIRES : LEUR PROFIL, LEURS PRODUITS

Les fabricants de cosmétiques dits naturels, biologiques ou aux plantes ont tous un point commun : ils s'appuient sur les principes des médecines douces (phytothérapie et physiothérapie) et l'utilisation des nombreux composants naturels, dont les huiles, les extraits et les argiles.

Au commencement était la phytothérapie

En Europe, au Moyen Âge, l'élite de la phyto- et de la physiothérapie se composait d'un groupe de femmes d'expérience, de moines et de nonnes parmi lesquels la célèbre Hildegarde de Bingen (1098-1179). Aux 18e et 19e siècles, le grand homme d'esprit Johann Wolfgang von Goethe (1749-1832) et le médecin Samuel Hahnemann (1755-1843) explorèrent la nature à fond. Aux 19e et 20e siècles, René Maurice Gattefossé (1881-1950), le médecin anglais Edward Bach (1886-1936), Marguerite Maury (1895-1966) et le Dr Jean Valnet (1920-1995) enrichirent le domaine des médecines naturelles de connaissances qui nous ont montré le chemin à suivre.

Les écrits de la religieuse Hildegarde de Bingen en matière de science et de médecine par les plantes s'échelonnent de 1150 à 1160. Mais ce que l'on nomme aujourd'hui la « Médecine d'Hildegarde » est à considérer avec réserve. En effet, une grande partie des textes qui circulent sont considérés comme faux par les experts.

• Des stars du cinéma et du théâtre se faisaient soigner par Marguerite Maury, dont le livre le plus connu, *Le Capital jeunesse*, parut en 1961. La grande dame des matières odoriférantes, femme d'un médecin homéopathe (le Dr Maury),

Au début du 20e siècle, l'entreprise familiale Gattefossé soutint les petits producteurs de lavande en faisant connaître son huile essentielle. Elle encouragea aussi la culture de la menthe en France et importa la sauge d'Italie. En outre, René-Maurice Gattefossé implanta des distilleries en Afrique du Nord (au Maroc).

entreprit dans les années 40 de prouver l'effet bénéfique des huiles essentielles sur la beauté.

Marguerite Maury est la seule femme ayant appartenu à la phalange des naturalistes français des 19e et 20e siècles. Au départ, ses recherches en phytothérapie portaient principalement sur les qualités thérapeutiques des huiles essentielles, mais elle découvrit peu à peu que ces huiles avaient également le pouvoir d'embellir.

- René-Maurice Gattefossé, le « père de l'aromathérapie », était parfumeur. Il grandit dans l'entreprise familiale où l'on formulait des parfums toujours plus raffinés sur la base de nouvelles substances synthétiques. Mais, en juillet 1910, Gattefossé est grièvement blessé lors d'une explosion dans le laboratoire familial et sa vie prend un autre cours. Gravement brûlé, il fait appel au « pouvoir magique » de l'huile essentielle de lavande et décide de jouer lui-même le rôle de cobaye. En 1918, il élabore le premier savon antiseptique à base d'huiles essentielles et, à partir de 1923, il s'intéresse aux vertus thérapeutiques des huiles aromatiques ainsi qu'à la production de produits cosmétiques. C'est en 1937 que le mot « aromathérapie » apparaît pour la première fois, dans ses derniers ouvrages, « Aromathérapie » et « Antiseptiques essentiels ».

Samuel Hahneman, le pionnier de l'homéopathie, épousa en 1835 Mélanie d'Hervilly et s'installa à Paris. Mort en 1843, il fut d'abord enterré au cimetière parisien de Montmartre, et repose aujourd'hui au cimetière du Père Lachaise.

- Jean Valnet, médecin militaire de 1945 à 1959, a publié en 1964 son premier livre médical sur l'aromathérapie, *Aromathérapie*. Président de « L'Association d'Études et de Recherches en Aromathérapie et Phytothérapie », il fut l'un des moteurs de la recherche dans ce domaine.

Toutes les entreprises de cosmétiques naturels sont des enfants du 20e siècle

Actuellement, la cosmétologie naturelle se définit principalement en opposition à l'industrie cosmétique conventionnelle et aux progrès de la chimie (laquelle après avoir entamé sa marche triomphale au 19e siècle a dominé tout le 20e). Les premières entreprises de remèdes naturels sont nées dans les années 20, et il a fallu attendre une trentaine d'années pour que soient créés en laboratoire les premiers cosmétiques modernes à base de plantes. Plus tard, le mouvement écologique des années 70 entraîna une véritable vague de création d'entreprises de cosmétiques naturels.

La nouvelle génération écolo oppose sa propre conscience verte à la conception dominante du progrès comme aux pères spirituels des sciences médicales classiques. Elle permet de faire prendre durablement conscience des dangers potentiels de la chimie moderne et de la nécessité de protéger la nature. Son principal souci (préserver la nature) fit connaître un grand boom à une entreprise de cosmétiques comme The Body Shop. Dans le sillage des campagnes mondiales pour le tiers-monde, la protection des baleines ou la préservation des forêts tropicales, l'enseigne devint une marque culte. C'est l'engagement écologique, social et politique qui comptait alors, et l'on se préoccupait bien moins de savoir si la qualité des produits était réellement naturelle.

Dès 1920, le médecin anglais Edward Bach étudia plus particulièrement le rôle des facteurs psychiques dans le déclenchement des maladies. À partir de 1930, il se consacra exclusivement au développement de ses propres remèdes qu'il fabriquait principalement à partir des fleurs d'arbres. Ce sont les premiers élixirs floraux du siècle. Ils visent à régler les problèmes psychiques pour soulager, voire prévenir les maladies.

David et Goliath : quel positionnement sur le marché des cosmétiques?

Un coup d'œil sur le chiffre d'affaires des entreprises cosmétiques montre immédiatement que le marché des cosmétiques naturels est structuré différemment de celui des conventionnels. Ce dernier est dominé par des groupes qui pèsent des milliards, alors que le marché des cosmétiques naturels, lui, est caractérisé par une multitude de petites et moyennes entreprises portant généralement l'empreinte de la personnalité et des conceptions de leurs fondateurs.

Contrairement à l'Allemagne, le métier d'aroma thérapeute peut être exercé en tant que profession libérale en France. Il associe généralement l'aromathérapie à l'homéopathie.

Les géants des cosmétiques

Malgré l'impressionnante croissance des entreprises de cosmétiques naturels, le marché n'est dominé que par un petit nombre d'empires qui chapeautent les marques les plus connues et les plus réputées. Depuis les années 90 cependant, les géants parmi ces grands ont bien mis de l'ordre dans leur portefeuille de marques.

Ce grand ménage a fait des victimes comme par exemple la marque CD, puisque dans le cadre de sa nouvelle stratégie de mondialisation, Unilever a retiré ce savon du marché. Mais CD a été racheté à la fin des années 90 par le groupe anglais Lornamed, spécialisé dans le recyclage des marques, qui a réussi à le remettre à flots.

Que ce soit chez L'Oréal, Procter & Gamble ou Unilever, à l'époque de la mondialisation des marchés, les petites marques ayant un profil distinct ont souvent été ballotées entre les grands groupes. Qui se trouvent eux aussi face à des challenges. En effet, l'uniformisation à l'échelle mondiale, la tendance à avoir partout les mêmes magasins, les mêmes marques, les mêmes boissons, se heurte dans le monde entier à la résistance des consommateurs.

Actuellement, la plus grande partie du marché de l'industrie des cosmétiques est contrôlée par une poignée de groupes.

• **L'Oréal.** Très grande entreprise de produits de beauté français, L'Oréal a réussi à devenir, en à peine un siècle d'existence, le n° 1 mondial. Chiffre d'affaires 2005 : 14,5 milliards d'euros. Environ 50 000 collaborateurs. Appartiennent, entre autres, à cet empire les marques L'Oréal Paris, Biotherm, Cacharel, CCB Paris, Garnier, Giorgio Armani, Helena Rubinstein, Kerastase, Kiehl's, Lancôme, La Roche-Posay, Matrix, Maybelline NY, Ralph Lauren, Redken et Vichy.

Les dernières acquisitions illustrent bien l'intérêt porté entre temps au marché des « cosmétiques verts » : le mastodonte de l'industrie cosmétique conventionnelle a mis presque 1 milliard d'euros sur la table pour s'offrir la marque (et son image écologique) « The Body Shop » (voir page 89). Sanoflore (voir page 88) fut racheté seulement quelques mois plus tard. C'est la première fois qu'un laboratoire de cosmétiques naturels certifiés rentre dans le giron d'un grand groupe de cosmétiques conventionnels.

Max Factor, fondateur de la marque qui porte son nom, créa en 1914 le premier fond de teint fluide, idéal pour le maquillage des acteurs au cinéma. Le monde du 7e art lui décerna un oscar et une étoile sur la « Walk of fame » à Hollywood pour ses innovations (premiers faux cils constitués de vrais poils, premier gloss pour les lèvres, première brosse à mascara).

• **Procter & Gamble.** Chiffre d'affaires global : 47 milliards d'euros. 100 000 collaborateurs à travers le monde. Ce géant américain des produits de lessives et de soins corporels (entre autres Ariel et Pampers) a été créé en 1837 par deux Européens émigrés aux USA. William Procter venait d'Angleterre, le savonnier James Gamble était irlandais. Ce groupe abrite sous son toit les marques : Max Factor, Covergirl, Old Spice, Olay, Head & Shoulders, Herbal Essences, Pantene, Clairol, Hugo Boss et Giorgio Beverly Hills.

En 2003, Procter & Gamble s'est encore renforcé en acquérant Wella, entreprise allemande de tradition (chiffre d'affaires : 3,4 milliards d'euros, 18 000 collaborateurs), qui a cependant conservé son statut de société indépendante, l'objectif commun restant de devenir le leader mondial des produits de beauté. Fondée en 1880 par le coiffeur allemand Franz Ströher, Wella se positionne dans le domaine des produits pour professionnels de la coiffure. Les produits de soins et de beauté capillaires représentent presque 70 % de son chiffre d'affaires. Sous le nom de Cosmopolitan Cosmetics, Wella possède aussi un bouquet de marques comme Rochas, Gucci, Escada, Dunhill et Montblanc.

La reprise de Wella ne fut pas le seul coup spectaculaire réussi par Procter & Gamble. Le rachat de l'Américain Clairol, fabricant de soins capillaires, fit aussi la une des journaux et, en 2005, ce fut le tour du fabricant de rasoirs Gillette de tomber sous sa coupe, pour la somme record de 57 milliards de dollars.

Le groupe britannique Reckitt Benckiser, n° 1 des produits d'entretien (chiffre d'affaires : environ 5,5 milliards d'euros) a racheté, début 2006, Boots Healthcare, qui possède des marques bien placées comme Clearasil, Strepsils et Nurofen. Les autres marques du groupe : Veet et Kukident.

• **Unilever.** Le plus grand fabricant mondial de margarine et autres produits alimentaires appartient également aux géants des produits de beauté. Le groupe anglo-néerlandais a cependant procédé à un grand ménage ces dernières années et réduit sa palette de marques de 1 600 à 900. Dans le domaine des cosmétiques, il possède encore Axe, Dove, Rexona, Pond's.

• **Shiseido.** Ce holding emploie 30 000 personnes. Outre Shiseido, il comprend les marques Serge Lutens (Parfum), Carita, Decléor (aromathérapie), Clé de Peau Beauté.

Fondée en 1872, Shiseido fut le nom de la première pharmacie d'influence occidentale au Japon.

• **Beiersdorf.** Comparée aux autres géants, cette entreprise allemande reste modeste (chiffre d'affaires : environ 4,5 milliards d'euros, 17 000 collaborateurs). Mais elle possède l'une des marques européennes les plus connues : Nivea. Beiersdorf a été fondée en 1882 par Paul C. Beiersdorf. En dehors de Nivea, elle regroupe aussi les marques 8x4, Atrix, Lobello, Eucerin, Florena et le groupe La Prairie (Juvena, Marlies Möller Beauty Hair Care, et SBT Skin Biology Therapy lancée en Suisse, en Autriche et en Allemagne).

• **Henkel**. Ce groupe allemand est, à travers le holding Schwarzkopf & Henkel, propriétaire des marques Bac, Gliss Kur, Poly, Schwarzkopf, Schauma, AOK, Kaloderma, Diadermine et Fa. Chiffre d'affaires : environ 10,5 milliards d'euros.

Les marques Colgate (dentifrices) et Gard appartiennent à l'entreprise américaine Colgate-Palmolive (chiffre d'affaires : environ 9 milliards d'euros). L'entreprise a été fondée en 1806 par William Colgate.

Le marché des cosmétiques naturels : une niche très diversifiée.

Le circuit de distribution des cosmétiques s'étend du supermarché à l'esthéticienne. En Allemagne, le commerce spécialisé de détail et les grandes surfaces spécialisées en droguerie génèrent 49 % du chiffre d'affaires total ; la vente par correspondance 8 %, les pharmacies 5 %. Le reste revient aux grands magasins et aux supermarchés.

Face aux mastodontes du marché des cosmétiques, la part des cosmétiques naturels apparaît bien modeste. On ne peut parler de « grands » puisque le leader des fabricants (par son chiffre d'affaires) dans ce secteur ne dépasse pas les 80 millions d'euros annuels. Cette situation s'explique par le grand nombre de toutes petites entreprises. La coexistence relativement pacifique entre les fabricants de cosmétiques naturels va-t-elle pouvoir durer ?

Vu de l'extérieur, le marché des cosmétiques naturels fait penser à une prairie sur laquelle brouteraient côte à côte de nombreuses bêtes. En y regardant de plus près, on pourrait remarquer que certaines d'entre elles sont de taille bien plus importante que leurs voisines.

En 2004, le premier rapport annuel concernant le marché allemand des cosmétiques naturels a été publié. Il permet de constater que quatre marques se détachent du lot des petites : Dr. Hauschka, Lavera, Logona et Weleda. À elles seules, elles représentent 80 % du chiffre d'affaires des cosmétiques vendus dans les magasins de produits naturels.

Leur succès croissant va augmenter la pression pesant sur les professionnels des cosmétiques naturels. Ainsi, les marques conventionnelles s'accaparent de plus en plus souvent des termes qui leur étaient jusqu'alors spécifiques, et tentent de positionner leurs gammes de produits le plus près possible de leurs préparations.

Le marché des cosmétiques est lui aussi de plus en plus fluctuant. Un produit sur deux disparaît définitivement des rayons au bout de deux ans.

L'industrie de la cosmétique conventionnelle ne veut plus rester seulement spectatrice du succès des cosmétiques naturels, ce qui est illustré avec le rachat du laboratoire Sanoflore par le géant des cosmétiques, l'Oréal. C'est la première fois qu'un laboratoire de cosmétiques naturels certifiés entre dans le giron d'un grand groupe de cosmétiques conventionnels. L'Oréal ne masque pas son intention de profiter également de l'intérêt grandissant des consommateurs pour les cosmétiques bio. Le communiqué de l'AFP cite Brigitte Libermann, Directrice Générale de la division Cosmétique Active du Groupe L'Oréal : « L'Oréal a la volonté et l'ambition d'internationaliser Sanoflore afin d'en faire bénéficier les consommateurs du monde entier dont l'appétence pour les produits naturels et bio ne cesse de croître. »

Les entreprises dans leurs grandes lignes

La palette des fabricants de cosmétiques travaillant (ou déclarant travailler) différemment des industries cosmétiques conventionnelles est très large, très colorée et très diversifiée. Elle va des entreprises ayant pour point fort certaines matières premières comme l'argile, par exemple, aux firmes cotées en bourse et travaillant à l'échelle mondiale.

Pour les fabricants de produits cosmétiques naturels, le groupe-cible le plus intéressant est constitué par les femmes de plus de 30 ans, déjà sensibilisées au bio, ou très intéressées par tout ce qui touche à la santé et au bien-être. Clientes potentielles aussi, les femmes ayant des problèmes de peau, des allergies et présentant des intolérances à certaines substances.

Les portraits esquissés ci-dessous présentent une petite sélection d'entreprises qui produisent des cosmétiques qualifiés de biologiques, naturels ou à base de végétaux. Lesquelles d'entre elles proposent de véritables cosmétiques certifiés bio ou naturels ? Sont présentées par la même occasion quelques marques vendues en pharmacie, qui, sans se parer d'étiquettes comme « naturel » ou « à base de végétaux », mettent surtout en avant que leurs produits sont sains et particulièrement bien tolérés par la peau.

➢ AVÈNE

La petite commune d'Avène est située au pied des Cévennes, à 350 m d'altitude, dans le Val d'Orb, entre les Monts de l'Espinouse et de l'Escandorgue. Si Avène est mondialement connu, à la fois comme site et comme marque, c'est grâce à la découverte, en 1736, du trésor de la région : la source thermale. Riche en acide silicique naturel et en oligo-éléments (zinc, fer, cuivre, fluor, argent et manganèse), l'eau d'Avène a un pH quasiment neutre. En 1874, la source a été agréée par l'État et depuis 1975, elle est devenue un facteur économique d'une importance indéniable.

L'initiateur du succès d'Avène est le fondateur des laboratoires portant son nom : Pierre Fabre. Fabre a développé son premier produit pharmaceutique en 1960, dans sa pharmacie de Castres, posant ainsi la première pierre d'une entreprise qui devait se développer à l'échelle mondiale. Les ambitions des Laboratoires Pierre Fabre ont réveillé Avène de son sommeil de Belle au bois dormant. De nouvelles installations thermales se sont ouvertes en 1990 pour le traitement des maladies de peau, comme l'eczéma chronique, le psoriasis, la dermatite atopique ou les brûlures. Elles ont été agrandies en 2005 et comptent aujourd'hui 4 000 places pour curistes.

La seconde idée fut la mise au point de « produits dermo-cosmétiques à base d'Eau Thermale d'Avène », fabriqués sur le site même de la source dans une unité de production ultra-moderne, et dédiés aux peaux sensibles. Depuis, l'eau d'Avène remplit non seulement les bassins de la cure mais aussi les caisses des « Laboratoires dermatologiques d'Avène ».

Pour l'instant, les cosmétiques naturels n'ont pas réussi à séduire les ados. Pour quelles raisons ? Leurs produits ne sont pas assez « branchés », et il manque des réponses spécifiques contre l'acné ou du maquillage à la mode. Et pourtant, dans ce domaine, les choses ont déjà beaucoup bougé.

Le succès de la marque est majoritairement réalisé à l'international par l'intermédiaire des filiales Pierre Fabre Dermo-Cosmétique, la Joint Venture (coentreprise) avec Shiseido au Japon (Pierre Fabre Japon) et l'export direct auprès de distributeurs agréés. Mis à part Avène, les marques Pierre Fabre regroupent Ducray, A-Derma, Galénic, Klorane et René Furterer.

Avène s'est positionné sur le marché grâce à ses produits cosmétiques pour peaux ultra-sensibles, irritables ou ayant tendance aux allergies. La palette de produits va des soins de base au maquillage en passant par les produits solaires.

- **Les produits : bio/naturels ou pas ?**

Comme les fiches-produits le montrent, les formules d'Avène contiennent les substances classiques considérées comme problématiques : à commencer par l'EDTA et le BHT, le phénoxyéthanol et un conservateur organohalogéné. De plus, deux des produits présentés dans nos fiches (pages 255 et 277) ont pour base d'excipient la paraffine, peu coûteuse (huile minérale).

- **Collaborateurs**

9 300 personnes en tout : réparties dans les deux principaux sites de Castres et de Lavaur, dans les centres de recherche et dans les filiales et succursales de 120 pays.

- **Chiffre d'affaires**

Produits pharmaceutiques et cosmétiques : 1,47 milliard d'euros.

- **Lieux de vente**

Pharmacies, parapharmacies.

- **Adresse**

E-mail : contact.pf@pierre-fabre.com - www.pierre-fabre.com

❀❀❀, ❀❀, ❀ OU PAS DE ❀:
SYMBOLES POUR L'OFFRE DE PRODUITS

Quelle entreprise offre des cosmétiques bio ou cosmétiques naturels certifiés ? Pour permettre de mieux s'orienter, celles proposant des produits certifiés (conformément aux labels Ecocert /Charte Cosmébio, BDIH « Cosmétique Naturel Contrôlé » ou Nature & Progrès) ont été caractérisées par des symboles en forme de fleur.

❀❀❀ : 90 à 100 % des produits sont certifiés.
❀❀ : la moitié des produits environ est certifiée.
❀ : moins de 20 % des produits sont certifiés.
Pas de ❀ : l'entreprise n'offre pas de produits certifiés.

➢ BÖRLIND ❀

Cette entreprise de cosmétiques, créée en 1959, doit son nom à ses deux fondateurs, **Bör**ner et **Lind**ner. Implantée en Forêt-Noire (en Allemagne), elle est actuellement dirigée par la seule famille Lindner. Le groupe compte trois entreprises : la marque principale Annemarie Börlind, la société S.A. Tautropfen avec la marque Tautropfen et la société S.A. Dadocosmed avec la marque Dado Sens Dermacontro.

Les citadins ayant un niveau d'études moyen ou supérieur sont l'une des principales cibles des produits cosmétiques naturels. Leurs revenus se situent généralement au-dessus de la moyenne et, dans leurs habitudes de consommation, ils se laissent guider par la devise « un plaisir de qualité ».

L'histoire de Börlind est étroitement liée à celle d'Annemarie Lindner dont la carrière dans les cosmétiques naturels a débuté en 1940 à Dresde. À l'âge de 25 ans, elle souffrait d'une acné apparemment incurable. En 1946, elle fit fortuitement la connaissance de Charlotte Meentzen, une naturopathe qui soignait les problèmes de peau par les cosmétiques à base de plantes. Le traitement eut des effets durables sur Annemarie Lindner qui décida alors de suivre une formation à l'école d'esthéticiennes de la célèbre « sorcière aux plantes ». Dès 1954, elle créait sa propre entreprise, et quelques années plus tard, elle fuyait l'Allemagne de l'Est pour passer à l'Ouest.

Sa passion est alors de formuler des cosmétiques qui soient en harmonie avec sa conception des soins naturels. Elle crée sa propre marque, Annemarie Börlind, et devient peu à peu **la**

Grande Dame des cosmétiques naturels allemands. Elle se retire de la gestion de l'entreprise en 1985. Le 20 septembre 2005, deux jours avant son 85e anniversaire, elle est à New York pour recevoir l'Oscar des professionnels américains des produits naturels, le « Natural Legacy Award », qui couronne l'œuvre de sa vie.

Les produits pour femmes enceintes et jeunes mamans constituent des produits d'accroche très importants pour les fabricants de cosmétiques naturels. Intéressées tout d'abord par les produits de soins pour la période de la grossesse, puis par ceux pour le tout-petit, ces femmes deviennent ensuite de fidèles clientes des cosmétiques naturels.

- **Les produits : bio/naturels ou pas ?**
  Que recouvre l'entreprise Börlind aujourd'hui ?

Le groupe s'est renforcé avec Tautropfen, une marque qui ne fait aucun compromis en matière de naturel. Tous les produits Tautropfen sont certifiés par le label BDIH « Cosmétique Naturel Contrôlé ».

La marque Annemarie Börlind s'est orientée vers une autre définition de la cosmétologie naturelle. Tout récemment, ses produits portaient encore le label Neuform, mais désormais l'entreprise fait cavalier seul. « Sur certains points », dit le Dr Götz Ritzmann, directeur du département recherche et développement, « nous nous sommes délibérément écartés des autres cahiers des charges pour les cosmétiques naturels ». Voici les cinq principaux points sur lesquels les produits Annemarie Börlind diffèrent des critères du BDIH.

1. S'il est vrai que les produits Annemarie Börlind ne contiennent que des conservateurs « identiques nature » (des composés synthétiques, mais que l'on rencontre aussi dans la nature), la liste des substances employées est plus large que celle des produits autorisés par le BDIH. « Börlind suit les recommandations du Conseil de l'Europe », explique le Dr Ritzmann. Et ces recommandations autorisent, par exemple, le phénoxyéthanol et les parabènes. En 2006, pourtant, Börlind prévoit de renoncer aux parabènes.

2. En ce qui concerne les substances odoriférantes, Annemarie Börlind recourt aux parfums identiques nature, « afin de pouvoir proposer un plus large bouquet de senteurs », indique le Dr Ritzmann. « De plus, cela permet d'éviter ou de minimiser la présence dans les produits finis de composants critiques sur le plan toxicologique, comme ceux que contiennent certaines huiles essentielles. »

Les parfums identiques nature sont synthétiques mais il s'agit de composés chimiques que l'on rencontre aussi dans la nature.

En comparaison avec les fabricants de cosmétiques qui utilisent toutes sortes de parfums de synthèse, cela représente effectivement une délimitation. Une palette de parfums, par contre, comportant à la fois des substances naturelles et des substances identiques nature, est beaucoup plus large que celle utilisée par un fabricant se conformant au cahier des charges BDIH.

Ce point et le suivant braquent les projecteurs sur des questions fondamentales : qu'est-ce qu'un cosmétique naturel ? Quelles substances sont autorisées à entrer dans sa composition ? À la définition d'un produit naturel cosmétique arrêté par le BDIH, la marque Annemarie Börlind oppose sa propre philosophie. Pour les substances odoriférantes, par exemple, Annemarie Börlind explique que certains composants des huiles essentielles sont suspectés de toxicité. Le BDIH, lui, campe sur ses positions et refuse tous les parfums de synthèse, soutenant que les fabricants ne peuvent éviter les risques d'allergies qu'en renonçant à certaines substances odoriférantes. Annemarie Börlind a un autre point de vue.

En règle générale, c'est dans le domaine des soins pour le visage que les fabricants pensent avoir le potentiel de développement le plus intéressant. Et parmi ces parts de marché que s'accapare de plus en plus la cosmétologie naturelle se trouvent les produits de lutte contre le vieillissement.

3. En ce qui concerne les agents actifs, la position différente de Börlind par rapport au BDIH lui permet de piocher dans un plus grand nombre d'ingrédients, puisqu'il utilise les substances identiques nature synthétiques (voir aussi page 38). Le Dr Ritzmann argumente : « Nous préférons nous aussi les agents actifs issus de matières premières naturelles. Mais dans deux cas de figure, nous privilégions les agents actifs identiques nature. »

Cas n° 1 : l'agent actif (comme la vitamine A) se trouve exclusivement dans des matières premières animales. « Puisque nous refusons systématiquement les substances provenant de cadavres d'animaux (l'huile de foie de morue par exemple), nous ne pouvons employer la vitamine A naturelle ni son ester d'acide palmitique. »

Cas n° 2 : l'agent actif (comme les vitamines B) existe dans la nature mais en très faibles quantités. « Les vitamines B étant importantes pour la peau, nous les utilisons sous leur forme identique nature. »

4. Dans le domaine des pigments pour le maquillage, Börlind se tourne vers les colorants alimentaires afin d'éviter le carmin, le pigment rouge obtenu en écrasant les cochenilles (pour le potentiel allergique du carmin, voir page 116).

Ces dernières années, la cosmétologie naturelle a connu un grand succès en offrant des produits qu'elle n'avait encore jamais présentés jusque-là : peeling corporel (body scrub), retouche camouflant (concealer), autobronzant et eye-liner. C'est surtout dans le domaine du maquillage que l'offre devient sensiblement plus « branchée ».

5. En ce qui concerne les produits solaires, Börlind permet l'utilisation de tous les filtres UV autorisés. Voici leur position : « Tous les filtres autorisés, minéraux compris, sont des produits fabriqués de manière synthétique. Il n'existe pas de raison rationnelle de faire une sélection, d'autant que tous sont soumis à des contrôles très stricts avant d'être mis sur le marché. » En effet, les filtres minéraux sont également fabriqués de manière synthétique. Le fonctionnement des filtres minéraux est par contre fondamentalement différent du principe des autres filtres UV (voir page 230).

Le groupe Börlind propose donc deux marques ayant chacune un profil très marqué : Tautropfen, qui se limite clairement à utiliser un petit nombre d'ingrédients naturels, et Annemarie Börlind, dont les produits de soins reflètent une conception plus élargie des cosmétiques naturels. Pour le PDG de Börlind, Michael Lindner, l'avenir de la cosmétologie naturelle est plus que jamais un challenge, dans lequel les philosophes mais aussi les pragmatiques auront leur rôle à jouer.

- **Produits**

  Annemarie Börlind : 143, Tautropfen : 51, Dado Sens Dermacontrol : 26.

  Tous les produits de la marque Tautropfen sont certifiés BDIH « Cosmétique Naturel Contrôlé ».

- **Lieu de production**

  Calw (dans le land du Baden-Württemberg, au Sud-Ouest de l'Allemagne).

- **Collaborateurs**

  170.

- **Chiffre d'affaires 2005**

  Environ 30 millions d'euros.

- **Lieux de vente**

  Magasins de produits naturels et biologiques (comme La Vie Claire ou L'Eau Vive), certaines esthéticiennes.

- **Adresse**
  Bureau de Liaison France
  2 rue Thomas Edison, BP 71073
  67452 Mundolsheim Cedex
  Tél. : 00 33 (0) 3 88 81 82 28, Fax : 00 33 (0) 3 88 81 86 03
  E-mail : annemarie.boerlind@wanadoo.fr,
  tautropfen@wanadoo.fr
  www.boerlind.com, www.tautropfen.de

➢ CATTIER ❀❀❀

L'entreprise Cattier a été créée en 1968 par Pierre Cattier, un des instigateurs du courant harmoniste. Très attaché aux médecines douces, il s'est intéressé au développement de produits médicaux et cosmétiques à base d'argile. En 1987, Daniel Aressy, pharmacien-cosmétologue spécialiste de la cosmétologie naturelle, reprend la direction de l'entreprise et perpétue la philosophie du fondateur.

Les produits Cattier se veulent « simples et naturels ». L'argile reste l'un des principaux ingrédients mais les créateurs travaillent aussi sur un large spectre de substances naturelles : beurre de karité, glycérine, huile de jojoba, huile de tournesol et extraits (coco, tilleul, yaourt ou bambou).

L'offre comprend des produits de soins comme la « Boue à l'argile verte pour cheveux gras », des produits de soins dentaires, une « Crème réparatrice au beurre de karité bio », des masques à l'argile et des préparations pour soins corporels comme le « Lait à la moelle de bambou ». Une gamme complète de huit produits pour le visage va sortir à la mi-2006.

Comment les cosmétiques naturels sont-ils présentés en magasin ? Selon l'estimation des experts, il serait nécessaire d'investir dans des surfaces de vente plus attrayantes. On prévoit un développement allant dans le sens de celui que l'on peut observer dans les Health & Food Shops, aux USA.

L'entreprise est située à Bondoufle. Que ce soit la recherche et le développement, la production et le contrôle de qualité ou la distribution, tous les départements y travaillent sous le même toit.

- **Les produits : bio/naturels ou pas ?**

Cattier a très nettement le profil d'un fabricant de cosmétiques naturels. 56 produits sont certifiés Bio (charte Cosmébio), un seul est certifié Éco (charte Cosmébio). Les produits et les informations imprimées sur l'emballage ne sont pas surchargés d'expressions comme « sans ceci » ou « sans cela ». De cette manière, l'information la plus importante (le label de certification « Bio, Charte Cosmébio ») est mise en valeur. Toutes les fiches de produit contiennent aussi une liste INCI complète.

Les fabricants de cosmétiques naturels ne conquièrent pas seulement de nouveaux marchés dans les anciens et nouveaux pays de l'Union européenne. Au Japon et au Brésil aussi, les cosmétiques naturels sont à la mode. En 2005 déjà, plusieurs entreprises ont enregistré des croissances record à l'étranger.

- **Lieu de production**
  Bondoufle dans l'Essonne (en région parisienne).

- **Collaborateurs**
  22.

- **Chiffre d'affaires 2004**
  Environ 3 millions d'euros.

- **Lieux de vente**
  Printemps, Galeries Lafayette, certaines parapharmacies, Leclerc et Auchan, Résonances, Monoprix, la plupart des magasins Naturalia et Biocoop, parapharmacies Parashop et beaucoup de magasins indépendants Bio.
  Renseignements au : 01 60 86 42 32.

- **Adresse**
  Cattier, 8 rue Gustave Eiffel. Z.I. La Marinière, BP 13, 91071 Bondoufle cedex.
  Tél. : 0033 (0)1 60 86 43 20
  E-mail : contact@cattier-dislab.com
  www.cattier-dislab.com

➢ COULEUR CARAMEL ❁

David Reccole et Cédric Ferréol, les fondateurs de Couleur Caramel, se rencontrent en 2000 au sein d'une société de création et production de maquillage professionnel. Les deux hommes s'entendent bien et, fin 2001, Cédric Ferréol émet pour la première fois l'idée de créer une nouvelle marque de maquillage. Au départ, pour des raisons d'investissement, il s'agissait d'une marque monoproduit sur le modèle de ce qu'avait fait T. Leclerc à ses débuts avec ses poudres libres. Puis David et Cédric changent d'avis : « Nous avons estimé plus intéressant que notre marque soit axée sur les poudres pressées (ombres à paupières, fards à joues, poudres compactes et teints de soleil) de façon à proposer une large gamme de couleurs à travers quatre familles de produits, tout en utilisant les mêmes formulations de base. »

En 2002, ils réalisent leurs projets, avec un objectif affiché : « Créer une société idéale, c'est un objectif ambitieux, mais ce sont en premier lieu les produits qui sont l'élément fondamental d'une entreprise. » Alors, comment se démarquer des autres ?

David Reccole et Cédric Ferréol ont voulu « casser l'image du maquillage presque toujours perçu comme un produit qui endommage la peau ». « Il nous fallait développer », disent les créateurs, « un produit naturel qui n'ait rien à envier aux meilleurs produits présents sur le marché. Nous avons opté pour la micronisation sans adoucissants synthétiques et sans entrer dans les détails, on peut dire qu'atteindre cet objectif a été particulièrement ardu. »

Mais le développement du produit n'était pas le seul challenge à relever. L'emballage aussi, devenu entre temps un symbole de la marque Couleur Caramel, suscita beaucoup de réflexions. L'objectif : « Les emballages devaient eux aussi présenter des caractéristiques inédites. Nous les voulions à base de matériaux naturels (sans plastique), ce qui n'était pas franchement gagné à moins de partir sur des boîtiers en carton. » À l'automne 2002, tous les obstacles franchis, Couleur Caramel pouvait démarrer.

- **Les produits : bio/naturels ou pas ?**

15 produits sont certifiés par Ecocert/Charte Cosmébio (5 fonds de teint, 5 correcteurs/anticernes, 3 bases de prémaquillage, 1 lait démaquillant et 1 lotion tonique démaquillante).

Pourquoi seulement 15 ? Les produits ne peuvent être certifiés que si l'entreprise qui les fabrique est elle-même certifiée. Or, si les 15 labellisés sont bien produits par une entreprise française certifiée, les autres sont fabriqués en Italie par une société non encore validée par Ecocert.

Il faut préciser que les produits restent à peaufiner. Comme les fiches-produits le montrent (voir page 291), ils comportent des petits défauts comme par exemple un composant éthoxylé et un conservateur qui n'appartiennent pas à la liste des produits autorisés par Ecocert. Mais David Reccole compte y remédier et affiche l'objectif de « faire certifier tous les produits. »

- **Lieux de production**
Fabrication en France (fonds de teint, base, lait et lotion démaquillante, correcteurs/anticernes, crayons, vernis à ongles) et en Italie (poudres pressées et libres, terracotta, rouges à lèvres, mascaras, eye-liners, gloss).

- **Collaborateurs**
35.

- **Chiffre d'affaires**
3 millions d'euros en 2005.

- **Lieux de vente**
1 600 points de vente.

- **Adresse**
Couleur Caramel, Z. I., Allée du Royans, 26300 Bourg-de-Péage.
Tél. : 0033 (0)4 75 71 32 67, Fax : 0033 (0)4 75 05 96 25
E-mail : info@naturecos.fr
www.couleur-caramel.com

➢ Dr. HAUSCHKA/WALA ❀❀❀

« Qu'est-ce que la vie ? », demandait le docteur en chimie Rudolf Hauschka en 1924, et Rudolf Steiner répondait : « Étudiez les rythmes, ce sont eux les supports de la vie. » Cette découverte (toute vie est soutenue par un rythme) fut l'idée forte qui conduisit le Dr Hauschka (1891-1996) à fonder Wala, son entreprise de remèdes. Pendant 27 ans, il travailla et concentra ses recherches sur le problème de la fabrication des remèdes d'origine végétale sans extraction par l'alcool.

« Ce n'est pas parce que l'alcool est nocif pour le patient », écrivait-il dans son livre *Heilmittellehre (Sur les remèdes)*, « mais avant tout parce qu'il nuit à la qualité du remède. » Le scientifique chercha des solutions « pour consolider un système vivant de telle manière qu'il ne se décompose pas et surtout qu'il ne puisse constituer un substrat pour les micro-organismes ».

Le déclic eut lieu en 1929 : le Dr Hauschka réussit à élaborer pour la première fois un extrait aqueux végétal (à partir de roses) qu'on pouvait conserver sans alcool ni autre conservateur. Ce processus de fabrication est un secret bien gardé par l'entreprise et est encore utilisé par Wala aujourd'hui.

Les premiers jardins biodynamiques de plantes médicinales ont été aménagés dans les années cinquante. En 2004, l'ensemble des parcelles de l'entreprise permit de récolter environ 5 000 kg de plantes fraîches pour élaborer remèdes et cosmétiques.

En 1967, le Dr Hauschka a commencé à produire des cosmétiques. Il ne suivait pas le découpage traditionnel en différents types de peau, mais proposait des préparations de base ayant pour but d'entraîner une « autocorrection » par la peau elle-même. Cela ne signifie pas pour autant que toutes les peaux soient traitées de manière uniforme, c'est la façon de combiner les produits au sein du programme de soins qui fait la différence.

Wala a joué le rôle de moteur dans le développement de cosmétiques naturels de grande qualité. C'est l'un des membres-fondateurs du « Groupe de travail sur les cosmétiques naturels » du BDIH. La philosophie de l'entreprise continue à être imprégnée de l'héritage anthroposophique de Rudolf Hauschka. La Fondation Wala qui chapeaute l'ensemble de l'entreprise a pour principale mission de préserver l'idée maîtresse de Wala, et d'encourager le développement de la société Wala Heilmittel. Cela signifie par conséquent que l'entreprise est au service des buts de la fondation et ne peut pas être vendue, achetée ou transmise par héritage comme une vulgaire marchandise. Les profits sont des moyens pour atteindre les buts et pas une fin en soi.

La Fondation Dr Hauschka est à but non lucratif et, avec les plus-values de ses biens, finance la science et la recherche médicales dans l'esprit de Rudolf Steiner.

- **Les produits : bio/naturels ou pas ?**

Wala est un fabricant classique de produits naturels : 110 préparations, toutes certifiées « Cosmétique naturel contrôlé » selon les critères du BDIH.

- **Lieux de production**

Tous les produits sont fabriqués à Bad Boll (dans le land du Bade-Wurtemberg, près de Stuttgart).

- **Collaborateurs**
  530.

- **Chiffre d'affaires**
  75 millions d'euros.

- **Lieux de vente**
  Magasins de produits bio, instituts de beauté, grands magasins.

- **Adresse**
  Wala France, 39 rue de Charonne, 75011 Paris.
  Tél. : 0033 (0)1 43 55 45 50, Fax : 0033 (0)1 43 55 59 54
  E-mail : contact@drhauschka.fr
  www.drhauschka.fr

➢ FLORAME ❀❀❀

Dans les années 80, Michel Sommerard, pionnier de l'agriculture biologique et spécialiste des huiles essentielles en France, décide de s'installer au cœur de la Provence. Il crée le « Musée des Arômes », un atelier de parfumeur dédié aux huiles essentielles et à la santé, dans la tradition des premiers herboristes.

Florame a été fondée en 1990 et Michel Sommerard s'en est occupé jusqu'en 2002. Puis il a décidé de vendre son entreprise pour se consacrer à ses passions : transmettre son savoir et poursuivre ses recherches sur les propriétés thérapeutiques des huiles essentielles. Depuis, un groupe d'actionnaires détient la majorité du capital. Le nouveau dirigeant, Thierry Recouvrot, mise sur la continuité et étend largement la gamme des produits, notamment aux cosmétiques.

Derrière les produits Florame, une entreprise spécialisée depuis environ 20 ans dans la production de matières premières aromatiques, qui produit aujourd'hui plus de 6 tonnes d'huiles essentielles par an, majoritairement issues de l'agriculture biologique contrôlée et certifiée par Ecocert.

Les cosmétiques Florame sont basés sur l'aromathérapie et sont vendus sous la devise « Derma Stress Protection ». Cette expression fait référence aux soins destinés à prévenir le vieillissement prématuré de la peau par des facteurs externes comme la pollution de l'environnement, les rayons du soleil, etc. « L'antidote » est un complexe d'huiles essentielles qui ne dépasse pas les 2 % dans les produits pour le visage et les 5 % dans les produits de soins corporels ou huiles de massage. Florame est adhérent de Cosmébio et Thierry Recouvrot est membre de son conseil d'administration.

- **Les produits : bio/naturels ou pas ?**
  Pour Florame, la certification est la seule garantie claire et nette de la qualité naturelle des produits : « Devant la difficulté des consommateurs à discerner les véritables produits naturels, nous avons choisi de ne proposer que des cosmétiques labellisés Cosmébio. Pour nous, la définition de ces produits correspond à de bons produits de cosmétique naturelle. Pour nos huiles essentielles, c'est le logo AB. » 50 des 380 produits Florame sont des cosmétiques. 98 % des produits sont certifiés (Ecocert pour Cosmébio, et AB).

- **Lieux de production**
  Tous les produits sont fabriqués à Saint-Rémy-de-Provence (Sud de la France). Les huiles essentielles sont distillées sur les lieux de récolte des plantes.

- **Collaborateurs**
  37.

- **Chiffre d'affaires**
  4,5 millions d'euros.

- **Lieux de vente**
  Environ 100 points de vente, essentiellement magasins diététiques et bio, vente par correspondance (04 90 92 54 50) et via Internet, et 3 boutiques Florame à Saint-Rémy-de-Provence, Paris (6e) et Montpellier.

- **Adresse**
  Florame, 34 boulevard Mirabeau, BP 95, 13533 Saint-Rémy-de-Provence cedex.
  Tél. : 0033 (0)4 90 92 48 70, Fax : 0033 (0)4 90 92 48 80
  E-mail : info@florame.fr
  www.florame.com

BIOFLORAL : RETOUR AUX SOURCES

« Tout est disponible dans la nature », dit Ulrich Rampp, le fondateur de l'entreprise Biofloral, « mais aujourd'hui, on ne sait plus l'écouter ». Et Ulrich Rampp, lui, est à l'écoute, dans les montagnes d'Auvergne, au cœur d'une nature encore puissante et sauvage. C'est là que Biofloral fabrique ses élixirs, fleurs de Bach et huiles, 100 % purs et biologiques.

Ulrich Rampp retourne de façon conséquente aux racines de la médecine naturelle et fabrique ses produits selon une méthode manuelle qui demande un long travail, de la récolte des ingrédients jusqu'au remplissage des fioles et bouteilles. Effectuer cette opération à la main présente l'intérêt d'éviter toute perturbation électromagnétique par des machines.

À lui seul, le parfum d'un produit Fleur de Bach dénote l'inhabituel : ça sent le cognac. Le nez ne se trompe pas puisque les essences des fleurs sont « unies » à du cognac biologique. La fabrication de l'extrait de Biofloral n'est pas comparable à celle d'autres extraits. Pour obtenir une efficacité maximale, il faut six mois, dans le cas d'un élixir à base de vin par exemple, pour qu'il ait suffisamment mûri.

Les produits Biofloral ont à la fois des effets sur la santé et la beauté car se sentir équilibré et posséder une force de vie positive sont les bases de toute beauté. L'offre se compose de divers élixirs, les 38 élixirs floraux du Dr. Bach (selon la méthode originelle de ce dernier), des huiles aromatiques bio et deux produits à la silice (l'un à avaler, l'autre sous forme de gel corporel) pour avoir des cheveux sains, des ongles solides et une belle peau. Ces produits (ortie-silice, certifié par Ecocert) sont constitués de silice végétale dynamisée par de l'eau volcanique et des huiles essentielles, et stabilisée par des extraits de pépins de pamplemousse biologiques.

Adresse : Biofloral, Le Crouzet, 43260 Saint-Pierre-Eynac.
Tél. : 00 33 (0)4 71 03 09 49, Fax : 00 33 (0)4 71 03 53 09
www.biofloral.fr

➢ J. PALTZ ❀❀❀

Jacques Paltz, fondateur des « Laboratoire Jacques Paltz », est intimement convaincu du « pouvoir fascinant » des huiles essentielles sur le corps et l'esprit. En 1976, il a développé pour ses patients une première gamme de soins naturels. Son idée était simple : permettre à tous de bénéficier de produits naturels très actifs basés sur le pouvoir des huiles essentielles.

En 2000, le laboratoire Jacques Paltz est cofondateur avec Ecocert de l'association Cosmébio et participe à la mise en place de la labellisation des Cosmétiques écologiques et biologiques.

Aujourd'hui, il propose une gamme complète de produits de soins certifiés biologiques : formulations uniques associant les huiles essentielles 100 % pures, naturelles ou biologiques et chémotypées, à des actifs végétaux rigoureusement sélectionnés ; huiles végétales vierges de première pression à froid ; distillats et extraits phyto-aromatiques.

- **Les produits : bio/naturels ou pas ?**

Le laboratoire Jacques Paltz mise aussi clairement sur les cosmétiques naturels. 53 des 64 cosmétiques sont certifiés par Ecocert/Charte Cosmébio.

- **Lieux de production**

Les bases (gels, crèmes et laits) sont fabriquées par un sous-traitant, spécialiste de la cosmétologie bio contrôlé par Ecocert. L'intégration des actifs dans les bases neutres est réalisée sur place à Cestas, au sud de Bordeaux.

- **Collaborateurs**

16.

- **Chiffre d'affaires**

800 000 euros.

- **Lieux de vente**

Magasins de produits bio, pharmacies.

- **Adresse**

Laboratoire Jacques Paltz, 21 Z.I. Auguste, 33612 Cestas cedex.
Tél. : 0033 (0)5 56 36 18 03, Fax : 0033 (0)5 56 36 63 69
www.jacquespaltz.fr

➤ LA ROCHE-POSAY

C'est dans la petite station thermale de La Roche-Posay, située dans le centre de la France, à la limite du Berry, de la Touraine et du Poitou, que Napoléon, après son retour d'Égypte, a fait édifier un hôpital militaire pour soigner les maladies de peau de ses soldats. En 1869, le centre de cure est reconnu par l'État et, en 1904, le premier centre thermal ouvre ses portes.

L'histoire des « Laboratoires pharmaceutiques La Roche-Posay » (dont les produits sont vendus exclusivement en pharmacie) repose sur la tradition des eaux de cette capitale européenne de la dermatologie thermale.

La Roche-Posay fait partie de l'empire L'Oréal. La marque se positionne dans le domaine des « soins de peau dermatologiques », affirmant que ses produits sont particulièrement bien supportés par la peau et que les dermatologues du monde entier les prescrivent. Elle mise avant tout sur les eaux thermales employées.

En France, environ la moitié des cures thermales dermatologiques ont lieu à La Roche-Posay. Est-ce à dire que les cosmétiques portant cette marque peuvent constituer en quelque sorte une cure thermale à domicile ? Non, car si l'eau thermale est une spécificité du produit, on ne constate pas de différence avec les cosmétiques conventionnels en ce qui concerne les composants les plus importants.

- **Les produits : bio/naturels ou pas ?**

Comme nos fiches-produits le montrent (pages 241 et 269), les produits de cette marque sont pratiquement formulés comme tous les cosmétiques conventionnels et contiennent beaucoup de chimie de synthèse : silicones, PEG, EDTA, BHT, la triéthanolamine et les parabènes ; et également un composé halogéné utilisé pour la conservation.

- **Lieux de vente**

  Pharmacies, parapharmacies.

- **Adresse**

  www.laroche-posay.fr

➢ LAVERA ❀❀❀

La marque Lavera est la digne héritière du mouvement écologique allemand des années 70 mais son développement est aussi lié à une histoire personnelle. Le fondateur de l'entreprise, Thomas Haase, souffrait depuis l'âge de deux ans de névrodermite, une maladie de peau encore très peu connue à cette époque. Comme les crèmes et cosmétiques classiques ne lui procuraient aucun soulagement, il commença dès son jeune âge à chercher des alternatives.

Ses premiers pas dans le monde du travail se concrétisèrent par l'ouverture d'un magasin de produits naturels. Parallèlement, il œuvrait pour mettre au point des recettes de cosmétiques naturels avec des plantes qu'il cultivait lui-même. Ses efforts connurent leur aboutissement en 1975 : au cours des vacances d'été, il testa avec succès son premier baume pour les lèvres particulièrement sensibles, à base de lanoline, de cire d'abeille et d'huile d'olive.

Après avoir travaillé plus de 10 ans à développer des cosmétiques, Thomas Haase fonda sa propre firme (la société Laverana) en 1987, dans un petit domaine près d'Hanovre. Depuis, l'ambition affichée par Lavera en matière de cosmétologie naturelle est de se consacrer à la découverte d'un Nouveau Monde.

Ainsi, c'est Lavera qui a mis sur le marché, il y a dix ans, le tout premier produit solaire de la planète offrant une protection solaire 100 % minérale grâce à un filtre produit par ses propres soins.

Lavera a aussi formulé le premier autobronzant conforme au cahier des charges pour cosmétiques naturels contrôlés du BDIH. L'entreprise mise également sur les produits à effets spéciaux, comme par exemple une lotion effet « voile de soie » (un produit après-soleil), un produit solaire pour enfants teinté à la chlorophylle, ou un gel brillant au mica pour le visage, le décolleté et les mèches de cheveux.

Lavera produit aussi des extraits fabriqués à partir de plantes fraîches, ce qui devient de plus en plus rare, la tendance actuelle étant plutôt de partir de plantes séchées. Certains extraits sont fabriqués à partir de plantes récoltées dans les proches environs car la transformation doit avoir lieu dans les heures qui suivent la cueillette.

La gamme est complète et s'étend des produits pour le visage aux soins corporels, en passant par le maquillage, sans oublier les produits pour enfants et tout-petits. La marque Laveré, elle, est spécialisée dans les produits antiâge.

- **Les produits : bio/naturels ou pas ?**

Grâce à sa large palette de produits, Lavera s'est taillé une solide place dans la sphère des produits cosmétiques naturels. Plus de 90 % des siens sont certifiés « Cosmétiques naturels contrôlés » par le BDIH.

- **Lieux de production**
  Wennigsen (en Basse-Saxe allemande).
- **Chiffre d'affaires**
  Non indiqué.
- **Collaborateurs**
  100.
- **Lieux de vente**
  Magasins de produits bio, instituts de beauté.
- **Adresse (distributeur en France)**
  Bleuvert sarl, 1156 chemin de Sourdaine, 84140 Montfavet.
  Tél. : 0033 (0)4 90 81 04 03, Fax : 0033 (0)4 90 81 01 39
  E-mail : info@bleu-vert.fr
  www.bleu-vert.fr, www.lavera.de

➢ LÉA NATURE ❀

Le groupe Léa Nature (connu sous le nom de Léa Vital jusqu'au début 2006) a été créé en 1993 par Charles Kloboukoff. Le groupe s'est tout d'abord construit autour d'un objectif : faire connaître et développer l'usage de la phytothérapie et des compléments alimentaires naturels dans le circuit de la grande distribution. Fin 95, sur sollicitation de son épouse, Charles Kloboukoff décline son savoir-faire avec des plantes bio : la marque Jardin Bio était née. Dix ans plus tard, elle représente 300 références en épicerie, sucrées et salées, toutes certifiées AB par Ecocert. Puis ce fut à la gamme Jardin Bio Équitable de voir le jour.

En 1996, sur la base d'une charte interne, naît le profil des produits de la marque Léa Nature (anciennement Fleur de Beauté) : minimum 90 % d'ingrédients naturels, excluant tout produit issu de la pétrochimie (silicone, paraffine), et recherche d'alternatives aux produits de synthèse.

En 2002, la première gamme de cosmétiques biologiques certifiée Ecocert est mise sur le marché : Natessance Bio, suivie en 2004 par Natessance Bébé bio.

- **Les produits : bio/naturels ou pas ?**

Le groupe Léa Nature est présent sur le marché avec deux gammes de produits, l'une certifiée, l'autre non, ce qui ne facilite pas l'orientation du consommateur.

En 2005, une nouvelle gamme est lancée (Lift'Argan de Natessance), conforme au cahier des charges Ecocert, mais non certifiée. La gamme des Floressances est créée suivant le cahier des charges Ecocert (avec des shampooings, des eaux parfumées, des beurres de soin), mais n'est pas certifiée non plus. La nouvelle gamme de cosmétiques à la fois biologique et équitable : Jardin Bio Etic.

55 des produits sont certifiés Ecocert au label Cosmébio (21 soins Natessance Bio, 7 soins Natessance Bébé Bio, 18 soins Jardin Bio Etic, 9 soins Bioléa) dont 18 possèdent le double label Cosmébio et Max Havelaar, sur 218 produits au total.

- **Lieux de production**

L'entreprise fabrique ses propres produits (au siège social, en Charente-Maritime) exceptés ceux demandant une technologie particulière (comme les beurres de soin qui nécessitent de faire chauffer et de couler le produit avant conditionnement).

- **Collaborateurs**

310 personnes au total, en comptant les 3 filières (santé au naturel, beauté au naturel, alimentation bio).

- **Chiffre d'affaires 2005**

60 millions d'euros.

- **Lieux de vente**

Natessance Bio et Natessance Bébé Bio en magasins bio, Jardin Bio Etic en grandes et moyennes surfaces, Bioléa en grandes et moyennes surfaces.

- **Adresse**
Laboratoires Léa, Avenue Paul Langevin, BP 47, 17183 Périgny cedex.
Tél. : 0033 (0)5 46/34 33 85, Fax : 0033 (0)5 46 52 00 72
www.leavital.com

➢ L'OCCITANE ❀

La Provence aux parfums et aux couleurs inoubliables ! Un fabricant de cosmétiques dont le siège social se trouve dans cette région la plus connue de France (à l'étranger) bénéficie instantanément d'une image très positive : la nature et le mythe provençaux constituent un terrain fertile rapportant beaucoup de fruits. L'Occitane, fondée en 1976 par Olivier Baussan, a su en tirer profit. Il suffit de lire le descriptif des produits pour que ça embaume la lavande et le mimosa, l'olive et le miel, le magnolia et l'immortelle, et l'on est immédiatement séduit par ce parfum d'Occitanie, d'Afrique et de Méditerranée.

Tout a commencé avec les bases de bain moussant à mélanger aux huiles essentielles de romarin, de camomille ou de cèdre. Puis vinrent les parfums aux noms évocateurs comme Verveine, Lavande ou Fleur d'Oranger et, pour finir, la première ligne de soins au beurre de karité.

« Tous nos produits sont formulés à base d'ingrédients les plus naturels possible, d'huiles essentielles pures et d'actifs végétaux, de préférence biologiques », assure Jean-Louis Pierrisnard, le Directeur Recherche & Qualité de l'entreprise. Et justement, il y a beaucoup à faire dans ce domaine : L'Occitane est en train de reformuler de nombreuses recettes (voir page 143).

Fer de lance des ingrédients de cette marque, le beurre de karité. Il représente plus qu'un ingrédient pour cosmétiques, il est un projet en soi. Jean-Louis Pierrisnard : « Nous travaillons avec trois coopératives au Burkina Faso (ce qui représente environ 4 000 femmes) et nous avons précommandé 190 tonnes de beurre. Nous le préfinançons à hauteur de 50 % de la valeur des commandes (la règle du commerce équitable n'étant que de 30 % seulement) et nous achetons le beurre directement aux femmes et nous les payons pour la fabrication (la transformation qui est un de leur savoir-faire ancestral) des amandes en beurre. Les grands huiliers européens achètent les amandes à des prix très très bas et réalisent la transformation des amandes en beurre dans des usines (huileries) européennes. Ils ne paient donc pratiquement pas la matière première, l'amande de karité extraite de la noix. Ensuite, les huiliers revendent le beurre à des grandes sociétés cosmétiques. »

Pour L'Occitane, l'huile d'amande et une des meilleures huiles pour la cosmétique. Mais les amandes françaises ont pratiquement disparu du marché. « Nous soutenons l'action de notre Conseil général et de la Chambre d'agriculture de notre département tendant à encourager la réimplantation d'amandiers en Provence », dit Jean-Louis Pierrisnard, « car ces arbres, pourtant nombreux au début du 20e siècle, ont quasiment disparu du paysage provençal. Les amandes consommées en France et en Europe sont importées d'Espagne ou de Californie. Nous ne produisons que 2 % de notre consommation ! »

- **Les produits : bio/naturels ou pas ?**

Jusqu'à présent, seuls 4 des 50 produits de soin sont certifiés Ecocert /Charte Cosmébio. Les reformulations prévues envisagent une amélioration en ce qui concerne la qualité naturelle. L'avenir nous dira si le fabricant s'est conformé à ses bonnes résolutions.

- **Lieux de production**
  Manosque, dans les Alpes-de-Haute-Provence

- **Collaborateurs/ Personnel**
  2 100.

- **Chiffre d'affaires 2005**
  270 millions d'euros.

- **Lieux de vente**
  800 boutiques L'Occitane dans le monde.

- **Adresse**
  L'Occitane, Z.I. Saint-Maurice, 04100 Manosque.
  Tél. : 00 33 (0)4 92 70 19 00
  E-mail : service-consommateurs@loccitane.fr
  www.loccitane.com

➢ LOGONA ❀❀❀

L'histoire de la marque Logona est étroitement liée au mouvement écologique allemand. Tout a commencé avec la création de l'entreprise Lorien Goods par le naturopathe Hans Hansel, en 1977. Elle importait au départ des produits de soins corporels naturels, mais se mit rapidement à créer ses propres cosmétiques.

Le groupe actuel, Logocos, est représenté sur le marché par trois marques : Logona, Sante (cosmétiques naturels) et Fitne (produits pour la santé et compléments alimentaires). La marque Logona est présente en France depuis 1995, alors que Sante ne fera son entrée sur le marché français qu'à l'automne 2006.

Des entreprises de fabrication de remèdes inspirées par les recherches spirituelles de l'anthroposophe Rudolf Steiner se sont développées au début du 20e siècle. Puisant toujours leurs sources dans la philosophie de Steiner, elles formulent des produits cosmétiques fidèles à sa tradition.

La politique engagée de l'entreprise mise sur des processus modernes de production et de transformation des ingrédients naturels, sur des contrôles de qualité poussés, ainsi que sur la recherche d'innovations dans un champ qui concilie à la fois le respect de la nature et du consommateur.

Comme Weleda et Wala, Logona fait partie des pionniers des cosmétiques naturels allemands. Heinz-Jürgen Weiland-Groterjahn, directeur du département scientifique de la société Logocos, s'engage dés sa création dans le « Groupe de travail cosmétiques naturels » du BDIH. Depuis 1996, il est le porte-parole de ce groupe et a joué un rôle prépondérant dans l'élaboration et l'actualisation du cahier des charges du BDIH pour une « Cosmétique naturelle contrôlée ».

En ce qui concerne la qualité, les cosmétiques naturels Logona et Sante mettent tout particulièrement l'accent sur les agents actifs : tous les extraits de plantes sont fabriqués par leurs propres soins, selon un processus spécifique à l'entreprise. On utilise une unité d'extraction spécialement conçue pour Logona, dans laquelle les plantes séchées sont extraites grâce à un mélange de glycérine, d'éthanol et d'eau. Les plantes sont brassées avec le solvant pendant 6 à 8 heures, tout en étant soumises à intervalles réguliers à des ultrasons. Ensuite, les matières restantes sont pressées et la solution saturée est filtrée.

Le champ de compétences de l'entreprise recouvre les soins pour le visage et le corps, une large palette de maquillage et les colorants pour cheveux. Logona est le seul grand fabricant de cosmétiques naturels à proposer des colorants capillaires purement végétaux. Dans le domaine des soins pour le visage, une gamme de produits est déclinée pour chaque type de peau. L'aloès-thé vert convient pour les peaux sensibles, l'hamamélis pour les peaux mixtes, et une gamme spéciale antiâge est conçue pour les peaux mûres. L'offre est complétée par des produits pour les bébés et les enfants. Lotus & White Tea est une gamme de soins de la marque Sante.

- **Les produits : bio/naturels ou pas ?**

Logona fait partie des fondateurs de la cosmétique naturelle en Allemagne et s'est engagé à fond pour le développement de la charte BDIH « Cosmétiques naturels contrôlés ». L'ensemble ou presque des 400 produits de soins est certifié.

- **Lieux de production**

La fabrication a lieu à Salzhemmendorf près d'Hanovre (en Allemagne), au siège de l'entreprise.

- **Collaborateurs**

140.

- **Chiffre d'affaires**

Aucune indication.

- **Lieux de vente**

Magasins de produits bio, instituts de beauté.

- **Adresse/(distributeur en France)**

Bleuvert sarl, 1156 chemin de Sourdaine, 84140 Montfavet.
Tél. : 00 33 (0)4 90 81 04 03, Fax : 00 33 (0)4 90 81 01 39
E-mail : info@bleu-vert.fr
www.bleu-vert.fr, www.logona.com

➢ MELVITA ❀❀

Melvita est née en 1983 en pleine garrigue ardéchoise. Ses fondateurs sont deux frères bordelais, Philippe et Bernard Chevilliat, ce dernier étant biologiste de formation. Dès l'origine, Melvita propose des produits cosmétiques végétaux naturels (huiles, eaux florales etc.) et des produits de la ruche. En 1987, une autre société, Ardecosm, a vu le jour. C'est une des plus importantes savonneries de France avec quatre lignes de production automatique. Le groupe M & A Santé Beauté chapeaute les sociétés Melvita et Ardecosm.

Bernard Chevilliat est aussi membre du Conseil d'Administration de Cosmébio et représente la filière des fabricants au Comité de certification Ecocert.

- **Les produits : bio/naturels ou pas ?**

Melvita propose plus de 400 produits cosmétiques, diététiques et alimentaires. Depuis 2002, l'entreprise est certifiée par Ecocert. En 2005, plus d'une centaine de produits ont été certifiés sous le label Cosmébio et, d'ici fin 2006, ce chiffre devrait doubler. « Peu à peu, pratiquement tous les produits Melvita seront transformés en produits Cosmébio Bio », annonce Bernard Chevilliat. Mais des standards de qualité différents se côtoient, celui de la maison (la Charte Nature) étant moins restrictif que le cahier des charges Cosmébio.

La gamme Apicosma, la ligne solaire Prosun Natura et Capiforce (une ligne de soins techniques pour les cheveux) relèvent de la Charte Nature. La gamme Apicosma sera appelée à évoluer pour être certifiée à court terme.

Les savons sont tous végétaux mais seuls certains d'entre eux sont réalisés sur une base bio.

La gamme Bio-Excellia est certifiée par Ecocert à 90 %.

- **Lieux de production**

Toute la production Melvita est réalisée à Lagorce dans un site de 8 500 m², à 1 km de la ferme d'origine et à 2 km des gorges de l'Ardèche.

- **Collaborateurs**

200.

- **Chiffre d'affaires**

Pour le groupe M & A Santé Beauté : 18 millions d'euros.

- **Lieux de vente**

Magasins de produits naturels et bio.

- **Adresse**

Melvita, La Fontaine du Cade, 07150 Lagorce.
www.melvitacosm.com

LA DÉCLARATION INCI SUR INTERNET EST ENCORE LOIN D'ÊTRE UNE ÉVIDENCE EN FRANCE

Alors que la plupart des entreprises françaises de produits cosmétiques naturels ne publient pas la déclaration INCI de leurs produits sur leurs pages web, cette pratique va de soi chez les fabricants allemands. Les consommateurs d'Outre-Rhin ne tolèreraient d'ailleurs pas que les produits soient présentés sans la liste exhaustive de leurs ingrédients.
Même s'il ne s'agit pas d'une obligation légale, indiquer les composants de chaque produit devrait pourtant être une évidence. De nombreux fabricants ont promis de retravailler leur présentation Internet et d'y prévoir l'accès à la déclaration INCI des composants. Il est à parier qu'ils ne le feront que si les consommateurs insistent pour disposer de plus de transparence.

➢ NUXE

Nuxe existe depuis déjà 1957, ce qui est surprenant quand on sait que la marque est perçue comme une nouvelle venue sur le marché, telle une star à la mode. Nuxe est chic, « in », et renforce chez les clients le sentiment que la beauté, le progrès et la nature sont conciliables. Les produits de Nuxe sont présentés à travers différents mots-clés : « Engagement au service de cosmétiques intelligents », « Courage d'innover et d'utiliser une technologie cosmétique exigeante », « Imagination », « Originalité absolue ».

Derrière cette touche de modernité, un visage : celui d'Aliza Jabes, Présidente-directrice générale. Personnification de la « Philosophie Nuxe », elle affirme : « Nos soins de beauté naturels de haute qualité, aux textures onctueuses et aux arômes subtils, sont parfaitement tolérés par les peaux les plus délicates. » Aliza Jabes invite la communauté de fans de Nuxe à la réflexion : « La nature est généreuse, respectons-la… »

- **Les produits : bio/naturels ou pas ?**

Nuxe se présente à sa clientèle comme un « Laboratoire de cosmétologie naturelle ». Mais le fossé est grand entre cette auto-présentation et la réalité des produits.

Que ce soit les silicones aux effets polluants, l'EDTA, la triéthanolamine, les composants éthoxylés, le phénoxyéthanol ou les parabènes, on trouve dans les produits Nuxe tout ce que renferment les produits conventionnels (voir nos fiches-produits pages 249 et 278).

Bien que sous la touche « Ingrédients », Nuxe présente sur Internet une liste de composants (mise à jour le 7 février 2006), le consommateur éclairé ne peut qu'être surpris de constater qu'elle ne présente que les ingrédients naturels, classés par ordre alphabétique. Aucun des composants synthétiques contenus dans les produits n'y est mentionné, qu'il s'agisse du Ceteareth-20, de la Diméthicone ou du phénoxyéthanol.

- **Lieux de vente**
  Pharmacies, parapharmacies, grandes surfaces.

- **Adresse**
  Nuxe, 25 rue des Petits-Hôtels, 75010 Paris.
  www.nuxe.com

➢ PHYT'S ❀❀❀

À l'époque où le biologiste naturopathe Jean-Paul Llopart a créé les Laboratoires Phyt's, en 1970, il fallait avoir une bonne dose de conviction et d'esprit pionnier pour se lancer dans ce type d'aventure. Cet écologiste de la première heure était convaincu que beauté et santé étaient indissociables et que l'utilisation omniprésente de la chimie conduisait à l'intoxication de l'environnement, des eaux, des terres, mais aussi de l'homme.

Pour créer, il y a trente ans, des produits de beauté sans ingrédients d'origine chimique, il fallait débroussailler le chemin dans de nombreux domaines. Il était par exemple nécessaire de réfléchir à comment assurer la stabilité microbiologique. La réponse de Phyt's à ce problème fut double : conditionnement en ampoules pour utilisation unitaire et incorporation d'huiles essentielles.

D'autre part, il était extrêmement difficile de trouver l'ensemble des matières premières nécessaires au remplacement des ingrédients issus de la pétrochimie, qui constituaient alors la base de tous les cosmétiques. Et, problème supplémentaire : comment réunir des machines permettant de conditionner des crèmes en ampoules et d'effectuer des émulsions avec des ingrédients différents de ceux de tous les cosmétiques classiques ?

Ce travail de recherche et de développement conduisit, dans deux domaines tout particulièrement, à des succès spécifiques à Phyt's :

1. La maîtrise des huiles essentielles pour créer les premiers phytocosmétiques 100 % naturels conditionnés en tubes.

2. Les ampoules, toujours plus sophistiquées, qui permirent le développement de soins professionnels.

Les laboratoires Phyt's ont été repris en 2004 par Thierry Logre, lui aussi scientifique passionné de nature et convaincu de la nécessité de limiter la présence de la chimie dans notre environnement. Cette évolution constitua un nouveau départ : maîtrise d'une filière plantes agréée Bio, des compléments nutritionnels, et développement du service recherche. Cela aboutit à la création des premiers gels, baumes, et à l'obtention de l'agrément Cosmébio.

Dans la gamme de produits Gamarde (soins du corps, du visage et protection solaire), Phyt's emploie de l'eau minérale (Eau de Gamarde).

- **Les produits : bio/naturels ou pas ?**

119 des 125 produits de beauté sont certifiés Ecocert/Charte Cosmébio.

- **Lieu de production**

Bages, au Sud de Perpignan (Midi-Pyrénées).

- **Collaborateurs**

86.

- **Chiffre d'affaires**

Pas d'indication.

- **Lieux de vente**

La marque Phyt's est disponible en instituts de beauté. La marque Gamarde est disponible en pharmacies et parapharmacies.

- **Adresse**

Laboratoires Phyt's, BP 7, 46090 Mercuès.
Tél. : 00 33 (0)5 65 20 00 45, Fax : 00 33 (0)5 65 20 01 77
E-mail : infos@phyts.com www.phyts.com

➢ SANOFLORE ❁❁❁

L'histoire de Sanoflore débute au printemps 1972 à Eygluy-Escoulin, sur les pentes Sud du Vercors. C'est là qu'a été mis en place un jardin expérimental, le premier du genre.

Cinq ans plus tard, la ferme Sanoflore développe ses premières cultures en agriculture biologique. Très vite, elle entreprend des travaux de transformation des plantes (séchage et distillation) et commercialise ses plantes sèches, ses huiles essentielles et ses eaux florales. Le réseau de producteurs locaux s'agrandit d'année en année.

En 1986, une équipe motivée crée le Laboratoire Sanoflore, véritable outil de recherche, de développement, de production et de commercialisation. Aujourd'hui, celui-ci commercialise toujours ses matières premières végétales en vrac, fabrique et distribue des gammes d'herboristerie (tisanes, sachets de plantes), d'aromathérapie (huiles essentielles, eaux florales), de cosmétiques bio et de parfumerie naturelle.

Sanoflore a la particularité de cumuler plusieurs fonctions : producteur de matières premières végétales bio (plantes sèches, huiles essentielles, eaux florales), il fait vivre 55 agriculteurs dans le Sud de la France ; distillateur, la distillerie fournit 60 % des matières utilisées dans les produits finis vendus sous la marque Sanoflore ; mais également revendeur de matières premières en vrac. Les produits sont formulés en interne, puis fabriqués et conditionnés. Environ 40 % d'entre eux sont consacrés à la beauté.

Le rachat de Sanoflore par le groupe L'Oréal a été communiqué le 24 octobre 2006 (voir page 60).

- **Les produits : bio/naturels ou pas ?**

Sanoflore rend la tâche facile à ses clients : le design de son emballage bleu foncé est très clair et porte bien visiblement le label de certification Charte Cosmébio Bio. Le profil de l'entreprise est sans équivoque : fabricant de produits biologiques naturels. Il est impossible de savoir aujourd'hui si le rachat par L'Oréal va modifier le profil de Sanoflore.

Les produits sont certifiés AB dans le domaine de l'alimentaire, Cosmébio pour les cosmétiques et les synergies d'huiles essentielles. Tous les produits sont validés par Ecocert.

- **Lieux de production**
  Tout est distillé, fabriqué et conditionné dans les laboratoires de Gigors-et-Lozeron (dans la Drôme).

- **Collaborateurs**
  110 salariés en laboratoire.

- **Chiffre d'affaires**
  En 2004, Sanoflore a réalisé un chiffre d'affaires de 7,4 millions d'euros et à la fin septembre 2005, le CA se montait à 8,7 millions d'euros.

- **Lieux de vente**
  Magasins de produits naturels et bio.

- **Adresse**
  Sanoflore, 26400 Gigors-et-Lozeron.
  Tél. : 003 3 (0)4 75 76 46 60, Fax : 00 33 (0)4 75 76 46 38
  E-mail : sanoflore@sanoflore.net
  www.sanoflore.net

Il est possible de visiter le domaine Sanoflore situé à 40 minutes de Valence : il est ouvert aux visiteurs l'été. On y découvre un Jardin botanique bio avec plus de 400 variétés de plantes aromatiques et médicinales.

➢ THE BODY SHOP

Le 2 juin 2005, le magazine *Les Échos* publie un dossier sur The Body Shop sous le titre « Voyage dans la jungle des initiatives volontaires », et il s'agit d'un voyage autour du monde. S'il reste quelques plages encore blanches sur cette carte de la distribution du « global player », celles-ci vont bientôt disparaître. Il y a peu de temps, la Jordanie et l'Inde n'avaient pas encore leurs Body Shops. Aujourd'hui, la Jordanie a vu s'ouvrir son premier magasin, et une première vague d'ouvertures est prévue en Russie et en Inde courant 2006.

L'histoire de l'entreprise The Body Shop commence en 1976 et l'ascension vers les sommets qui l'a érigée en empire mondial fut époustouflante, surtout durant les vingt premières années. Sa fondatrice, Anita Roddick, ouvrit son premier Body Shop en 1976, dans la station balnéaire de Brighton, avec 25 produits élaborés par elle-même. Elle réussit à le porter au firmament des marques, tout du moins en ce qui concerne la cible commerciale que représente la jeunesse, la clientèle la plus porteuse. Au début des années 80, les magasins The Body Shop poussaient comme des champignons, la plupart du temps grâce au système des franchises.

Entre 1994 et 2001, le nouveau système de vente directe relance les affaires. Pour ne parler que de l'Angleterre, environ 2 000 conseillers The Body Shop satisfont la clientèle à domicile. Depuis 2002, Anita Roddick n'est plus que la figure de proue d'une entreprise désormais cotée en bourse.

La recette du succès de The Body Shop : allier les soins du corps à l'ethnologie. La marque est plus qu'une gamme de produits et une chaîne de magasins. The Body Shop est au centre d'actions menées à l'échelle mondiale. Qu'il s'agisse de la protection des animaux, de celle de l'environnement ou d'un engagement social dans les pays du tiers-monde, The Body Shop est initiateur et organisateur de campagnes qui mobilisent des millions de personnes.

En 1986, « Sauvez les baleines » fut la première grande campagne de ce genre. Actuellement, une action contre la violence familiale (« Stop violence in the home ») a été lancée dans 26 pays du monde. Sur tous les continents, même mot d'ordre de The Body Shop : « Fais une bonne action et parles-en haut et fort ».

Depuis le printemps 2006, c'est L'Oréal (en déboursant 940 millions d'euros pour pouvoir monter sur la scène des « cosmétiques verts ») qui donne le ton chez The Body Shop. Mais il paraît que malgré ce nouveau management, tout restera inchangé au fond. L'actuelle équipe de direction est maintenue en poste et adressera ses rapports directement au Directeur Général de L'Oréal. Ce dernier attend un impact positif sur le bénéfice par action à partir de 2007. Reste à savoir quelles conséquences ce changement de propriétaire va avoir sur la qualité des produits. Car, même si on ne cesse de dire que The Body Shop est une marque de cosmétiques d'origine naturelle, les fiches-produits présentées à partir de la page 241 montrent que cette « origine naturelle » n'a rien de comparable à celle des produits cosmétiques réellement naturels ou bio.

- **Les produits : bio/naturels ou pas ?**
  Aucun produit n'est certifié. La gamme est présentée sous la devise : « Inspiré par la nature ». En règle générale, les agents actifs et une partie de l'excipient sont d'origine végétale, mais The Body Shop n'est pas cohérent. Les produits contiennent aussi pas mal de chimie de synthèse. Pour la conservation, c'est un mélange de phénoxyéthanol et de parabènes qui donne le ton. En ce qui concerne les additifs, on ne renonce toujours pas à l'EDTA pourtant peu biodégradable.

- **Chiffre d'affaires**
  Pour The Body Shop International en 2004/2005 : environ 419 millions d'euros.

- **Lieux de vente**
  Magasins The Body Shop.

- **Collaborateurs**
  Environ 6 800 dans le monde.

- **Adresse**
  www.thebodyshop.com

➢ VICHY

Vichy est la plus importante marque vendue en pharmacie du groupe L'Oréal. Et voici comment tout a commencé : au cours d'un séjour à Vichy en 1931, le cosmétologue Georges Guérin eut recours aux ablutions sur les conseils du Dr Haller. Frappé par la rapidité de la guérison d'une blessure qu'il avait contractée au poignet, il découvrit les propriétés exceptionnellement apaisantes de l'Eau de Vichy.

La marque Vichy connut une carrière particulièrement impressionnante sur le marché des produits dermocosmétiques. Les promesses concernant leur efficacité et le fait qu'ils soient vendus en pharmacie ont véhiculé un message parfaitement reçu : produit sain et hautement innovant. Parmi la riche palette de produits, la protection solaire joue un rôle particulièrement important.

- **Les produits : bio/naturels ou pas ?**

Que contiennent les produits Vichy ? Des huiles végétales, c'est vrai, et de bons agents actifs végétaux, mais aussi beaucoup de chimie de synthèse comme les composés siliconés, les ingrédients éthoxylés, l'EDTA, la triéthanolamine, le phénoxyéthanol, des parabènes et même un composé organohalogéné (Iodopropynyl Butylcarbamate). Comme le montrent nos fiches-produits (pages 250, 301), il n'y a pas de différences notables avec les composants des produits conventionnels. Ceci est vrai aussi pour les produits de protection solaire. On y trouve tous les filtres solaires de synthèse classiques.

- **Adresse**

www.vichy.fr

➢ WELEDA ❀❀❀

Le fabricant de remèdes et de soins pour le corps Weleda, entreprise riche en tradition, est née de la collaboration entre Rudolf Steiner (1861-1925) et la femme médecin hollandaise, Ita Wegmann (1876-1943). Celle-ci a ouvert à Arlesheim, en Suisse, le premier « Institut clinique-thérapeutique ». Steiner, lui, avait fondé dans les environs « l'Université libre des sciences de l'esprit ». La fabrication du premier médicament élaboré en commun constitue les fondations de l'actuelle société Weleda, dont le siège social est toujours à Arlesheim. L'empire mondial de cette marque comprend également un second siège social en Allemagne et 17 participations majoritaires, dont Weleda France (à Huningue, en Alsace).

La culture des plantes selon les principes de la biodynamie représente l'élément central de toute la palette des produits Weleda. Les cultures de plantes médicinales servent depuis la fondation à l'approvisionnement en plantes fraîches, mais aussi sèches, ainsi que pour la fabrication de médicaments et de produits diététiques et cosmétiques.

Weleda dispose aux alentours d'Arlesheim d'une superficie d'environ deux hectares de terre pour y cultiver les quelque 100 espèces de plantes médicinales dont elle a besoin. Deux jardins sont cultivés au sud de l'Alsace, et une série d'autres projets sont à l'étude pour, d'une part, répondre aux besoins de l'entreprise et, d'autre part, protéger des variétés sauvages et les cultiver.

Un projet de protection de l'arnica a démarré dans les Vosges ; on y cultive aussi la plante sauvage euphraise officinale et en Toscane la culture de l'argousier est subventionnée. En Suisse, dans le canton d'Unterwallis, 15 exploitations cultivent, en bio, l'edelweiss, plante en voie de disparition à l'état sauvage. L'edelweiss est utilisé dans les produits solaires (voir page 302).

Pour la gamme de produits à la rose sauvage, 800 kg d'absolue sont nécessaires chaque année, ce qui correspond à 700 tonnes de pétales. Pour fournir cette importante quantité de matières premières de bonne qualité, un projet de coopération a été mis en place depuis 2001 avec la province d'Isparta, dans le sud de la Turquie. Environ 120 paysans se sont convertis à l'agriculture biologique et cultivent des roses odorantes.

Le concept qui sous-tend les produits de soins corporels Weleda est très clair : l'objectif n'est pas de lutter contre des symptômes mais d'accompagner le processus de guérison de la peau. Une « peau sèche », par exemple, ne doit pas être traitée par une hydratation de substitution à long terme, mais par des produits dont les composants correspondent aux besoins de la peau tout en lui permettant de retrouver son équilibre interne puis de le conserver ensuite naturellement.

- **Les produits : bio/naturels ou pas ?**

Weleda est l'incarnation de la naturopathie des anthroposophes et a jeté les bases de la cosmétologie naturelle. Presque tous les 96 produits sont certifiés « Cosmétiques Naturels Contrôlés » conformément au cahier des charges du BDIH.

- **Lieux de production**

Allemagne, France et Suisse.

- **Collaborateurs**

1 500 dans le monde entier, dont 248 en France.

- **Chiffre d'affaires 2004**

Chiffre d'affaires du groupe : 249,3 millions de francs suisses. En 2004, Weleda-France a réalisé un chiffre d'affaires dépassant les 30 millions d'euros.

- **Lieux de vente**
  Pharmacies, parapharmacies, magasins de produits bio.

- **Adresse**
  Weleda S. A., 9 rue Eugène Jung, BP 152, 68331 Huningue cedex.
  Tél. : 00 33 (0)3 89 69 68 00
  E-mail : weleda@weleda.fr
  www.weleda.fr

➢ YVES ROCHER

Cette histoire commence en 1959, se plaît à souligner l'entreprise, et débute dans un petit village du nom de La Gacilly, en Bretagne, où Yves Rocher découvrit le pouvoir cosmétique des plantes. Il fabrique alors dans le grenier familial une première pommade à base de ficaire qu'il va avoir l'idée originale de vendre par petites annonces. Aujourd'hui, l'empire Yves Rocher emploie 4 000 personnes à La Gacilly même.

La couleur du « global player » de La Gacilly est verte, et cette dimension verte (la protection de l'environnement) est un facteur décisif de l'évolution de ses ventes. « La nature vous murmure ses plus beaux secrets », lit-on chez Yves Rocher.

Tout un chacun peut suivre à La Gacilly les traces du succès d'Yves Rocher. Selon les informations fournies par l'entreprise, les visiteurs sont à même d'y percer les secrets de fabrication des produits de la marque. Ce secret, vous le découvrirez vous aussi dans ce livre grâce à nos fiches-produits pages 245, 267 et 280.

« Aujourd'hui, grâce aux progrès de la Biologie Végétale », nous fait savoir la firme, « ce sont plus de 150 actifs végétaux qui entrent dans la composition des produits Yves Rocher ». Malheureusement, l'acheteur n'a pas seulement affaire aux actifs végétaux.

- **Les produits : bio/naturels ou pas ?**
  Les formulations des cosmétiques Yves Rocher présentés dans ce livre montrent qu'ils sont en contradiction frappante avec l'image qu'ils se donnent de produits verts aux plantes. On trouve des ingrédients n'ayant rien à voir avec cette image

végétale : huile minérale, corps gras de synthèse, EDTA, phénoxyéthanol et parabènes en tant que conservateurs (voir pages 245, 267, 280).

- **Chiffre d'affaires**
  Environ deux milliards d'euros. Marques de cosmétiques : Yves Rocher, Daniel Jouvance, Docteur Pierre Ricaud, Isabel Derroisné, Kiotis, Galerie Noémie.

- **Collaborateurs**
  14 800 dans le monde.

- **Lieux de vente**
  Vente directe, par correspondance et en ligne, Centres de Beauté Yves Rocher.

- **Adresse**
  Yves Rocher, 56 201 La Gacilly
  www.yves-rocher.com

Peut-on se fier au marketing ?

L'industrie cosmétique se détourne de la chimère de la jeunesse absolue pour une bonne et simple raison : elle découvre le potentiel phénoménal des plus de cinquante ans. « Être vieux et paraître jeune », voici la dernière promesse alléchante. La nouvelle devise : « Peu importe le nombre d'années, l'important c'est de se sentir jeune. »

Où passe l'argent que l'on dépense lorsqu'on achète un produit cosmétique ? Le rôle du marketing est de convaincre le consommateur des avantages que va lui procurer le produit. Et en principe, ce sont les mots qui nous éclairent, et la lecture des indications portées sur un emballage ou sur la notice explicative devrait nous permettre d'en savoir plus. En ce qui concerne les cosmétiques, il en va généralement tout autrement, surtout pour les produits extrêmement onéreux.

Cosmétiques et beauté : la féerie des formules magiques

On nous vend des nouveautés « sensationnelles » à l'aide d'expressions consacrées, utilisées comme les formules incantatoires des shamans : personne ne les comprend mais on y croit, et elles font des miracles. Pour échapper au « cauchemar » du vieillissement, par exemple, on nous propose des agents actifs censés pouvoir lutter contre la perte d'attractivité pendant la nuit, en l'espace de quelques heures seulement.

- Chez Vichy, les codes magiques s'appellent « Filladyn™ » et « Adenoxine™ ».
- Chez Dior : « Capture R60/80™ Bi-Skin Inside ».
- Yves Rocher charme ses clients avec les « Polyosides bio-Végétaux ».
- Rubinstein jette ses « microsphères de collagène » dans la bataille.
- Chez Avène, « Ysthéal » promet un rajeunissement des cellules grâce à ses « molécules anti-âge Rétinaldéhyde C.T.® et Pré-Tocophéryl® ».
- Dans le produit de Lancôme « Résolution Rides Concentré – Sérum Anti-Rides Concentré Amortisseur Dermo-Crispations », on nous promet une réparation importante des rides existantes grâce au « D-Contraxol™, un complexe à l'action dermo-décontractante ». Quant à la formation de nouvelles rides, elle peut paraît-il être prévenue par la « Résistine™ », un agent actif qui agit comme un « absorbeur de dermo-crispations ». Est invoquée aussi la technologie « Skinfibre™ ».

Pour les fabricants de cosmétiques, les hommes sont un marché potentiel qui n'est encore que partiellement exploré. Cela devrait changer. Mais savoir avec quels types de produits appâter l'homme reste encore une question sans réponse.

Quelqu'un peut-il réellement s'imaginer ce qui se passe quand un agent actif agit comme un absorbeur sur les dermo-crispations ? Peut-on avoir la plus petite idée de ce que recouvre cet agencement de mots nous faisant miroiter un résultat apparemment exceptionnel ? Non, car ce sont des formules hermétiques qui permettent tout au plus à celle qui les lit de projeter son imagination à loisir. Derrière les suites de lettres prometteuses assorties de ™ ou ©, on s'imagine avoir affaire à des progrès de la science inaccessibles au citoyen lambda. À tort.

STRATÉGIE DE GAMMES DE PRODUITS ET DE MARKETING AVEC ™

Tout laisse à penser que les signes comme ™, © ou ® ne sont pas utilisés sans raison à des endroits clairement visibles. Le ™ surtout est très souvent employé. Est-il là pour signer une nouvelle formule de soin, révolutionnaire et brevetée ? Pas du tout ! Le symbole ™ signifie Trade Mark et accompagne une marque non encore enregistrée, que l'on voudra peut-être faire protéger un jour. En législation des marques, ce signe signale aux concurrents qu'il est préférable de ne pas toucher à celle-là. ® et © non plus ne représentent aucune innovation. ® signifie que la marque est enregistrée (par exemple « Niveau visage ® »), et © indique l'existence d'un droit d'auteur (copyright) pour les textes.

Jouer sur la corde émotionnelle est un concept-clé au sein de la branche cosmétique. Donner des échantillons gratuits ou des conseils personnalisés par exemple, devrait permettre de créer un rapport personnel avec les clients et faire grimper le chiffre d'affaires par le bouche à oreille.

Le produit disparaît derrière le message

En matière de « Beauté et cosmétiques », la plupart des médias sont d'accord avec la publicité : les femmes, et de plus en plus d'hommes aussi, sont en lutte constante contre les rides, la déshydratation, les impuretés de la peau, la graisse, la transpiration, les radicaux libres, etc. La course à la beauté se répand comme une traînée de poudre et met les femmes, surtout, sous une pression insupportable. Et, de surcroît, le stress déclenché par l'industrie cosmétique en matière de beauté permet, comme le montre l'exemple de Dove, de faire des affaires.

Les spécialistes de la conjoncture prédisent que les dépenses pour les cosmétiques et les soins du corps vont rester très élevées. Ils pensent que la branche cosmétiques et bien-être va initier un cycle de croissance durable pour toute l'économie.

La marque Dove a pris le contrepied des publicités habituelles, et lancé en 2005 une campagne sous le titre « L'initiative vraie beauté ». Pour ce message publicitaire nouveau genre, les femmes s'affichaient, qui avec une poitrine

La branche cosmétiques et parfums est en pleine mutation. De quoi sera fait l'avenir ? La tendance est aux concepts Day Spa et Beauty-Center qui sont déjà en passe de s'imposer avec succès.

plate, qui avec des rides, des cheveux gris ou autres signes de vieillesse. Le message fut reçu cinq sur cinq et les femmes furent enthousiasmées par ce nouveau rêve : la fin de la course à la beauté. Elles se précipitèrent alors sur le produit lié au message : les ventes de lotion pour le corps Dove grimpèrent en flèche dans toute l'Europe, et les chiffres d'affaires triplèrent.

Ce produit était-il meilleur qu'un autre? Cet exemple nous montre que le produit lui-même ne joue pas de rôle. C'est le message que l'on achète, ce terrain fertile sur lequel poussent les fruits des dépenses publicitaires des fabricants de cosmétiques.

Une avalanche de produits nous submerge

Dois-je acheter « Revitalift », « Anti-Âge », « Idéal Balance », « Resurface-C » ou « Primordial Optimum Sérum Flash » ? Rien qu'en matière de crème pour le visage des peaux mûres, l'avalanche de produits qu'offre le marché des cosmétiques conventionnels est telle que nous arrivons à peine à les différencier. Devant les nombreux problèmes que les produits promettent de combattre (les différents « signes de vieillissement », les défauts et les problèmes de peau), la cliente ne peut que renoncer.

Le très sérieux magazine féminin allemand *Brigitte* montre dans une étude (voir page 99) qu'environ 40 % des femmes sont totalement perdues. Elles achètent, semble-t-il, dans l'idée « qu'une crème pourrait peut-être être meilleure qu'une autre ». Mais le « zapping » d'un produit à l'autre n'encourage malheureusement pas la prise de conscience de la nécessité de mettre en place un concept de soin personnalisé conséquent, qui ait un sens pour l'individu et lui permette d'avoir une image positive de sa peau.

La peau : amie ou ennemie ?

Les marques de cosmétiques naturels offrent une palette de produits nettement plus restreinte, accompagnée d'une introduction transparente aux différents concepts concernant les soins de la peau. En matière de crèmes pour le visage (correspondant généralement aux différents types de peaux) la branche n'offre que peu de variantes de crèmes de jour et de nuit. Par ailleurs, leur nom est simple et facile à comprendre : chez Sanoflore, par exemple, c'est Crème de Jour Néroli & Argan ou Contour des Yeux Bleuet & Camomille.

La gamme de produits des fabricants de cosmétiques naturels est ainsi révélatrice d'une tout autre « politique de soins de la peau » : comment les femmes perçoivent-elles leur peau aujourd'hui ? Est-elle encore leur amie ou devient-elle, au fil des années, une ennemie, une « traîtresse », une partie du corps qui trahit notre âge et nous laisse plus ou moins tomber ?

Les arguments de vente des produits cosmétiques conventionnels entretiennent un climat agressif vis-à-vis de la peau, considérée comme un danger pour notre bien-être. Notre confiance en elle diminue au fur et à mesure que l'on vieillit jusqu'à disparaître totalement. Renoncer à la crème de nuit, comme le conseille Dr. Hauschka dans son programme de soins, fait (dans la logique publicitaire bien répandue) courir un danger à la peau, compte tenu de sa tendance naturelle à se dégrader.

Comment défendre alors l'idée que la peau est capable de fournir elle-même une prestation positive ? Qu'il ne faut pas constamment la harceler ? Beaucoup ont totalement perdu cette confiance. Les concepts de soins des cosmétiques naturels sont basés sur une compréhension du fonctionnement de la peau et de ce qu'elle est vraiment : une partie du corps que les produits de soins peuvent aider à rester en bonne santé et à bien fonctionner. Il serait souhaitable que ce bon principe ne se perde pas, même dans le choix des mots. Chaque fois que l'on utilise, dans les messages publicitaires, le préfixe « anti », on contribue à construire peu à peu une mauvaise image de soi.

Chez un adulte, la peau recouvre en moyenne une surface de 1,5 à 1,8 m² et son épaisseur varie de 1 à 4 mm. En partant de l'extérieur vers l'intérieur, on trouve plusieurs couches : l'épiderme, qui peut atteindre 1 mm, le derme allant jusqu'à 3 mm (plus fin sur le front, il atteint son épaisseur maximale au niveau de la plante des pieds), et l'hypoderme.

MANQUE DE CONFIANCE EN SOI ET SCEPTICISME

L'analyse de la communication 2004 publiée dans le magazine *Brigitte* nous fournit une série d'éléments éclairants :

- « Je constate que l'offre en cosmétique est si importante que je ne m'y retrouve pas, que je me sens perdue », affirment 38 % des femmes en choisissant de cocher « totalement d'accord » et « plutôt d'accord ».
- Pour la proposition : « Je crains que de nombreux produits cosmétiques ne soient nocifs pour la peau », 42 % des femmes cochent « totalement d'accord » ou « plutôt

d'accord », et seulement 11 % cochent « pas du tout d'accord ».
• 38 % des personnes interrogées ont le sentiment que leur peau « est de plus en plus sensible ».
• Seules 9 % des personnes trouvent « très bien » qu'il y ait un choix toujours plus grand de produits anti-vieillissement, alors que 59 % optent pour « moins bien » ou « pas bien du tout ».

Informer au lieu de suggérer : des stratégies de marketing totalement différentes

La loi prévoit que l'efficacité d'un produit doit pouvoir être prouvée. Pour protéger le consommateur de toute tromperie, le législateur et les autorités de l'Union européenne et des différents états-membres ont élaboré des règles. Mais ce n'est qu'à la demande des autorités que des preuves doivent être fournies. Cela signifie que tant que personne ne réclame, rien n'apparaît au grand jour, sauf pour des besoins publicitaires.

Les présentations de produits oscillent entre deux pôles : informer ou offrir des espoirs irréalisables. Les fabricants de cosmétiques naturels sérieux penchent nettement vers la première option ; chez d'autres, c'est une stratégie qui joue sur les peurs et les espoirs qui prédomine.

• Nuxe présente son produit « Gel-Crème Anti-Cellulite Tonific Minceur ® » accompagné de la phrase : « La cellulite est vraiment notre pire ennemie ». En ce qui concerne son efficacité, la marque promet : « Après 1 mois, les résultats sont spectaculaires. Réduction du tour de cuisse allant jusqu'à -2,5 cm ». Cette efficacité s'expliquerait par une « innovation minceur majeure ».

• La présentation de « L'Huile de Massage Minceur au bouleau » de Weleda est clairement à l'opposé de celle de Nuxe. Concernant la cellulite, Weleda écrit : « Contrairement aux idées reçues, le stockage des graisses dans les couches profondes de la peau est un phénomène naturel qui touche 95 % des femmes. ... Aujourd'hui, la cellulite est perçue comme disgracieuse par beaucoup de femmes du fait de son aspect irrégulier de "peau d'orange" ». Contre la cellulite, la marque conseille : « Des massages réguliers, associés à une alimentation équilibrée et des exercices physiques adaptés... ». L'huile de massage Weleda est mentionnée seulement ensuite.

En matière de cellulite, Weleda fournit un fascicule complet de 45 pages contenant des conseils détaillés pour une alimentation équilibrée, un programme d'activités destiné à raffermir la peau, des massages, des séances de balnéo et des propositions de produits de soin du corps en cas de cellulite.

Les différences sont flagrantes.

- Les explications de Weleda montrent bien que la cellulite ne disparaîtra pas seulement en utilisant un certain produit. Un ensemble de mesures sont nécessaires pour agir sur elle.
- La présentation de Nuxe, en revanche, fait naître le faux espoir que la cellulite sera balayée par une crème. Ce serait magnifique mais cela ne marche pas du tout comme ça. Il apparaît clairement que les fabricants de cosmétiques naturels qui se sont fait un nom depuis des années grâce à leur sérieux, offrent des informations claires et compréhensibles au lieu de chiffres mystérieux.

La majorité des crèmes ont-elles la même efficacité ?

Lorsqu'on lit ce qui est écrit sur l'efficacité des produits cosmétiques (parfois même par des fabricants qui se disent verts ou bio), on a l'impression que les produits sont en mesure d'agir sur le métabolisme de la peau selon ses « déficits » et ses problèmes. Comme si on pouvait réparer la peau comme on le fait pour une voiture, en fonction des dommages subis ou des pièces défaillantes, et la « régler » pour en tirer plus de rendement, voire la dissocier du processus tout à fait naturel de vieillissement ! Et qui plus est, les résultats de tests sont censés prouver l'exactitude de ces affirmations.

On ne le répètera jamais assez et, quoi qu'on en dise, les meilleurs produits de beauté restent les fruits, les légumes et autres aliments frais.

Heureusement, une partie des fabricants de cosmétiques naturels certifiés ne s'amuse pas à jouer sur les chiffres. Cette retenue s'explique par le fait que ces chiffres n'ont de sens que si l'on saisit la logique qui les sous-tend, aussi bien au niveau des méthodes que des produits. Et ces méthodes prêtent à critique.

On emploie pour la publicité des chiffres qui ne veulent pas dire grand-chose.

La promesse qu'une crème « diminue la profondeur de rides de 60 % » ne veut pas dire que cette crème soit supérieure aux autres ni qu'elle ait le pouvoir de diminuer les rides. Elle montre qu'on fait la publicité d'un tout autre produit, mais cela on ne le dit pas : on offre en réalité une crème qui va combler le sillon des rides, comme le ferait en quelque sorte un fond de teint.

Les méthodes habituelles pour prouver l'efficacité :

- sondages auprès des utilisateurs,

- tests sur êtres vivants (in vivo),
- tests en éprouvettes (in vitro).

Sondages : une valeur presque nulle

Dans les annonces publicitaires, les tests effectués sont marqués d'un astérisque qui renvoie à un texte en petits caractères expliquant comment les résultats ont été obtenus. Par exemple :

- Prouvé par des tests d'utilisation effectués pendant 8 jours sur un échantillon de 100 femmes.
- Testé par 124 femmes pendant 4 semaines. Pourcentage de satisfaction : ... %.
- Selon l'auto-évaluation de 38 personnes ayant été soumises à des tests cliniques pendant 4 semaines.
- Testé pendant 3 semaines par 68 femmes.

« Tout ceci est sans doute vrai », constate le magazine professionnel *Euro Cosmetics*. Et il demande : « Que peut faire le consommateur avec un tel résultat ? ». Bonne question !

Aussi objectif et scientifique que paraisse le mot test, il recouvre ici des impressions purement subjectives, d'autant que le nombre de personnes « testées » est étonnamment modeste, même pour les produits des géants du domaine.

Comment se déroulent les sondages auprès des consommateurs ?

C'est l'entreprise qui décide comment elle va procéder. Dans la pratique, cela se traduit par un questionnaire à remplir pour le produit essayé. Le contenu de ce questionnaire est du seul ressort du fabricant.

Naturellement, celui-ci choisit aussi où les tests vont avoir lieu. Dans la profession, le bruit court depuis longtemps que certaines entreprises préfèrent les femmes de l'Est de l'Europe. Dans ces pays où le revenu moyen est de 200 à 300 euros, celles-ci sont particulièrement reconnaissantes de pouvoir participer. D'autre part, personne ne sait ce qui se passe réellement pendant le test. Les femmes n'ont-elles vraiment utilisé que la crème anticellulite ou ont-elles dû faire beaucoup de sport ou maigrir pendant la période d'essai, pour obtenir de bons résultats ?

L'effet psychologique : une femme sur trois se sent rajeunie

En regardant les tests effectués auprès des utilisateurs, on comprend que les promesses d'efficacité ont pour but de faire naître l'espoir. Posséder une crème antirides donne déjà l'impression d'être plus jeune. Et l'on voit des femmes ayant reçu une banale crème de visage à la place de la crème antirides promise dire avoir rajeuni. Cet effet placebo fonctionne environ sur un tiers des utilisatrices.

Calculé en euros et en cents, cela signifie que les femmes qui avaient utilisé une crème antirides à 1,50 euro les 10 ml se sentaient aussi jeunes que celles qui avaient appliqué une crème antirides coûtant une vingtaine d'euros. Conclusion : ce n'est pas la puissance des agents actifs mais celle de l'imagination qui fait de l'effet !

Peut-on considérer qu'un produit qui ne réduit les rides que de 22 % est « mauvais » comparé à un autre qui les diminue de 37 % ? Non, car les 15 % de différence correspondent en réalité à une différence de 0,001 mm.

IL EST INTÉRESSANT DE CONSTATER QU'IL N'EXISTE PAS DE CONTRE-TESTS

Il serait particulièrement intéressant de procéder à une contre-expertise pour les produits qui appuient leur discours publicitaire sur l'effet particulier de certains ingrédients. On pourrait comparer les mesures mettant en jeu un ou deux agents actifs à celles effectuées sans ces derniers. Quels résultats donne le produit avec ou sans agents actifs ? Si l'on procédait à de telles méthodes de mesure, plus d'une affirmation éclaterait comme des bulles de savon.

Mesures : sans pour autant mentir, les chiffres nourrissent des illusions

Les cosmétiques font de l'effet, c'est incontestable. Les contours du visage sont raffermis par les produits de soin, les rides et ridules sont atténuées, le teint est unifié. Jusqu'ici, tout va bien ! Chaque cosmétique digne de ce nom doit permettre d'atteindre ces performances.

Dans les tests classiques, on mesure de manière relativement précise l'élasticité de la peau, sa rugosité et son hydratation, et ce sur la personne-même (in vivo).

Mesurer in vivo si la peau est rêche

En règle générale, le produit est testé au niveau de l'avant-bras. Si les valeurs atteignent 30 à 40 %, le résultat est considéré comme positif : on peut dire que le produit lisse bien la peau.

Mesure de l'hydratation et de l'élasticité

L'amélioration de l'hydratation de la peau et de l'élasticité sont elles aussi mesurées in vivo sur la personne testée.

Que nous apporte une amélioration de l'hydratation de la peau de 87 % ?

Lors des mesures concernant l'efficacité, il faudrait tenir compte de facteurs externes comme par exemple le temps (s'il fait soleil ou s'il pleut), et comment la personne testée s'est nourrie pendant le test. Une variation de 5 % est tout à fait indépendante du produit, et devrait de ce fait être systématiquement déduite des résultats.

Pour plusieurs raisons, les experts en cosmétiques sérieux sont agacés par la manière dont on joue sur les chiffres. Entre autres parce qu'ils en ont assez de devoir commenter des inepties. Les chiffres élevés font de l'effet et on a l'illusion que plus c'est, mieux c'est. Et si l'on pouvait encore plus, ce serait encore mieux ! Supposons que le chiffre de + 87 % soit exact : à quoi ressemblerait une peau qui aurait gagné 87 % d'humidité ? À des lèvres gonflées par une injection ?

De tels extrêmes dans les chiffres restent heureusement l'exception. Mais dans tous les cas, se pose la question de la pertinence de ces chiffres. Et si les experts indépendants en cosmétiques s'en méfient, c'est principalement parce que personne ne sait dans quelles conditions ils ont été obtenus.

Il n'y a pas de méthode de mesure obligatoire

Toutes les entreprises cosmétiques font effectuer des mesures concernant l'efficacité de leurs produits, mais les laboratoires et les méthodes diffèrent.

- La seule recommandation est d'effectuer les mesures sur l'avant-bras.
- La méthode de mesure n'est pas réglementée.

Dans la pratique, les grandes entreprises développent leurs propres méthodes de mesure et les déposent. Certes, elles doivent répondre à certaines exigences (les valeurs obtenues doivent être reproductibles, par exemple), mais ces exigences ne garantissent pas de résultats valables. En développant ses propres procédés de mesure, on peut faire en sorte d'obtenir des résultats qui fournissent au département « marketing » les meilleures argumentations pour les campagnes publicitaires.

Faire peau (comme) neuve en l'espace d'une heure ?

Quels que soient les termes utilisés par les publicitaires (aquasource, amélioration de la structure cellulaire, coup de fouet hydratant, effet anti-âge, faire comme peau neuve), ce n'est qu'en creusant un peu les choses que l'on découvre par quels moyens sophistiqués on jette de la poudre aux yeux des consommateurs : la publicité joue sur la psychologie et jongle savamment avec les mots.

On ne peut « balayer » les rides à coups de crème, quelle que soit la crème. On peut seulement les rendre plus ou moins visibles. Les cosmétiques ne peuvent que ralentir très légèrement la formation et l'accentuation des rides. Ils ne peuvent ni empêcher qu'elles ne se forment ni les faire disparaître.

« Une peau "comme neuve" en une heure ? » Qui oserait affirmer que la ponctuation n'a pas d'importance ? Sans le point d'interrogation et les guillemets, cette phrase pourrait permettre d'attaquer le fabricant pour promesses fallacieuses. Mais cette astuce agit sur l'inconscient. Devant une perspective aussi alléchante, qui fait attention au point d'interrogation et aux guillemets ? Et quand bien même. Le lecteur émoustillé se dit que même si cela prend quelques heures de plus (quatre ou cinq), l'essentiel est d'avoir une nouvelle peau, non, erreur, une peau « comme neuve ».

Mais au fait, que signifie « comme neuve » au bout du compte ? Comment est-on avec une peau « comme neuve » ? « Re-naissance » et « jouvence » sont des mots clés des publicités pour les produits cosmétiques de luxe. Et le transfert de sens fonctionne aussi dans ce cas-là : on ne dit rien sur la personne qui utilise la crème mais seulement sur la peau, puisque l'on parle de « jeunesse de la peau » et d'une « peau de nouveau-né ». Est-ce qu'une femme de cinquante ans qui a une peau de « nouveau-né » va paraître quelques années de moins ? Personne n'en parle.

Les mesures in vitro ont pour but de prouver un pouvoir extraordinaire

Les tests in vitro sont réalisés dans des éprouvettes. À l'origine, ils étaient développés comme alternative aux tests sur les animaux. En tant qu'instruments de marketing, ils ont

Si les effets promis par l'industrie cosmétique étaient exacts, nous n'aurions plus de problèmes avec les signes de vieillesse puisque cela fait déjà des années qu'on nous promet le renouvellement et le rajeunissement de la peau. Et malgré tout, les rides et le vieillissement naturel font toujours partie de notre réalité.

soudain acquis une grande popularité. Ils sont devenus le jouet préféré des publicitaires pour prouver que les agents actifs biotechnologiques sont miraculeusement capables d'activer et de réactiver.

Mais dans le milieu in vitro, les réactions sont bien différentes de celles du métabolisme complexe de la peau. Ce qui fonctionne dans l'éprouvette n'est pas transposable à l'homme. C'est pourquoi la publicité fait allusion aux tests in vitro et non à des tests qui ont réellement fait leurs preuves sur l'organisme humain.

Induction en erreur ou mauvaise interprétation du lecteur ?

Comme beaucoup d'autres, les textes publicitaires d'Yves Rocher sont des chefs-d'œuvre de raffinement stylistique : « Ils agissent alors comme un sérum réparateur », peut-on lire dans un encart publicitaire (allemand) vantant le « Sérum Végétal ». De quoi s'agit-il ? Du « Sérum Végétal » lui-même ? Non, mais des polyosides bio-végétaux, à l'aide desquels l'acacia du Soudan cicatrise ses plaies.

La France enregistre le chiffre européen le plus élevé de dépenses par personne pour les produits de soins corporels. À la deuxième et troisième place se trouvent l'Autriche et la Grande-Bretagne. L'Allemagne occupe la quatrième place.

« La recherche Yves Rocher a analysé ces molécules et les a intégrées comme agents actifs dans une cure intensive redensifiante aux effets anti-vieillissants. » Le lecteur doit-il comprendre que le Sérum Végétal agit comme un sérum réparateur ? Il le fait peut-être mais il ne devrait pas, car il est pratiquement impossible de prouver l'effet réparateur de ce sérum. L'homme n'est pas un acacia. Pour insister encore sur le pouvoir du sérum, on peut lire : « + 50 % de collagène dans la peau ». Et un peu plus loin, la mention in vitro, c'est-à-dire en éprouvette ! Mais rien ne peut permettre de penser qu'il en sera de même dans la peau de l'utilisateur.

En matière de marketing, l'éthique laisse à désirer aussi pour certains cosmétiques naturels

Malheureusement, dans la surenchère aux promesses d'efficacité, certains fabricants de cosmétiques naturels témoignent d'une telle ardeur qu'on ne les différencie pratiquement plus des mastodontes de la cosmétologie conventionnelle. Des formules comme Liftessence™ et autres sont brandies comme des atouts, et les termes « Lift » ou « Lifting » (longtemps bannis des noms de produits car considérés comme non sérieux pour des cosmétiques naturels) ne sont plus rares.

Si l'on compare les présentations et les gammes de produits des fabricants allemands et français de cosmétiques naturels certifiés, les différences sautent aux yeux.

– En France, on observe une utilisation nettement « plus insouciante » des affirmations publicitaires. La surestimation des cosmétiques est une tendance regrettable. On la constate particulièrement pour les produits qui se réclament d'un effet remodelant (Body Styling).

– Pour les produits amincissants et raffermissants, les descriptifs de produits utilisent sans grande gêne des expressions comme « soin réparateur », « élimination des toxines et des graisses » ou « un mois pour affiner durablement la silhouette ».

Les cosmétiques n'ont pourtant jamais résolu les problèmes de silhouette ! Celui qui a des bourrelets de graisse ne peut pas s'en débarrasser sans un régime sérieux avec beaucoup d'activité physique à l'appui. Les produits cosmétiques ne peuvent qu'accompagner ce programme d'amincissement en aidant la peau à conserver sa beauté et sa tonicité. Aucune autre attente ne peut être satisfaite.

Ce sont les dépenses pour les produits capillaires qui représentent le chiffre d'affaires le plus élevé, suivies par le maquillage et les parfums. Le marché des soins de la peau (soins du visage compris) ne se trouve qu'à la troisième place bien qu'on lui consacre une grande part des efforts publicitaires : c'est le deuxième budget le plus important de l'ensemble du marché des soins corporels.

Les produits pour la douche s'adressent avant tout aux plus jeunes et représentent la moitié du chiffre d'affaires sur le marché « nettoyage du corps ». À la deuxième place, les produits pour le bain et à la troisième seulement, les savons. Dans ce domaine, la tendance est au savon liquide.

Chapitre 3

DANS QUELLE MESURE LES COSMÉTIQUES SONT-ILS SÛRS ?

Les injonctions, confessions, professions de foi des fabricants de cosmétiques ne peuvent que nous aller droit au cœur : « Pour un monde plus vert », « Respectons la nature », « Protégeons les animaux de cruelles expérimentations », « Entrons au paradis des plantes et des fleurs »…

Le débat sur les parabènes : reflet des doutes concernant les bienfaits de la chimie moderne

Les fabricants de cosmétiques qui invoquent les bienfaits de la nature ou la protection des végétaux et des animaux misent sur notre nostalgie d'un monde moins pollué, de produits de beauté plus sains, mais souvent aussi sur la naïveté du consommateur !

La discussion concernant les parabènes reflète bien le sentiment d'incertitude qui s'est emparé du consommateur et son désir profond de pouvoir disposer de soins de beauté bénéfiques pour la santé. Les parabènes sont devenus synonymes de danger, un danger insaisissable. Mais cette discussion a du bon car elle secoue les habitudes et oblige à se pencher de manière plus approfondie sur le sujet des cosmétiques.

L'enjeu n'est pas de stigmatiser les parabènes et de leur faire porter le chapeau pour toutes les autres substances problématiques. Il s'agit plutôt de donner une impulsion à un débat qui aboutirait à mettre le consommateur en position de pouvoir choisir ses produits cosmétiques en toute connaissance de cause.

Le refus des parabènes s'explique par le souhait de disposer de produits qui font vraiment du bien à la peau et aux cheveux. Des millions de personnes ont déjà opté pour des produits cosmétiques « naturels ». Mais ce qu'ils achètent cor-

De nombreux cosmétiques se présentant comme naturels se révèlent en réalité être potentiellement dangereux pour la santé, polluants pour l'environnement, et contiennent des ingrédients testés sur les animaux (sans que cela ne soit indiqué).

respond-il à leur attente ? Pas toujours, car il n'est pas rare qu'ils utilisent sans le savoir des produits qui diffèrent peu des cosmétiques conventionnels, si ce n'est qu'ils contiennent d'autres conservateurs que les parabènes.

En y regardant de plus près, on s'aperçoit que si les déceptions sont multiples, c'est que la réalité est souvent bien éloignée des promesses. Le Monde écrit : « La chasse aux molécules chimiques suspectes ou responsables des allergies de plus en plus fréquentes est ouverte ». Cette chasse n'est pas justifiée par le plaisir de chasser mais par le devoir de défendre le droit fondamental du consommateur à décider de ce qu'il estime dangereux ou non pour sa santé. Pour cela, il faut lui donner les moyens de se protéger contre les promesses trompeuses ou mensongères.

Les cosmétiques pseudo-naturels : le loup dans la bergerie

Que ce soit les parabènes, le BHT, les parfums synthétiques, les PEG ou le phénoxyéthanol, les cosmétiques pseudo-naturels regorgent de substances qui contrastent cruellement avec le « credo vert » de leurs fabricants.

Les préparations cosmétiques pseudo-naturelles ont l'art et la manière de détourner notre attention : elles mettent en exergue leurs ingrédients naturels alors que, par ailleurs, elles restent très classiques. Les fabricants utilisent des substances éthoxylées (PEG) comme émulsifiants pour leur côté pratique, prennent le risque de se fournir en matières premières contenant du BHT, emploient des conservateurs durs car les systèmes alternatifs sont beaucoup trop exigeants, etc.

Un mode de conservation entièrement nouveau n'a pas seulement des implications sur la formule du produit mais sur l'ensemble du processus de fabrication, conditionnement inclus (le tube remplace le pot de crème, par exemple).

- Or, un vrai produit naturel ne se crée pas en ajoutant quelques substances naturelles. Derrière son étiquette se profile un savoir-faire spécifique, engrangé durant de longues années de recherche et de développement. Un savoir-faire indispensable pour pouvoir formuler des cosmétiques qui contiennent exclusivement des substances d'origine naturelle.
- Vouloir par exemple renoncer aux conservateurs de synthèse suppose de développer un mode de conservation entièrement nouveau.
- Il n'est pas si simple non plus de supprimer les émulsifiants éthoxylés (PEG) et de leur trouver des équivalents, car chacun a ses propriétés spécifiques. Éliminer les PEG suppose de revoir l'ensemble de la formule.

La nature : pas un rêve, mais un défi à relever

L'adjectif « naturel » rime-t-il toujours avec « sans risques » ? Quand bien même les jardins de certains fabricants de cosmétiques naturels ressemblent à d'idylliques oasis, concevoir ce genre de produits reste un véritable défi.

« Tout est poison, rien n'est sans poison... Le dosage fait la différence. » Cette phrase du grand médecin et philosophe Paracelse (1493-1541) est toujours aussi vraie aujourd'hui qu'il y a 500 ans. Mais elle est parfois habilement détournée de son sens et utilisée pour prouver que les préparations cosmétiques naturelles « peuvent être tout aussi dangereuses que les autres ». Nous assistons là à un déplacement des vrais problèmes.

Le chemin qui mène de la plante (ou tout autre produit de la nature) à l'ingrédient pour cosmétique, puis au produit fini, est bien long et très étroit. Il est jalonné d'obstacles à franchir un à un, condition sine qua non pour pouvoir garantir une véritable qualité naturelle.

Bien entendu, les ingrédients naturels ne peuvent prétendre être 100 % sûrs et n'entraîner aucun effet secondaire. Mais le danger potentiel des ingrédients naturels issus des plantes (utilisés d'ailleurs dans les produits pharmaceutiques) n'a rien de comparable avec celui de nombreuses substances chimiques, surtout quand on a affaire à des composés hautement réactifs. Mais où est la différence ?

Des millions de personnes souffrent du rhume des foins, preuve parmi d'autres que certaines substances naturelles peuvent déclencher des allergies.

- Prenons le cas de l'amanite tue-mouche, champignon vénéneux dont la grande toxicité est bien connue. Le produit naturel amanite tue-mouche est un danger familier, donc prévisible.
- Une personne peut développer une réaction allergique en utilisant un dentifrice contenant de l'aldéhyde cinnamique. Peut-on en conclure que la cannelle est nocive ? Aussi peu dangereuse qu'une orange ou que la lavande de votre jardin, elle n'est problématique que pour les gens qui y sont allergiques : c'est un danger potentiel pour le groupe limité de personnes qui y sont sensibles.
- Un produit cosmétique contenant du triclosan (un conservateur) peut lui aussi provoquer une allergie de contact. Peut-on affirmer pour autant que le triclosan est aussi inoffensif, ou aussi dangereux, que la cannelle ? En aucun cas ! Contrairement à elle, le triclosan, ce tueur de bactéries, est une substance chlorée hautement réactive, un composé chimique classé parmi les allergènes de contact. Le problème ne s'arrête pas là car il présente également des dangers potentiels autrement plus graves : il attaque la microflore naturelle de la peau, il endommage le foie et les reins des animaux de laboratoire, et surtout son utilisation trop généralisée favorise l'émergence de bactéries résistantes.

Le choix des matières premières fait toute la différence

Certains fabricants de cosmétiques vont encore plus loin que les critères de certification en fonction des exigences de qualité spécifiques à leur entreprise.

La question fondamentale en matière de santé et de sécurité est de savoir, d'une part, quels ingrédients un fabricant emploie et, d'autre part, quelles substances on est assuré de ne pas trouver dans ses produits. Des milliers d'ingrédients peuvent être utilisés dans la fabrication des cosmétiques, et chaque limitation est un pas positif vers une plus grande « lisibilité » de l'inventaire des substances. De leur côté, les fabricants de cosmétiques naturels certifiés par Ecocert, le BDIH et Nature & Progrès, recourent à un catalogue limité de substances dont la qualité, qui plus est, est encadrée par un cahier des charges.

Limiter le nombre de substances est déjà un grand progrès. Choisir parmi 690 ingrédients autorisés (liste positive du BDIH) circonscrit considérablement les risques, les autres fabricants pouvant piocher dans quelques milliers de substances. Par ailleurs, la plupart des composants autorisés dans les cosmétiques bio appartiennent aux classiques de la médecine par les plantes et à sa longue tradition. Utilisées depuis des siècles, ils ont fait leurs preuves, les effets et les risques de chaque plante étant dûment répertoriés.

PRUDENCE AVEC LES INGRÉDIENTS EXOTIQUES

Il arrive que les fabricants de vrais cosmétiques naturels bio lancent sur le marché des produits contenant des plantes sortant des sentiers battus. Le coing, par exemple, fait partie de ces « nouvelles découvertes ». Mais la prudence reste de rigueur en ce qui concerne les espèces non européennes. Même si elles proviennent le plus souvent d'Asie ou d'Amérique latine, contrées ayant une longue tradition de médecine par les plantes.

En effet, s'il est tout à fait probable qu'un guérisseur indien Hopi ou un médecin ayurvédique confirmé savent tout aussi bien utiliser leurs ingrédients qu'un naturopathe, en est-il de même de tous les fabricants de cosmétiques ? Ceux-ci maîtrisent-ils les substances exotiques qu'ils emploient ? Se sont-ils assurés qu'elles soient étudiées, connaissent-ils leurs effets, en ont-ils vérifié la qualité ? Rien n'est moins sûr.

Les dangers imprévisibles sont les plus préoccupants

Quels dangers recèle une substance et comment va-t-elle se comporter ? Comme le montre l'exemple du triclosan, de nombreux produits chimiques représentent pour l'homme et l'environnement un danger encore difficile à évaluer. Le triclosan (pour ne prendre que cet exemple) peut être pollué lors de sa production par des impuretés appartenant aux poisons les plus violents (les dioxines chlorées et les furanes). Il peut également se transformer en dioxines chlorées sous l'effet de la lumière du soleil.

D'après Greenpeace, le fabricant du triclosan lui-même, Ciba, le qualifie de « très toxique pour les organismes vivant dans l'eau » et met en garde sur « les effets néfastes à long terme dans les cours d'eau ».

Une utilisation répétée de cette substance entraîne le risque de formation de germes résistants, comme c'est déjà le cas avec les antibiotiques. La dermatologue et allergologue Heidelore Hofmann (de la Technische Universität München – Université technique de Munich) va, elle aussi, dans ce sens quand elle déplore l'augmentation significative de la résistance du staphylocoque doré, bactérie qui provoque des infections du nez et de la gorge chez les nourrissons et les jeunes enfants. Sachant que le triclosan peut être absorbé par le biais du lait maternel, les bébés allaités se retrouvent ainsi plus particulièrement menacés.

Le « succès » de cette substance est l'exemple type de la menace que peut représenter un produit chimique propulsé par une stratégie de marketing efficace. La mention « antibactérien » portée sur un produit de nettoyage ou de vaisselle laisse supposer une protection renforcée. La réalité sera tout autre si l'on a affaire à du triclosan, qui pourrait au contraire mettre notre santé en péril.

Comme le dit le Dr Heidelore Hofmann : « Les produits d'usage courant, jusqu'aux textiles mêmes, contiennent de plus en plus souvent cette substance antimicrobienne, le triclosan, à hauteur de 0,03 %. Cette faible quantité suffit à entraîner une résistance des bactéries. La présence de ce produit ne se justifie pas et nous ne devons pas nous laisser faire. »

Créer un besoin là où il n'existait pas

Comme pour les cosmétiques, un besoin a été créé avec le triclosan (en l'occurrence, la lutte contre les bactéries) et on y répond par des armes chimiques bien qu'elles n'aient aucun sens et ne soient pas souhaitables. S'il est vrai que l'utilisation d'un désinfectant se justifie dans certains cas, elle doit être adaptée aux besoins, et ciblée. Utiliser le triclosan à tous propos (détergents, cosmétiques, vêtements, tapis, jouets, papier toilette...) est lourd de conséquences pour l'être humain et l'environnement, qui devront un jour en payer le prix.

Les filtres de protection étaient autrefois l'apanage des produits solaires, mais ils se trouvent maintenant dans une kyrielle de produits allant des crèmes de jour au maquillage.

Dans le domaine des cosmétiques, le cas des filtres UV chimiques illustre bien également la manière dont on crée un besoin artificiel. Peut-on vraiment considérer que les fabricants de cosmétiques naturels sont des irresponsables dans la mesure où ils utilisent moins de filtres solaires ? Devraient-ils faire savoir haut et fort que les filtres de protection naturels laissent moins de marge de manœuvre que les synthétiques ? Ou le vrai problème ne serait-il pas plutôt celui de la surenchère des filtres solaires ?

L'absurdité de certains débats sur la sécurité apparaît au grand jour dans ce cas. Le déficit d'informations sur les dangers potentiels des filtres UV de synthèse, sur leur efficacité et la manière dont sont calculés les indices de protection a créé chez beaucoup de consommateurs un réflexe sécuritaire (l'abus de ces filtres) qui les expose au danger au lieu de les en protéger.

Scandaleux : puiser dans la panoplie du magicien de la chimie

Que le méthanol puisse être utilisé dans un produit de beauté est déjà une aberration en soi. Mais que, par ailleurs, le produit conservé au méthanol puisse porter la mention « sans conservateur » est un réel scandale !

Si le consommateur pouvait compter sur une utilisation responsable des produits chimiques modernes, tout irait déjà mieux. Mais ce n'est pas le cas, et comme nous le montre l'exemple du méthanol (methylic alcohol dans la liste INCI), les risques pour la santé sont vraiment traités avec cynisme. Le méthanol, le plus simple de tous les alcools, peut entraîner la cécité voire la mort en cas d'ingestion. C'est un poison potentiel très toxique pour les cellules.

L'emploi de cette substance comme conservateur « caché« prouve une irresponsabilité inquétante vis-à-vis de l'utilisation des produits chimiques et l'application de la loi. Nous voyons là comment la moindre faille dans la réglementation pour les cosmétiques est tout de suite exploitée. En effet, le méthanol peut être transformé par oxydation en méthanal (formaldéhyde) et en acide méthanoïque (acide formique), deux substances préoccupantes.

Étant donné le succès des cosmétiques bio et les critiques de plus en plus acerbes adressées aux ingrédients chimiques de synthèse, les discussions pour ou contre la chimie moderne sont de plus en plus radicales.

Pour une conservation sûre, il suffit d'une petite quantité de formaldéhyde (0,05 %). Or, il se trouve qu'il est possible d'obtenir le même effet avec 1 % de méthanol à peine. La belle astuce : ce mode de conservation moins onéreux permet de faire croire que le produit est exempt de conservateurs, alors qu'en réalité, il est conservé par du méthanol, pas moins préoccupant que le formaldéhyde.

Toute substance hautement réactive et pouvant se fixer dans l'organisme est aussi capable de détruire des cellules

Certaines plantes contiennent-elles des substances cancérigènes, mutagènes et reprotoxiques (CMR) ? Et quand bien même cela serait le cas, quelle conclusion pourrait-on en tirer ? Revenons à l'exemple de l'amanite tue-mouche : aucun naturaliste ni naturopathe ne conteste le fait que certaines plantes soient toxiques. Mais depuis des siècles, nous avons engrangé une somme importante de connaissances sur les plantes, et elles sont utilisées sans danger dans les médicaments et les cosmétiques. Nous les consommons aussi, toujours depuis des siècles, sans mettre pour autant notre santé en péril.

Au cours des dernières décennies, la proportion de produits naturels dans notre environnement a brutalement chuté. Cela concerne aussi bien les jouets, les vêtements, les aliments, les cosmétiques, les produits nettoyants, les chaussures, les tapis de sol que les textiles d'ameublement.

Si l'on considère d'un côté la tradition séculaire d'utilisation des plantes, et de l'autre les méfaits de l'utilisation récente des produits chimiques, ces derniers ne pèsent pas lourd dans la balance. Quelques décennies de chimie auront suffi à nous fournir des chiffres tristement parlants : le nombre de cancers du sein a doublé en 20 ans, le cancer est désormais la deuxième cause de mortalité infantile, et la courbe des maladies de peau, des allergies et des affections des voies respiratoires monte en flèche.

Depuis quelques dizaines d'années, nous sommes envahis par des produits chimiques de tous acabits. Était-on plus en sécurité avec les produits de la nature ou peut-on considérer que les avancées de la chimie moderne sont un plus pour notre santé ?

Personne ne sachant vraiment comment va réagir la peau des utilisateurs, il est préférable de se méfier de ces substances, surtout quand elles sont hautement réactives. Associées à d'autres matières réactives, elles pourraient déclencher des effets imprévisibles : le fameux « effet-cocktail », encore trop peu étudié.

L'auto-limitation des substances reste le moyen le plus sûr

La cosmétologie naturelle nous prouve qu'il est possible, en formulant soigneusement les recettes et en assumant ses responsabilités (c'est-à-dire en renonçant à la fabrication de certains produits), de se passer de nombreux ingrédients, dont les conservateurs problématiques.

Par sécurité, les cosmétiques devraient être composés de substances pour ainsi dire juxtaposées, qui remplissent leurs fonctions sans pour autant risquer de réagir entre elles ou avec la peau. Seules exceptions admissibles, les réactions provoquées sciemment par l'intermédiaire de substances inoffensives, comme dans le cas de la neutralisation (diminution) du pH par le biais des acides ou solutions de soude.

Obéissant au principe de précaution, les cahiers des charges Ecocert, BDIH et Nature & Progrès ont volontairement restreint le nombre de substances autorisées, et ce concept de prévention s'est révélé tout à fait pertinent à l'usage. Reste cependant des discussions sur les risques et les effets secondaires de certains composants : les parfums et certains ingrédients d'origine animale au potentiel allergène élevé.

LE CARMIN SUR LA SELLETTE

Le carmin, ce colorant rouge vif tiré des femelles de cochenilles, est devenu célèbre grâce au Campari, mais il entre également dans la composition de produits cosmétiques naturels comme les rouges à lèvres. Cette substance est actuellement soupçonnée de provoquer de fortes réactions allergiques. Que savons-nous sur la question ?
D'après l'IVDK (La Fédération pour l'Information des Cliniques Dermatologiques, voir page 119), le carmin (Carminic Acid, CI 75 470) a été plusieurs fois mentionné dans la littérature médicale spécialisée comme ayant déclenché des réactions anaphylactiques, le plus souvent après ingestion. En l'état actuel des connaissances de l'IVDK,

aucune réaction n'a été observée après contact du carmin avec la peau (pas de cas d'eczéma allergique de contact). Comme pour de nombreuses autres substances, nous devons nous interroger sur l'origine des problèmes de santé signalés : est-ce vraiment le colorant carmin lui-même qui déclenche les allergies ou plutôt les souillures qu'il véhiculait ? Heinz-Jürgen Weiland-Groterjahn, président du groupe de travail sur les cosmétiques naturels du BDIH, estime que « s'approvisionner en cette substance pose un problème de principe dans la mesure où il est très difficile de se fournir en carmin propre ».
L'IVDK ne dispose pas d'informations négatives sur le carmin, mais cela ne veut rien dire car il ne s'agit pas d'une substance testée régulièrement. Cependant, bien qu'il n'existe pas vraiment d'analyses ni d'études détaillées le concernant, la FDA (Food and Drug Administration) essaie d'obtenir qu'aux USA, le carmin soit accompagné d'un avertissement aux usagers.

Les contrôles, un acte prophylactique contre les éventuels effets secondaires

Un fabricant, s'il souhaite ne pas utiliser de conservateurs de synthèse et être sûr qu'aucune trace de substances synthétiques ne se retrouve dans ses cosmétiques, doit disposer d'un bon dispositif de contrôle de la qualité et de la sécurité.

Il serait évidemment inconcevable pour une entreprise de cosmétiques naturels d'introduire dans ses produits des parfums dont l'origine serait inconnue. L'utilisation des huiles essentielles pose déjà des problèmes suffisamment délicats ! Un stockage trop long ou inapproprié, par exemple, est source de problème. Une huile mal entreposée s'oxyde et développe des substances allergisantes pouvant entrer en contact direct avec la peau, surtout si elle est employée pure (le cas le plus grave).

Une entreprise qui produit elle-même un grand nombre des ingrédients qu'elle utilise échappe au moins aux problèmes « importés ». Weleda, par exemple, n'achète aucun parfum tout prêt, sachant qu'un mélange odorant peut se révéler un véritable

« cheval de Troie » risquant d'introduire des éléments synthétiques. Il suffit en effet que des conservateurs de synthèse aient été utilisés pour conserver l'un ou l'autre des composants du mélange pour que tout le produit soit « contaminé ».

Un parfum « prêt à l'emploi » est passé par cinq à six étapes de fabrication, il faut donc être très circonspect avant de l'acheter.

Pour être sûr que chacun des composants utilisés est propre, il est primordial pour un fabricant de choisir un fournisseur en qui il ait toute confiance. Les entreprises sérieuses savent où se fournir en toute sécurité et excluent de leur choix ceux qui posent problème.

Ces précautions prises, il reste encore à effectuer un contrôle de qualité interne à l'entreprise, dont le rôle est « d'intercepter » les substances susceptibles d'avoir échappé à la vigilance.

QU'EST-CE QU'UNE ALLERGIE ?

Une allergie est une réaction violente du système immunitaire, déclenchée par une substance de notre environnement qui peut, soit circuler par les voies respiratoires (pollens, poussières de la maison ou poils d'animaux), soit être ingérée par l'intermédiaire de l'alimentation ou des médicaments, soit traverser la barrière de la peau. Réactions allergiques les plus courantes : le rhume des foins (rhinite allergique), l'asthme allergique, la dermatite atopique (névrodermite) et l'eczéma allergique de contact.

En 2010, un Européen sur deux souffrira d'allergie

Le nombre des personnes allergiques est en augmentation dramatique dans tous les pays industrialisés. En Europe, presque une personne sur trois (soit 30 %) est concernée. Les estimations tablent sur 50 % d'ici 2010.

Si vous avez des problèmes lorsque vous pelez une orange, que vous êtes sensible à la lessive en poudre ou que votre peau réagit aux crèmes parfumées, vous appartenez aux gens (très nombreux) qui souffrent de dermite de contact. Cette maladie a été dépistée chez 2 à 5 % des patients soumis à un test cutané. Quant aux parfums, ils représentent l'origine la plus fréquente de l'eczéma de contact, suivis de près par les conservateurs.

L'IVDK de Göttingen (voir encadré page suivante) publie tous les six mois un « palmarès » des allergènes les plus importants. Parmi eux, deux composants de synthèse qui ont déclenché des « épidémies allergiques » : le conservateur Methyldibromo Glutaronitrile, souvent utilisé dans les cosmétiques, et le lyral, un parfum de synthèse.

- La fréquence de sensibilisation au Methyldibromo Glutaronitrile (connu également sous le nom d'Euxyl K 400) est passée, du fait de son emploi croissant, de 1 % à plus de 4 %.

Interdit dans les produits non rincés, il devrait bientôt disparaître des produits à rincer en raison des risques allergiques. Ce composé organohalogéné est aussi soupçonné de provoquer un dysfonctionnement de la glande thyroïde.

LA BANQUE DE DONNÉES SUR LES ALLERGIES DE CONTACT LA PLUS IMPORTANTE AU MONDE

La Fédération pour l'Information des Cliniques Dermatologiques (Informationsverbund Dermatologischer Kliniken, IVDK) centralise ses activités à l'institut dermatologique de l'Université de Göttingen où se trouve son siège. Elle dispose de la plus importante banque de données concernant les allergies. 40 cliniques dermatologiques d'Allemagne, d'Autriche et de Suisse appartiennent à cette fédération, qui a rassemblé depuis sa création des informations sur 90 000 patients allergiques, et teste environ 10 000 nouveaux patients chaque année. Le système de veille de l'IVDK permet de donner rapidement et efficacement l'alarme. Si un nouvel allergène est détecté lors d'examens médicaux (un nouveau conservateur de produit cosmétique, par exemple), tout sera mis en œuvre pour que l'État ou le fabricant puisse très vite prendre les mesures nécessaires.
Pour plus d'informations : www.ivdk.gwdg.de

26 parfums sont considérés comme particulièrement allergisants

L'introduction du lyral, une substance odorante de synthèse, dans les déodorants, les après-rasages et les parfums a augmenté de façon inquiétante le taux de personnes sensibilisées.

Si l'on soupçonne une allergie aux parfums chez un patient, on lui propose un test au « fragrance mix ». C'est un mélange composé des substances qui déclenchent le plus souvent des réactions positives : il s'agit entre autres de l'alcool cinnamique, de l'aldéhyde cinnamique, de l'eugénol, de l'isoeugénol, du géraniol et (pour ce qui est des extraits) de l'absolue de mousse de chêne.

Depuis que les substances parfumantes sont dans le collimateur en raison de leur potentiel allergène élevé, 26 d'entre elles doivent obligatoirement être mentionnées dans la déclaration INCI à partir d'une certaine concentration (0,001 % pour les produits « leave-on » qui restent sur la peau et 0,01 % pour les produits « rinse off », destinés à être rincés).

Les 26 substances à déclarer :

- Alpha-isomethyl ionone, Amyl cinnamal, Amylcinnamyl alcohol, Anise alcohol, Benzyl alcohol, Benzyl benzoate, Benzyl cinnamate, Benzyl salicylate, Butylphenylmethylpropionate, Cinnamal, Cinnamyl alcohol, Citral, Citronellol, Coumarin, Eugenol, Farnesol, Geraniol, Hexyl cinnamal, Hydroxycitronellal, Hydroxyisohexyl 3-cyclohexene Carboxaldehyde, Isoeugenol, Limonene, Linalool, Methyl 2-Octynoate, Oak Moos (Evernia prunastri extract), Tree Moos (Evernia furfuracea extract).

Mais ces 26 substances sont allergènes à des degrés différents.

- Les plus problématiques :

  Cinnamal, Isoeugenol, Oak moos (Evernia Prunastri Extract) et Tree moos (Evernia Furfuracea Extract).

- Les moins problématiques :

  Alpha-isomethyl ionone, Amyl cinnamal, Amylcinnamyl alcohol, Anise alcohol, Benzyl alcohol, Benzyl benzoate, Benzyl cinnamate, Benzyl salicylate, Butylphenylmethylpropionate, Cinnamyl alcohol, Citral, Citronellol, Coumarin, Eugenol, Farnesol, Geraniol, Hexyl cinnamal, Hydroxycitronellal, Hydroxyisohexyl 3-cyclohexene Carboxaldehyde, Limonene, Linalool, Methyl 2-Octynoate.

Les statistiques internes du fabricant de cosmétiques et de produits thérapeutiques Welada indiquent que, sur un million de produits cosmétiques vendus sous sa marque, un seul cas d'intolérance a jusqu'ici été signalé par un médecin.

Les huiles essentielles naturelles sont-elles mieux supportées?

La déclaration INCI ne permet pas de savoir si un fabricant de cosmétiques a utilisé une substance synthétique, une huile essentielle naturelle ou un composant isolé de cette dernière puisque les premières ont la même dénomination INCI que les secondes. Et pourtant, la différence peut s'avérer décisive pour les personnes allergiques car il y a des indications nettes prouvant qu'on ne peut juger de la même façon les huiles naturelles et les substances de synthèse.

Étant donné l'importance capitale du problème des allergies dues aux parfums, aussi bien dans le domaine de la médecine anthroposophique que dans celui des cosmétiques naturels, l'entreprise Wala a commandité pour la première fois une étude sur ceux d'origine naturelle, qui sera menée dans une clinique dermatologique universitaire. En effet, la médecine anthroposophique recourt de manière intensive aux thérapies de la peau, et les préparations employées contiennent couramment des huiles essentielles.

Les secrets des huiles essentielles naturelles

L'analyse d'un parfum de rose aboutit à une liste de 27 substances différentes. De leur interaction naît le merveilleux parfum et son action spécifique :

- géraniol
  citronellol
  nérol
  nonadécane
  hénéicosane
  alcanes et alcènes
  tricosane
  géranyle acétate
  eicosane
  pentacosane
  heptacosane
  heptadécane
  2-phényléthanol
  hexacosane
- citral
  docosane
  tetracosane
- farnésol (isomère inconnu)
  1-Heptadécène
  cis-Rose oxyde
  octadécane
  acétate de néryle
- linalool
  acétate de cetronellyl
  myrcène
  menthol
  Trans-Rose oxide

Les principaux composants de cette huile sont le géraniol (26,70 %), le citronellol (22,90 %), le nérol (14,26 %), le nonadécane (11,20 %), l'hénéicosane (6,34 %), les alcanes et alcènes (4,00 %), le tricosane (2,94 %), le géranyle acétate (1,86 %), l'eicosane (1,45 %) et le pentacosane (1,21 %).

La nouvelle directive sur la déclaration des substances parfumantes oblige à indiquer dans la liste INCI les quatre substances précédées d'un point noir (voir liste ci-dessus) dans la mesure où elles appartiennent aux 26 substances classées comme allergisantes.

IL Y A GÉRANIOL ET GÉRANIOL

Dans une déclaration INCI, le terme « géraniol » peut aussi bien désigner une véritable huile essentielle de rose qu'une substance synthétique isolée. Or, les parfums de synthèse peuvent provenir de matières premières des plus diverses : de matières naturelles comme le bois mais aussi du pétrole.

Des médecins, des thérapeutes et plus de 900 esthéticiennes travaillant avec les produits naturels Dr. Hauschka ont donné l'impulsion pour que soit entreprise l'étude de Wala, après avoir constaté dans la pratique que les produits Wala et Dr. Hauschka ne posaient pas de problèmes aux patients allergiques au « fragrance mix » (mélange de parfums mentionné ci-dessus).

25 personnes présentant une allergie de contact au « fragrance mix » furent donc testées en clinique. Le protocole d'expérience prévoyait en tout 500 tests utilisant une huile Dr. Hauschka. Il n'y eut que 17 réactions allergiques sur les 500 tests. On aurait pourtant pu s'attendre à un nombre plus élevé, les personnes testées étant toutes des allergiques « confirmées ».

- Aucune réaction allergique pour une concentration de 0,5 %.
- 17 réactions sous forme d'allergie de contact seulement dans le cas d'une concentration de 5 %.

Les allergiques peuvent être testés de façon plus ciblée

La majorité des allergiques ne le sont en fait qu'à une seule substance. Tant que les substances parfumantes de la déclaration INCI étaient déclarées globalement sous le nom de « parfum », ces personnes devaient renoncer à beaucoup de cosmétiques par mesure de précaution. Le fait que 26 substances doivent maintenant être déclarées permet maintenant de pratiquer des tests pour une substance isolée. Les fabricants de cosmétiques sérieux offrent à leurs clients présentant des intolérances la possibilité de se faire conseiller plus en détails.

Les personnes allergiques aux substances parfumantes sont très souvent satisfaites des produits cosmétiques naturels. Un test préalable est cependant conseillé, par mesure de précaution : une petite quantité du produit sur une partie sensible de la peau, comme par exemple le creux du bras, permet d'être rapidement fixé.

97 % des produits chimiques ne sont pas ou peu étudiés

La myrrhe et l'encens servaient d'offrandes aux Dieux. Les rois et les reines se faisaient enduire de baumes odorants et s'entouraient d'essences précieuses : les parfums, les plus anciens compagnons de l'être humain, ont toujours été des substances très convoitées. La nature nous en offre en abondance et l'industrie chimique s'est empressée de les copier.

Les composés musqués synthétiques font partie des produits chimiques subissant le feu de la critique depuis des années. Le vrai musc est une substance naturelle par laquelle le chevrotin mâle (porte-musc) attire les femelles pendant la période de rut. Ce signal odorant est visiblement monté à la tête des créateurs de parfums qui, pour se le procurer, n'ont pas hésité à sacrifier la vie de nombreux chevrotins. Le vrai musc est à bannir pour protéger les animaux et les espèces.

Les parfums synthétiques ont le vent en poupe, ce qui nous prouve une fois de plus que les ersatz de produits naturels représentent un marché juteux pour les entreprises… mais risqué pour le consommateur.

Composés musqués de synthèse : plaisir des sens ou risque de cancer ?

En remplacement, l'industrie des parfums a proposé de nombreux composés aromatiques nitromusqués comme les muscs xylène, ambrette, cétone, moskène, ou les muscs polycycliques : le galaxolide, le cashmeran et le célestolide. Mais depuis des années, nous disposons d'informations alarmantes concernant ces ersatz de musc. Il est prouvé que certaines de ces substances artificielles s'accumulent dans les tissus humains et que leur « potentiel d'accumulation biologique » est élevé.

Le musc naturel n'est pratiquement plus employé pour une raison très simple : son prix rédhibitoire (jusqu'à 100 000 € le kilo).

En 2002, trois composés musqués polycycliques ont été évalués : l'AHTN est considéré comme sûr jusqu'à 12 % du composé parfumant ; pour le HHCB, aucune restriction n'a été imposée.

- Le musc xylène a été retrouvé dans le lait maternel. Dans les expériences de laboratoire, il endommage le système nerveux des rats et endommage les testicules.
- Après des années de controverses sur les risques que font courir les substances musquées, les muscs ambrette, moskène et tibétène ne sont plus autorisés (UE-Décrets 95/34/EEC, 98/62/EC), et le taux des muscs xylène et cétone est limité dans les cosmétiques.

Le problème des muscs n'est pas réglé pour autant. Les nombreuses questions sur les effets à long terme et la toxicité chronique des composés musqués restent en suspens. Par exemple, les conséquences sur les bébés qui absorbent des composés de muscs synthétiques par le biais du lait maternel.

Colipa, l'Association européenne de l'industrie des produits cosmétiques, regroupe toutes les interprofessions nationales (la « F.I.P., Fédération des Industries de la Parfumerie française », la fédération allemande « I.K.W. - Industrieverband Körperpflege- und Waschmittel », etc.) et tous les grands groupes (Avon, Beiersdorf, Chanel, Christian Dior, Colgate Palmolive, Estée Lauder et Henkel, L'Oréal, Procter & Gamble, Shiseido, Unilever, Wella et Yves Saint-Laurent).

Les interdictions prononcées à ce jour ne constituent pas une réelle avancée

Tous les cas d'interdiction observés ces dernières années nous montrent que de nombreuses substances employées dans les cosmétiques ne sont pas sûres. Le musc n'est qu'un exemple parmi une multitude d'autres. Le 7e amendement de la Directive européenne pour les cosmétiques (le dernier en date) a imposé le retrait du marché des substances considérées comme cancérigènes, mutagènes et reprotoxiques. Les utilisateurs ne pourraient que s'en réjouir si cette perspective n'était pas gâchée, d'une part par le fait de savoir qu'ils ont eu affaire bien malgré eux à ces substances avant leur interdiction, d'autre part par la crainte qu'il en existe d'autres du même genre sur le marché. Inquiétude justifiée par le rapport Colipa 2004 qui confirme d'importantes carences en matière de sécurité.

REACH ou l'espoir de répertorier tous les produits chimiques

Dans le rapport Colipa 2004, Dagmar Roth-Behrendt, vice-présidente du Parlement Européen, constatait : « Le plus grand défi du secteur des cosmétiques pour les années 2005-2006 sera le travail autour de la proposition de la Commission Européenne d'établir une nouvelle réglementation sur les produits chimiques (REACH) ». Le sigle REACH signifie **R**egistration, **E**valuation and **A**uthorisation of **Ch**emicals.

Robert Madelin, Directeur général responsable de la santé et de la protection des consommateurs au sein de la Commission Européenne à Bruxelles, définit ainsi la tâche à accomplir : « Notre objectif principal est non seulement de nous préoccuper de l'innocuité des produits cosmétiques, mais aussi de faire en sorte que les consommateurs retrouvent confiance en eux ». Les politiques et les responsables de fédérations professionnelles aiment à souligner les progrès accomplis, oubliant presque que chaque produit sur le marché se devrait d'être sûr !

SUBSTANCES CHIMIQUES DE SYNTHÈSE, UNE CRÉATION HUMAINE

Les substances synthétiques proviennent souvent de dérivés de la pétrochimie et sont une invention de l'homme. Dans certains cas, ce sont des ersatz de composés existant à l'état naturel, dans d'autres il s'agit de molécules créées de toutes pièces. Les conséquences de cette « créativité » pour l'environnement et la santé humaine ne sont encore que partiellement étudiées.

La mise en place d'un registre de tous les produits chimiques fait l'objet de discussions passionnées depuis de nombreuses années au sein de l'Union européenne. REACH en représente l'aboutissement. En 2004 déjà, dans une « Déclaration internationale sur les dangers sanitaires de la pollution chimique » (« L'appel de Paris »), 70 scientifiques français avaient attiré l'attention sur la gravité de cette « menace toxique ». En Allemagne, Greenpeace a trouvé avec l'Ordre Fédéral des Médecins (Bundesärztekammer) et la Centrale des Consommateurs (Verbraucherzentrale) des partenaires de poids pour appuyer sa revendication de mise en œuvre de la réforme concernant les produits chimiques.

Dans le cadre de toutes les campagnes en faveur de REACH menées en France, en Allemagne et dans de nombreux autres pays, Greenpeace s'est vigoureusement prononcé pour la suppression des produits chimiques nocifs utilisés dans les aliments et les cosmétiques.

REACH a pour objectif d'éliminer des dangers devenus de plus en plus palpables au fil des années. Il prévoit surtout d'inverser l'obligation de la « charge de la preuve », qui reviendra désormais au producteur.

Quelques risques pour la santé liés aux cosmétiques, évoqués dans les médias ces dernières années.

- **Les sels d'aluminium dans les déodorants** : suite aux expérimentations sur les animaux, on les soupçonne de circuler dans l'organisme et d'arriver jusqu'au cerveau ou dans le lait maternel.
- **Les parabènes :** depuis qu'ils ont été découverts dans des tumeurs du sein, ils sont sous le feu de la critique, et ce particulièrement en France.
- **Les filtres UV :** les chercheurs de l'Institut de Pharmacologie et de Toxicologie de Zurich ont observé une activité hormonale (œstrogénique) de certains filtres UV utilisés dans les produits solaires et les cosmétiques. Les œstrogènes sont des hormones sexuelles femelles.
- **Les éthers de glycol :** eux aussi se trouvent au centre des débats (en France particulièrement), surtout depuis l'ouverture en 2005 de procès en justice visant à établir un lien éventuel entre des problèmes de santé et l'utilisation des éthers de glycol, un groupe de substances dont on trouve encore quelques représentants dans les cosmétiques.

100 000 produits chimiques ont été recensés dans l'Union européenne, et pour 95 000 d'entre eux, nous ignorons complètement quels pourraient être leurs effets sur le corps humain.

Les substances CMR : Cancérigènes, Mutagènes, Reprotoxiques

CMR. Trois lettres anodines en apparence pour des substances pourtant susceptibles de créer de graves problèmes de santé : cancers, perte de fertilité, chute du nombre de spermatozoïdes viables, anomalies de croissance et du développement, atteinte du système immunitaire.
Les substances CMR ont été classées en trois catégories, en fonction de leur dangerosité. Dans la première catégorie, plusieurs d'entre elles ont déjà été interdites. Dans la deuxième, plusieurs solvants, comme le dibutylphtalate (DBP), l'éthylglycol (EGEE), le méthylglycol (EGME), le diéthylène glycol diméthyléther (DEGDME), ainsi qu'un colorant bleu, le Disperse Blue 1, sont désormais prohibés.

Hiltrud Breyer, représentante des Verts européens à la Commission environnement du Parlement Européen, critique le fait que « 97 % des produits chimiques mis sur le marché dans l'Union européenne chaque année n'ont jamais fait l'objet d'une déclaration officielle ».

À l'origine, le projet REACH prévoyait de tester 30 000 produits chimiques, une obligation visant à faire pression sur l'industrie afin d'encourager la recherche de nouvelles substances meilleures pour la santé et l'environnement.

Fin 2005, Greenpeace faisait savoir que de premiers signaux positifs avaient été envoyés par les représentants de l'industrie, entre autres la Fédération des Industries et de la Parfumerie en France. Ces derniers « soutenaient les objectifs de REACH et souhaitaient bénéficier du futur système pour progresser sur la connaissance et le choix de leurs ingrédients ».

Mais le désenchantement ne se fit pas attendre : la lecture du projet au Parlement Européen eut lieu en novembre 2005, et les défenseurs de REACH parlent d'un « jeudi noir » pour la protection des consommateurs. Les amendements votés par le Parlement eurent pour conséquence que la moitié des 30 000 produits chimiques concernés à l'origine vont échapper à l'obligation de test. Il a été décidé en effet que les substances produites en quantités inférieures à 100 tonnes par an ne seraient évaluées qu'en cas de « soupçon de dangerosité ». La décision définitive concernant cette directive sera prise par les gouvernements des 25 pays-membres.

À partir du moment où la réglementation REACH adoptée par le Parlement Européen prévoit de n'exiger de tests qu'à partir d'une certaine quantité de produit fabriqué, l'affaire tourne au ridicule. Une substance est-elle moins dangereuse parce que l'on n'en fabrique « que » 99 tonnes et non 100 ?

Dans le doute, opter pour la sécurité

Quelles substances chimiques peut-on introduire dans un produit cosmétique ? La question se pose depuis des années et reste en grande partie sans réponse. Le fait que des dizaines de milliers de composants chimiques mal connus soient mis sur le marché a des conséquences dramatiques puisqu'au bout du compte, elles sont de facto « testées à grande échelle » sur les consommateurs ! Jusqu'ici, toutes les études tirant la sonnette d'alarme ont été suivies par d'autres présentant des résultats contradictoires. Mais même si l'on étudie en détail toutes les données dont on dispose, on n'est finalement pas beaucoup plus éclairé qu'au départ.

REACH & substances naturelles: la branche des cosmétiques naturels est préoccupée

En effet REACH, qui a un but salutaire de protection du consommateur et de l'environnement, est d'abord conçu pour évaluer des substances chimiques définies et plus particulièrement les substances de synthèse. Certains disent que les substances naturelles ne sont pas concernées par REACH, mais dans l'annexe 3.8 on peut lire : « Si elles ne sont pas dangereuses ». Mais comment définit-on le terme dangereux ? Le problème est de savoir quels moyens vont être mis en œuvre pour évaluer les substances naturelles ?

La branche des cosmétiques naturels soutient le projet REACH tout en se prononçant pour que les produits naturels ne soient pas évalués avec les mêmes méthodes que les produits chimiques. L'Onippam (Office National Interprofessionnel des Plantes à Parfum, Aromatiques et Médicinales) a mis en avant plusieurs raisons pour lesquelles l'évaluation des substances naturelles pose problème. Jean-Louis Pierrisnard, Directeur Recherche & Qualité de L'Occitane nous fait part des craintes et des problèmes recensés par l'Onippam et décrit les raisons pour lesquelles il est très difficile d'évaluer les matières premières naturelles – et notamment les huiles essentielles – en utilisant les méthodes prévues dans le projet REACH.

1. Raisons scientifiques

« Dans la nomenclature chimique (EINECS), une même case regroupe tous les extraits naturels d'une même plante qui peuvent être de composition et d'apparence totalement différentes entre eux. De plus, les substances naturelles sont complexes et ont des compositions variables. Quelle est la nature exacte du produit à évaluer ? Comment va-t-on caractériser une substance naturelle ?

Pour un dossier d'évaluation dans le cadre de REACH, il faut des tests physico-chimiques, des tests toxicologiques et des tests éco-toxicologiques. Or, pour un chimiste, une substance est connue si on a 90 % de sa composition, alors qu'un toxicologue va s'intéresser à toutes les substances même présentes à 0,01 %, et qu'un éco-toxicologue va raisonner par familles de molécules (biodégradable, oxydante...). Le toxicologue, l'éco-toxicologue et le chimiste n'ont donc pas la même vision de la substance lorsque celle-ci est complexe.

Par exemple, l'huile essentielle de lavande est totalement connue et on peut la définir par :

- *ses composants principaux (présents à + de 10 %) : linalool et acétate de linalyle (environ 70 % de la composition totale à eux deux) ;*

- *ses composants majeurs (présents entre 1 et 10 %, 8 composants environ) et on arrive à 90 % de la composition totale ;*
- *ses composants mineurs (présents entre 0,1 et 1 %, soit 38 environ) et on arrive à 98 % de la composition ;*
- *des traces de substances (présentes à - de 0,1 %, environ 550) font les 100 %.*

Cette complexité et cette variabilité posent de nombreux problèmes pour réaliser les tests prévus et les interpréter. Beaucoup de tests physico-chimiques qui vont permettre de décrire la substance ne sont pas pertinents lorsque cette substance est naturelle.

En toxicologie, il est déjà souvent très difficile d'évaluer les effets d'une substance chimiquement définie et pure. On étudie l'action sensibilisante d'une substance par le test LLNA (lymphe local node assay) sur les ganglions d'une oreille de souris et ces tests sont très délicats à interpréter même sur des substances chimiquement définies : sur des substances naturelles qui sont de composition variable, les interprétations sont aléatoires. La validité des tests est contestée par les scientifiques eux-mêmes.

Comment classer une huile essentielle ?

Le limonène est un allergène classé R43 (sensibilisant). Si sa concentration est supérieure à 1 % dans la substance naturelle, celle-ci doit être classée R43. Dans l'huile essentielle de lavande, il y a entre 0,5 % et 1,5 % de limonène. Comment classe-t-on cette huile essentielle ?

Problème supplémentaire : les effets d'une substance naturelle ne sont pas la somme des effets de ses constituants. Exemple : le limonène est classé allergisant, or ce n'est pas le limonène qui est allergisant mais les oxydes de limonène (Pr Karlsberg, Copenhague). Dans l'orange (présent à plus de 90 %), il n'est généralement pas allergisant car il est en présence d'antioxydants naturels.

Si l'on considère les choses sur un plan éco-toxicologique, on voit clairement combien certaines discussions concernant la sécurité sont absurdes : les huiles essentielles extraites des plantes représentent 150 000 tonnes par an. Les huiles essentielles sont volatiles par nature. L'ensemble des forêts mondiales excrète dans l'air 15 millions de tonnes de ces mêmes composés volatils ! Où est donc le problème pour ce qui concerne les extraits naturels ?

REACH préconise d'éviter de multiplier les tests si l'on peut. Or, les substances naturelles sont des produits anciens, connus depuis des centaines d'années, dont on sait généralement les effets par expérience. De nombreuses études ont été faites sur ces substances dans le passé. Cette accumulation de connaissances (« way of evidence ») n'est pas reconnue en chimie, qui demande des tests « valides » (dernière méthode reconnue) alors que pour l'alimentation ou la pharmacie, les produits naturels comme les plantes peuvent en bénéficier.

2. Raisons techniques

Pour éviter de multiplier les tests et les dépenses inutiles, REACH prévoit d'utiliser la technique du « read across » pour évaluer une substance. Cela consiste à appliquer à une substance voisine, selon une méthodologie très stricte, les résultats déjà connus sur une substance chimiquement définie (ex : acétate de linalyle – caproate de linalyle).

On ne sait pas appliquer ces techniques sur des substances complexes. On ne sait pas plus faire un rapport de sécurité chimique sur ces substances complexes.

Il est prévu de faire un seul dossier d'enregistrement pour des substances naturelles voisines issues de plantes de la même famille (ex : lavande et lavandin) lorsqu'elles présentent les mêmes dangers. Or, par sa variation de composition, on a vu dans l'exemple du limonène que le classement peut changer pour une seule et même substance.

3. Raisons économiques

Les fabricants de substances naturelles ne sont pas des multinationales mais des agriculteurs quelquefois regroupés en coopératives. Ils n'ont pas de laboratoires et peu de moyens financiers pour faire des dossiers d'enregistrement, des analyses… et si en Europe ils peuvent peut-être y arriver, qu'en sera-t-il à Madagascar, en Indonésie, en Tanzanie… ?

Conclusion : *si REACH est appliqué dans son état actuel, les substances naturelles ne vont pas être évaluées ou alors ne pourront plus être commercialisées car les dossiers de sécurité ne seront pas satisfaisants.*

Selon la même logique que REACH, une autre réglementation commence à être appliquée : la directive 98/8 sur les biocides. Sur 105 substances naturelles recensées, ayant une activité biocide (répulsifs, antiseptiques, bactéricides…), seules 5 à 7 seront autorisées à l'usage en 2007, les entreprises renonçant à réaliser les dossiers d'évaluation trop complexes et coûteux.

Un exemple : la citronnelle est connue depuis très longtemps mais elle doit être évaluée selon les tests que préconise REACH et un test d'évaluation de l'efficacité. Si personne ne fait de dossier d'enregistrement, la citronnelle ne pourra plus être utilisée comme antimoustiques (elle est déjà interdite au Canada comme répulsif pour insectes).

Dans l'optique, totalement justifiée, de prendre toutes les précautions nécessaires avec les produits chimiques, on risque d'interdire des substances naturelles dont les dangers éventuels sont bien maîtrisés car parfaitement connus depuis des décennies. On risque ainsi de fragiliser les efforts des fabricants de produits naturels. Beaucoup de substances naturelles d'efficacité connue depuis longtemps (antioxydants, répulsifs d'insectes, insecticides...) risquent de disparaître au profit de produits chimiques à activité équivalente. »

Les bonnes intentions de protéger le consommateur des risques peuvent également donner des résultats que l'on ne souhaite pas. REACH pourrait être modifié mais cela est peu probable car le projet est le résultat d'un compromis déjà très difficile à établir entre tous les membres de l'UE. De nombreux professionnels sont conscients des problèmes que Jean-Louis Pierrisnard a esquissés. Mais les solutions raisonnables échouent du fait que personne ne souhaite rouvrir le dossier complexe REACH. Si l'on change quelque chose à un endroit – du moins c'est ce que craignent les politiques – c'est tout l'ensemble du projet REACH qui peut être remis en question, et qui, le cas échéant, échouera. Si la discussion autour de REACH s'enflammait à nouveau, elle pourrait bien raviver un autre sujet particulièrement délicat qui jusqu'ici n'avait pas vraiment éveillé l'attention dans le cadre de REACH : l'expérimentation sur les animaux. La branche des cosmétiques naturels n'a pas encore abandonné tout espoir puisque des discussions sont encore en cours et que certains ministres européens sont convaincus qu'il faut une approche adaptée, qui prenne en compte les caractéristiques techniques des produits naturels.

Des expérimentations animales en masse pour plus de sécurité ?

Un nouvel ingrédient ne peut être utilisé dans des cosmétiques que si son innocuité a été prouvée par des expériences sur les animaux, ou par d'autres méthodes chaque fois que cela est possible.

En 1986 et 1998, des mesures avaient été prises visant à l'interdiction des expérimentations sur les animaux pour les produits de maquillage et le développement des produits de soins corporels. En Allemagne, on n'avait plus recours à l'expérimentation animale pour les cosmétiques depuis déjà 1989.

Comment expliquer alors que le thème des tests sur les animaux recommence à échauffer les esprits ? Pour la bonne raison que la loi sur les produits chimiques, la directive sur les substances dangereuses et d'autres directives nationales et européennes exigent (dans le cadre de l'obligation de déclarer les nouvelles substances, pour la plupart chimiques et de synthèse) de fournir des données provenant d'expérimentations animales.

Après de longues négociations, l'Organisation de coopération et de développement économique (OCDE) a homologué quatre méthodes de tests toxicologiques excluant l'expérimentation sur les animaux, préparant ainsi le terrain pour leur généralisation. Malheureusement, elles ne permettent pas de tester tous les risques potentiels.

REACH : un cauchemar pour les adversaires des expérimentations sur les animaux

Des expérimentations sur les animaux totalement superflues vont être menées car il n'a pas été obtenu, dans le cadre de REACH, d'obliger l'industrie chimique à mettre en commun les données récoltées. Par conséquent, une seule et même substance va être testée sur les animaux par chacun des fabricants qui veut l'utiliser.

S'il est effectivement souhaitable que tous les produits chimiques soient contrôlés, il reste néanmoins regrettable que, dans le cadre du projet REACH, la protection des animaux ait été sacrifiée. Hiltrud Breyer, la représentante des Verts à la Commission environnement du Parlement européen, déclare à ce propos : « Malheureusement, nous avons eu moins de succès dans le domaine de la protection des animaux. » En effet, le remplacement des expérimentations animales par d'autres types de tests n'a pas été entériné.

La nécessité de tester les produits chimiques va entraîner, avec certitude, une augmentation des tests sur les animaux. Hiltrud Breyer indique à ce sujet que « du point de vue de la protection des animaux, ce fut une erreur de ne pas avoir obligé l'industrie chimique à mettre en commun les résultats d'expérimentations, une obligation qui aurait évité des tests inutiles et permis de limiter les souffrances des cobayes. »

Même si les cosmétiques ne représentent qu'une petite partie des problèmes que pose la chimie à l'être humain, ils vont entraîner, à eux seuls, une recrudescence des expérimentations animales. Une raison de plus pour les opposants à ces tests de miser sur des produits qui renoncent à des composants de synthèse et à des substances nouvelles, car derrière chaque nouvel ingrédient du laboratoire de chimie se trouve à coup sûr une expérimentation sur les animaux.

CERTAINES SUBSTANCES NE SUPPORTENT PAS LE SOLEIL

Les réactions dites photo-allergiques ou photo-toxiques se produisent sous l'action du soleil. Si nous nous exposons enduits d'huile de bergamote, nous devons nous attendre à voir apparaître des taches brunes sur notre épiderme, car cette huile essentielle contient des substances photodynamiques. Seules les huiles de bergamote portant la mention « FCF » ou « furocumarin free » ne posent pas de problème, leur distillation ayant éliminé toute trace de composé réactif au soleil.

Les conservateurs du type des salicylanilides halogénés font aussi partie des substances photo-allergiques.

Que ce soit sur les lapins, les hamsters ou les rats, les parabènes ont été, sont, et seront encore testés sur les animaux pour déterminer leurs effets directs et secondaires. Un fabricant de cosmétiques qui emploie ces substances et se dit contre les expérimentations animales occulte la vérité.

Les substances à risques

Depuis des décennies, l'épouvantail du cancer en lien avec les cosmétiques excite les esprits. La bataille a lieu dans les laboratoires dans lesquels les scientifiques traquent des substances nocives pour la santé ou essaient de prouver l'innocuité de certains composés. Les protagonistes, scientifiques critiques et représentants des différents lobbies, s'affrontent dans de violents débats.

L'industrie cosmétique aurait le choix si elle voulait : il est possible de renoncer à de nombreuses substances, tout en produisant des cosmétiques efficaces.

Des filtres UV qui agissent comme des hormones et que nous absorbons alors que nous croyons manger un bon poisson, ou des bébés qui en tètent une petite dose par le biais du lait maternel, voilà des idées qui nous mettent très mal à l'aise. Le consommateur a déjà suffisamment à faire avec les poisons de son environnement et, lorsqu'il achète un produit cosmétique, il attend autre chose de son investissement qu'un problème supplémentaire.

Les risques, avérés ou potentiels, ne sont pas acceptables

De nombreuses évaluations toxicologiques ressemblent à d'inquiétants numéros d'équilibriste. Il est question, par exemple, d'une « marge de sécurité » que « l'on peut obtenir si l'emploi (d'une substance) se limite aux conservateurs, et si la concentration et le temps de pose sur la peau sont réduits ». Supposons que cette approche soit juste. Il reste la question de savoir pourquoi le consommateur devrait accepter des substances à risque qui nécessitent une « marge de sécurité » et qui font débat en ce qui concerne les taux maximaux acceptables alors qu'il existe des alternatives qui ne présentent pas de risque.

Les fabricants de cosmétiques bio refusent les matières éthoxylées car ils ne voient pas la nécessité d'utiliser des matières premières dangereuses et une cuve sous pression pour obtenir un bon émulsifiant.

➢ PEG et PPG : substances de départ toxiques, production dangereuse

Dans la déclaration INCI, on reconnaît facilement les composants éthoxylés aux lettres PEG ou PPG. Élaborés à base de polyéthylèneglycol (PEG) et de polypropylèneglycol (PPG), ils sont principalement employés comme émulsifiants, mais également comme base de gels, substances liantes ou émollients.

Les PEG et PPG sont fabriqués à partir de substances qui peuvent aussi être utilisées pour produire des gaz de combat.

Même si l'on travaille aujourd'hui avec des procédés de purification modernes pour les obtenir sans le dangereux oxyde d'éthylène libre, l'éthoxylation reste un procédé chimique dur, présentant un haut risque d'explosion, ce qui impose les mesures de sécurité les plus strictes. D'autre part, les PEG et PPG peuvent rendre la peau plus perméable, ce qui a l'inconvénient d'ouvrir la voie aux substances nocives.

➢ BHT, BHA et EDTA

Le BHT (Butylhydroxytoluène) et le BHA (Butylhydroxyanisole) sont encore et toujours employés comme antioxydants dans quelques matières premières lipidiques (grasses), pour les empêcher de rancir. Le potentiel cancérigène des BHT et BHA a été étudié de manière approfondie. En ce qui concerne le BHA et le BHT, le magazine allemand de consommateurs Öko-Test (www.oekotest.de) écrit : « Lors des expériences sur les animaux, on a noté des transformations du système immunitaire et de la composition du sang (formule hématologique), ainsi que de la thyroïde et du foie. Ces deux substances s'accumulent dans les tissus adipeux et arrivent jusqu'au fœtus. Elles sont connues pour déclencher des allergies. »

Puisque nous pouvons sans problème remplacer le BHA et le BHT par un antioxydant naturel (le tocophérol ou vitamine E), pourquoi continuer à les utiliser plus longtemps ?

L'EDTA (acide éthylène-diamino-tétra-acétique) était et est encore très apprécié pour ses qualités d'agent chélateur. Il est principalement utilisé dans les savons. Mais l'EDTA et son ersatz (Etidronic Acid) ont un inconvénient majeur : d'une part ils se fixent pour former des composés stables et ils sont donc difficilement biodégradables. L'acide phytique obtenu à partir du son de riz est une alternative naturelle à l'EDTA.

L'EDTA est reconnaissable dans la déclaration INCI par les lettres EDTA, généralement combinées avec un autre mot, comme par exemple Tetrasodium EDTA.

➢ Parabènes : un risque sous-estimé?

Comme nous avons pu le constater à NatExpo 2005 (salon des professionnels de produits naturels, à Paris), de plus en plus de cosmétiques français portent la mention sans parabènes. Pourtant le butylparabène, le méthylparabène et leurs proches avaient longtemps été considérés comme des conservateurs doux et leur emploi avait même été envisagé par certains fabricants de cosmétiques naturels. D'ailleurs, les expériences sur les animaux aboutissaient à la conclusion : « non toxique, non mutagène, non cancérigène ».

Le vent tourna en 2003 lorsque des chercheurs britanniques découvrirent des parabènes dans des tumeurs du sein. La nouvelle remit au goût du jour un soupçon né quelques années auparavant, selon lequel les parabènes agissent sur le métabolisme des œstrogènes et peuvent favoriser le développement des tumeurs.

Pour l'industrie, la discussion autour des parabènes est un désastre. Les fabricants des plus grandes marques sont touchés, de Nivea à L'Oréal, en passant par Shiseido et Schwarzkopf. Devoir modifier le mode conservation de milliers de produits est la pire des choses qui pouvait leur arriver.

De nombreux consommateurs ont une position très claire face aux parabènes : ils ne souhaitent courir aucun risque et refusent tout produit en contenant.

Le département de toxicologie de l'Institut de Recherche sur le Cancer de l'Université de Médecine de Vienne conseille de minimiser les risques et de ne plus utiliser les parabènes pour les déodorants en bombe ou autres produits cosmétiques utilisés sur le haut du corps.

LE MÉTHYLPARABÈNE, RESPONSABLE DES RIDES ?

« Je crois que les gens devraient éviter les expositions directes et prolongées au soleil si les produits qu'ils utilisent contiennent du méthylparabène », indique le Professeur japonais Toshikazu Yoshikawa qui dirigeait au sein de la Kyoto Prefectural University of Medicine une équipe de recherche travaillant sur les effets de cette substance. Les chercheurs ont ajouté à des cellules de la peau du méthylparabène (dans une concentration correspondant à celle des cosmétiques) et ont ensuite exposé cette préparation à des rayons UV équivalant à ceux d'une journée estivale. 19 % des cellules moururent. L'expérience fut réitérée sans méthylparabène et le taux de cellules mortes tomba à 6 %. Cette recherche prouve donc que, sous l'action des rayons UV, le méthylparabène accélère le vieillissement des cellules de la peau, provoquant la formation de rides et de taches de pigmentation.

Cependant, l'étude est critiquée et le protocole d'expérimentation remis en cause, l'un des arguments étant que les rayons UV étaient trop forts.

Source : Toxicology, 2006 oct. 3, 227(1-2) : 62-72.

COMPOSÉS ORGANOHALOGÉNÉS

Les conservateurs sont souvent des substances halogénées. Cela signifie que leurs molécules sont liées à du chlore, du brome ou de l'iode. Quand on trouve des halogènes lors de l'analyse chimique d'un produit, on a tendance à en conclure qu'ils proviennent de conservateurs de synthèse. Or, les composés halogénés existent aussi dans la nature, ce qui ne signifie pas pour autant qu'ils ne sont pas problématiques. Les substances halogénées ont un important potentiel allergique, sont réactives et peuvent se décomposer en pénétrant dans les tissus, s'y fixer et provoquer des dommages.

➢ Les nitrosamines : indéniablement cancérigènes

Les produits cosmétiques naturels certifiés par Ecocert, le BDIH et Nature & Progrès reposent tous sur les mêmes principes de base. L'un d'entre eux consiste à refuser tout ce qui peut entraîner des réactions chimiques nocives pour la santé.

Lorsque des substances réagissent entre elles et forment des nitrosamines, un enchaînement dangereux et potentiellement cancérigène se forme (par exemple lorsque la graisse de la viande tombe sur le feu du barbecue). C'est pourquoi les cosmétiques devraient être exempts de substances risquant de provoquer la formation de nitrosamines. Rien que pour cette raison, renoncer aux substances halogénées comme conservateur augmente déjà la sécurité des consommateurs.

Le barbecue est un exemple des risques que peuvent présenter les réactions chimiques : alors que préparer des grillades devrait être synonyme de plaisir, une mauvaise cuisson peut s'accompagner de l'effet inverse, et entraîner la formation de nitrosamines.

➢ Préoccupants pour la santé : les composés d'aluminium de synthèse

« L'aluminium dans les déodorants est dangereux » : nombreuses sont les personnes qui ont retenu cette information et refusent tout produit en contenant. Mais les oxydes ou hydroxydes d'aluminium utilisés en cosmétologie naturelle (voir page 207) diffèrent de façon significative des substances de synthèse comme le chlorure d'aluminium (INCI : Aluminium chloride) ou le chlorhydrate d'aluminium. En bouchant les pores, les complexes aluminium-chlore et les sulfates empêchent l'élimination de la sueur. Ce phénomène très agressif peut provoquer des inflammations et endommager les glandes sudoripares.

➢ Colorants azoïques : autorisés malgré les mises en garde

Aux États-Unis, les colorants mono-azoïques ne sont autorisés que dans des cas exceptionnels, et assortis de restrictions draconiennes. En revanche, dans l'Union européenne, et malgré les études alarmantes, l'industrie cosmétique peut continuer à y recourir allègrement.

En maquillage, les couleurs sont une des clefs de la réussite commerciale. Nous les voulons lumineuses et cela peut entraîner des risques pour notre santé. Les fabricants de cosmétiques naturels ont choisi une autre voie (voir page 38) qui restreint leur participation à la course aux couleurs « branchées ». Ils ont de bonnes raisons de renoncer à utiliser les colorants azoïques qui pourtant représentent le plus grand groupe de colorants. Ces pigments azoïques aux couleurs intenses sont obtenus par synthèse chimique et se révèlent préoccupants sur le plan toxicologique. Des études prouvent que 25 des colorants autorisés en Europe peuvent traverser la peau, endommager le foie et libérer de l'aniline. Or, la libération d'aniline est tout aussi critique que la formation de nitrosamines. Ce qui signifie, ni plus ni moins, que ces colorants azoïques sont soupçonnés d'être cancérigènes. Il est prouvé qu'ils peuvent déclencher des allergies, surtout chez les personnes présentant une hypersensibilité à l'aspirine (acide acétylsalicylique).

➢ Formaldéhyde et libérateurs de formaldéhyde : deux substances différentes, mêmes risques

Le formaldéhyde (ou formol), pourtant classé substance cancérigène par le Centre international de recherche sur le cancer, est encore autorisé comme conservateur dans les cosmétiques si sa concentration ne dépasse pas 0,2 %. Sa présence doit être mentionnée sur l'emballage lorsque la concentration en formaldéhyde dans le produit fini dépasse 0,05 %.

Un libérateur de formaldéhyde est capable d'émettre du formaldéhyde dans certaines conditions. Raab et Kindl (*Pflegekosmetik, Stuttgart/Frankfurt, 1997*) ont une position claire : « Toute substance capable de dénaturer des protéines est à éviter ; ceci est également valable pour les conservateurs qui libèrent du formaldéhyde. » Le Pr Heymann (*Haut, Haare, Kosmetik, Stuttgart, 1994*) qualifie ces substances de cheval de Troie : « Les libérateurs de formaldéhyde sont encore plus antimicrobiens que le formaldéhyde lui-même. Ceci est probablement dû au fait qu'ils introduisent l'aldéhyde dans les cellules comme le ferait un cheval de Troie, alors que, de par sa réactivité, le formaldéhyde à l'état libre, lui, est détruit de diverses manières avant d'atteindre les cellules. »

➢ COV : aussi volatiles que perfides

Les lettres COV signifient Composés Organiques Volatils. La pollution de l'environnement par les COV produits par l'homme a fortement augmenté ces dernières années, du fait de la circulation automobile, des substances chimiques utilisées dans le bâtiment (peintures, colles), etc. Quelques-uns des nombreux COV sont considérés comme hautement toxiques et cancérigènes, d'autres, comme l'éthanol utilisé dans les cosmétiques, sont inoffensifs.

➢ Quats et Polyquats : non biodégradables

Les quats classiques sont le CTAC (Cetyl triméthyl ammonium chlorure) et le DSDMAC (Quaternium-5). Tous les quats simples ne sont pas biodégradables et une majorité d'entre eux peuvent avoir un léger effet irritant sur la peau. Ceci est vrai aussi pour les polyquats (Polyquaternium plus un chiffre). Ce sont des composés complexes ayant comme molécule centrale des sels d'ammonium quaternaires.

Les polyquats sont utilisés pour leurs polycations (polymères cationiques), qui s'accrochent mieux à la surface du cheveu que les cations simples. Ils contiennent souvent des composants naturels : les polyquaternium-4 ou -10, par exemple, sont deux composés complexes dont l'un des composants naturels est la cellulose. Les parties naturelles se dégradent en général facilement, contrairement à la molécule centrale.

Des quats (composés d'ammonium quaternaires, INCI : Quaternium plus un chiffre) sont employés comme agents antistatiques dans les produits de soin capillaires pour empêcher le chargement électrostatique des cheveux et améliorer leur coiffage.

Chapitre 4

POUR LE BIEN DE LA PEAU ET DES CHEVEUX

Point de mire d'un débat sur les cosmétiques comme on n'en avait encore jamais vu en France, les parabènes sont désormais les conservateurs les plus connus. Comme un nombre de plus en plus important de consommateurs recherche des cosmétiques qui n'en contiennent pas, les formulateurs de nombreuses entreprises travaillent d'arrache-pied à la modification de leurs produits. L'objectif : conserver sans utiliser ces substances. Que penser de ce mouvement anti-parabènes ? Constitue-t-il un progrès pour le consommateur ? Oui et non.

La mention « Sans parabènes » ne suffit pas à garantir qu'un produit soit meilleur qu'un autre

Avant cette discussion, s'y retrouver dans la jungle des cosmétiques n'était déjà pas facile. Depuis la mode des étiquettes « sans parabènes », la tâche n'est devenue que plus ardue.

La remise en cause des parabènes ne concerne en réalité qu'une facette des cosmétiques : leur conservation. Parmi les 30 à 50 ingrédients entrant dans la composition d'une crème, seuls 4 à 6 d'entre eux sont destinés à assurer la conservation (il s'agit généralement de parabènes, ou de parabènes associés à du phénoxyéthanol). Pour évaluer la qualité réelle d'un produit, il faut donc passer en revue l'ensemble de ses ingrédients, la base ainsi que les additifs, les conservateurs utilisés en remplacement des parabènes.

Alors que les fabricants de cosmétiques naturels certifiés profitent des retombées des critiques formulées à l'encontre de certains ingrédients, d'autres en pâtissent et se voient obligés de réétudier en détail toutes leurs formules.

Si l'on se fie aux dires des entreprises qui ont déjà procédé à des reformulations de leurs cosmétiques (ou ont le projet de le faire), on constate que tous les efforts vont dans le même sens et tendent à se rapprocher de la définition de la cosmétologie naturelle élaborée depuis des années déjà dans les cahiers de charges « Ecocert/ Charte Cosmébio » et « BDIH (Cosmétiques Naturels Contrôlés) ».

Pour se faire une idée globale de la qualité d'un cosmétique, on peut déjà opérer une première distinction en séparant les produits en deux groupes :

1 – Dans le premier groupe : les produits certifiés conformément aux cahiers des charges Ecocert/Charte Cosmébio, BDIH (« Cosmétiques naturels contrôlés ») et Nature & Progrès. Comme le montrent les explications des pages 35-42, ces cahiers des charges règlementent en détail les ingrédients autorisés et ceux qui ne le sont pas.

2 – Dans le second groupe, qui se taille encore la part du lion sur le marché : tous les cosmétiques conventionnels, mais aussi les produits des fabricants qui donnent à croire qu'ils sont plus naturels que les autres (même si certains paraissent effectivement meilleurs dans quelques domaines, ou ont fait un effort pour améliorer partiellement leurs formules).

Reformuler : à la recherche d'une qualité plus naturelle

Les fabricants des produits cosmétiques contenant des ingrédients naturels enregistrent une augmentation de leurs chiffres d'affaires, surtout sur les marchés où les ventes stagnent ou n'enregistrent qu'une croissance faible. C'est la conclusion de l'étude d'Euromonitor International, « The Growth of Natural Ingredients ». Il n'est donc pas étonnant que, dans le monde entier, les fabricants soient de plus en plus nombreux à se tourner vers des stratégies de marketing pour entourer leurs produits d'un halo de naturel. Compte tenu de cette évolution, les consommateurs ont tout intérêt à ne pas se fier aux apparences.

En France aussi, la lutte pour charmer la clientèle intéressée par les cosmétiques naturels bat son plein. Le mot « reformuler » est dans presque toutes les bouches, nourri par l'espoir de profiter du potentiel de croissance que représente ce marché. Mais les fabricants honnêtes, qui ne veulent pas seulement créer l'illusion et souhaitent réellement prendre la bonne direction, vont avoir fort à faire.

L'exemple de L'Occitane : sur le chemin d'une autre cosmétologie

Quelques-uns des quelque cinquante produits de soin L'Occitane sont certifiés conformément à la Charte Cosmébio. Dans quelle direction l'offre va-t-elle maintenant se développer ? Ce qui est sûr, c'est que bon nombre de formules sont remises en question. Qu'est-il prévu de modifier et qu'est-ce qui a déjà été fait ? Voici ce qu'en dit Jean-Louis Pierrisnard, directeur recherche et qualité de L'Occitane depuis 1986 :

« • Depuis plus de 25 ans, nous avons décidé de ne plus utiliser le formaldéhyde.
- Nous avions déjà fixé pour nos produits un taux maximal de parabènes, bien inférieur aux quantités légales autorisées. Et désormais, nous avons décidé de ne plus du tout les utiliser – chaque fois que cela sera possible – dans nos nouvelles formulations.
- Nous travaillons également à leur substitution dans nos anciennes formules.
- De la même façon, nous limitons les concentrations de silicones dans nos produits de soins à 5 % maximum.
- Nous utilisons des huiles végétales de préférence aux huiles minérales dans nos crèmes et laits. »

Dans le domaine des produits de soins pour enfants, les parents sont d'autant plus sensibles à l'emploi de substances synthétiques que certains médecins ont lancé des mises en garde concernant certains additifs.

Le point de départ d'une reformulation est toujours l'ancienne formule

Voici la composition d'un produit L'Occitane non certifié.

➢ L'Occitane : « Lait pour le corps à l'huile d'olive A.O.C »

INCI

Aqua, B
☺☺☺ Glycerin, B, A.A.
☺☺☺ Olea Europaea, B, A.A.
☺☺☺ Squalene, A.A.
☹☹ PEG-100 Stearate, B
☺☺☺ Glyceryl Stearate, B
☹☹ Myreth-3 Myristate, B
☺☺ Isononyl Isononanoate, B
☹ Dimethicone, B
Note écologique ☹☹
☹ Cyclomethicone, B
Note écologique ☹☹
☺☺☺ Decyl Olivate, B
☺☺☺ Olea Europaea, B, A.A.
☺☺☺ Biosaccharide Gum, B
☺☺☺ Cera Alba, B
☺☺☺ Tocopherol, A
☺☺☺ Xanthan Gum
☺☺ Royal Jelly, A.A.
☺☺☺ Rosmarinus Officinalis, A.A.
☺☺☺ Helianthus Annuus, A.A.
☺☺☺ Stearic Acid, B
Parfum
☹ Polyacrylamide, B
Note écologique ☹☹
☹ C13-14 Isoparaffin, B

Note de soins pour la peau ☹☹

☹☹	Laureth-7, B
☹☹	Tetrasodium EDTA, A
☹☹	Phenoxyethanol, C
☹	Ethylparaben, C
☹	Butylparaben, C
☹	Isobutylparaben, C
☹	Propylparaben, C
☺☺	Limonene, P
☺☺	Linalool, P
☺☺	Geraniol, P
☺☺	Citronellol, P
☺☺	Alpha-Methylionone, P
☺☺	Eugenol, P
☺☺	Coumarin, P
	Butylphenyl Methylpropional, P

Le succès des produits cosmétiques naturels se mesure aussi au fait qu'ils sortent de plus en plus du rayon « bio ». Aux États-Unis, par exemple, certains sont maintenant vendus dans de grands magasins haut de gamme comme Nordstrom's. Notons cependant que peu de marques ayant réussi cette « migration » répondent aux critères exigeants des cosmétiques naturels.

En quoi le « Lait pour le corps à l'huile d'olive », produit non certifié de L'Occitane, se différencie-t-il d'un produit certifié selon les standards BDIH ou Ecocert/Charte Cosmébio ?

- La base (ingrédients signalés par un « B ») : ce sont des émulsifiants éthoxylés, des silicones problématiques sur le plan environnemental et une huile minérale (l'isoparaffine).
- Les additifs (signalés par un « A ») : il s'agit de Tetrasodium EDTA.
- Les conservateurs (signalés par un « C ») : du phénoxyéthanol et des parabènes.
- Les parfums (signalés par un « P ») : deux substances odorantes synthétiques.

Même s'il faut reconnaître que ce produit a, dans sa formulation actuelle, de bons côtés qui le font pencher vers les cosmétiques naturels, il manque encore de cohérence globale.

- Des éléments positifs : la plus grande partie de la base (eau, glycérol et huile d'olive, auxquels s'ajoutent les stéarates de glycérol en tant qu'émulsifiants) et les agents actifs (extraits de plantes et autres agents actifs d'origine végétale).
- Mais le produit contient aussi tout un répertoire d'ingrédients caractéristiques des cosmétiques conventionnels : corps huileux de synthèse, huiles de silicone et minérale, émulsifiants éthoxylés, matières odorantes synthétiques. Sans oublier le Tetrasodium EDTA côté additif, ni le phénoxyéthanol et les parabènes pour la conservation.

Les ingrédients indésirables ne sont pas tous problématiques au même degré

On ne peut qu'applaudir le projet de L'Occitane de supprimer totalement l'EDTA. Jean-Louis Pierrisnard précise : « Il est aussi utilisé dans quelques-uns de nos savons. Depuis mars 2005, nous l'avons déjà remplacé dans notre gamme "Karité" (la plus vendue) et nous travaillons activement à sa substitution dans les autres gammes. »

À quoi ressemblerait le produit après les modifications prévues par L'Occitane ? Une fois les changements effectués, il resterait quatre facteurs qui « jurent » dans une formulation de cosmétique se voulant naturel :

- l'utilisation d'émulsifiants éthoxylés ;
- l'emploi de silicones (jusqu'à 5 %) ;
- l'ajout de parfums de synthèse ;
- l'utilisation d'une huile minérale (même en quantité très faible).

Les fabricants de cosmétiques naturels vont être confrontés à de nouveaux défis dans le cadre de l'harmonisation des réglementations entre l'Union européenne et les États-Unis. Les substances allergisantes en constituent la pierre d'achoppement, et une question reste en suspens : certaines substances synthétiques ne seraient-elles pas plus sûres que les composés naturels du point de vue des risques d'allergie ?

L'Occitane explique pourquoi il arrive qu'on retrouve de l'huile minérale dans ses cosmétiques : « Il peut y avoir des traces d'huiles minérales indiquées dans la liste ingrédients, lorsqu'elles sont utilisées par un de nos fournisseurs en guise de "solvant" d'un principe actif, mais elles sont présentes à des concentrations inférieures à 0,5 % dans le produit final. Dans le "lait à l'huile d'olive", ces traces représentent 0,175 % de la formule. Depuis, nous avons demandé à notre fournisseur d'exclure cette huile de ses matières premières. Nous n'utilisons pas d'huiles minérales dans nos produits de soin. »

D'autres modifications sont également prévues en ce qui concerne les émulsifiants : le PEG 100 Stearate (INCI) a déjà été remplacé dans quelques produits par de nouveaux émulsifiants comme les Alkyl Glucoside, Cetearyl Alcool et Cetearyl Glucoside (INCI). En matière de tensioactifs, L'Occitane se tourne vers de nouvelles substances, plus douces, comme les APG (Lauryl Glucoside et Decyl Glucoside, par exemple).

Les matières premières des shampooings et des gels-douche se constituant essentiellement de tensioactifs, ce sont eux qui déterminent la qualité du produit. Les plus doux d'entre eux déterminent de façon décisive la qualité du produit.

Les consommateurs de cosmétiques sont particulièrement séduits par la qualité naturelle. Le magazine des professionnels *Euromonitor International* prévoit une forte progression des cosmétiques naturels dans les cinq prochaines années. Marchés concernés : les soins pour bébé, les préparations pour le bain ou la douche, les soins capillaires.

En ce qui concerne le choix des parfums, c'est le potentiel allergène qui joue un rôle primordial dans la position de L'Occitane : « Nous limitons les allergènes : pour nos parfums, nous avons interdit à nos créateurs l'utilisation des mousses (Evernia Prunastri et Furfuracea) et, dans les produits pour le corps et le visage, des Cinnamal, Isoeugénol, Lilial, Methylheptincarbonate, Hydroxycitronellal, Hydroxyisohexyl 3-cyclohexene Carboxaldehyde. » Depuis 2000 déjà, les muscs xylène et cétone (muscs nitrés) ne sont plus utilisés dans les formules de parfum.

Bien que L'Occitane ne suive pas une politique 100 % bio, ses critères se démarquent nettement de ceux des fabricants de cosmétiques conventionnels. Un tournant plus radical est d'ailleurs annoncé, puisqu'il est prévu que 16 produits certifiés bio arrivent sur le marché (voir pages 264 et 281).

Les reformulations : aussi difficiles que mal aimées

Vu du côté des créateurs de cosmétiques, il est compréhensible que certains fabricants donnent peu de suite à leurs déclarations d'intention. Dans les faits, reformuler un produit représente un challenge de taille. Pour Heinz-Jürgen Weiland-Groterjahn, président du Groupe de Travail Cosmétiques Naturels du BDIH : « Ce qu'un créateur déteste le plus, c'est de devoir modifier des formules existantes à la suite de contraintes extérieures. Les cosmétiques commercialisés et ne posant pas de problème valent de l'or. L'expérience est là en ce qui concerne la stabilité de la formule, le feed-back des clients est positif, et le produit apprécié. Lorsque l'on reformule, la difficulté n'est pas seulement de modifier la recette mais aussi de reconquérir sa place sur le marché. En règle générale, le client remarque les moindres évolutions et les juge le plus souvent négativement, car il n'aime pas que le produit auquel il est habitué change. »

S'il est vrai que la mention « sans parabènes » est recherchée par le consommateur, on ne peut pas changer uniquement le mode de conservation sans modifier aussi d'autres éléments de la formule initiale.

« Quand on modifie le système de conservation (voir aussi page 185), la reformulation du produit s'avère être une opération particulièrement délicate, d'autant plus que l'on se tourne vers de nouveaux ingrédients ou systèmes pour lesquels on ne possède pas d'expérience.

- On se heurte tout d'abord au problème de la compatibilité entre les ingrédients de la recette et les conservateurs (ce qui est loin d'être une évidence), avec le risque de provoquer des instabilités ou une séparation des phases, phénomènes pouvant intervenir à retardement, après quelques semaines ou mois.
- Ensuite, il faut vérifier par des tests très exigeants que le nouveau système de conservation protège bien le produit de la dégradation microbiologique. Ces tests demandent beaucoup de temps et de travail. Pendant environ 4 semaines, on inocule dans le produit différents germes qui devront être détruits à des moments bien précis et selon des pourcentages déterminés. Si l'expérimentation n'est pas concluante, le produit ne peut être considéré comme sûr d'un point de vue microbiologique.

Quand on travaille avec de nouveaux systèmes de conservation, on est quasiment sûr de rencontrer de mauvaises surprises, surtout si l'on cherche à utiliser peu, ou de nouveaux types de conservateurs. S'il s'avère que le nouveau système ne fonctionne pas comme prévu, tout est à recommencer.

- Parallèlement à cela, il faut s'assurer qu'il n'y ait pas d'interactions entre les conservateurs et le produit (pour que l'émulsion reste stable et que la couleur ou l'odeur ne changent pas), et tenir compte du fait que ces transformations peuvent n'apparaître qu'après un laps de temps assez long.
- Puis, il faut tester précisément la concentration en conservateurs pour éviter le surdosage (et les irritations qui peuvent l'accompagner), tout en garantissant la sécurité microbiologique.
- En ce qui concerne la tolérance, les tests dermatologiques doivent être effectués avant que le produit reformulé puisse être mis sur le marché.
- Enfin, c'est à l'évaluateur de la sécurité d'entrer en jeu. Il juge le produit d'un point de vue toxicologique. Si son jugement est positif, la route est libre pour déclarer aux autorités compétentes les modifications apportées à la formule.

Les évaluateurs de la sécurité sont en règle générale des toxicologues ou des experts ayant suivi une spécialisation dans le domaine de la toxicologie.

L'ensemble du processus est très coûteux en travail, en temps et en argent. Autant que pour sortir un nouveau produit. Mais en l'occurrence, il ne s'agira que d'un produit déjà connu qui sera tout au plus de meilleure qualité.

La cosmétologie est une affaire de peau

Quel est le rôle d'un cosmétique ? Il doit protéger et maintenir en bonne santé le plus grand et le plus important de nos organes : la peau. La constitution et le métabolisme de cette dernière sont interdépendants et constituent un système très subtil et finement équilibré. L'hypoderme n'entre que peu en ligne de compte en ce qui concerne les cosmétiques car ces derniers n'agissent que sur l'épiderme et le derme qui sont directement liés.

- L'irrigation sanguine du derme est régulée par le système neurovégétatif, système qui échappe à notre volonté. Un exemple très simple : le froid diminue automatiquement le calibre des vaisseaux capillaires de la peau et le chaud les dilate, indépendamment de notre volonté.
- Notre psychisme a lui aussi une grande influence sur la circulation du sang : le stress, la peur et l'énervement rétrécissent les vaisseaux et empêchent une bonne irrigation sanguine.

Ces deux facteurs montrent à eux seuls que prendre soin de sa peau est avant tout une affaire de mode de vie et de psychisme : rappelons-nous que notre peau sera d'autant plus belle et d'autant plus saine que notre corps et notre âme seront en bonne santé et détendus.

Ce qui se passe tout naturellement dans le derme et l'épiderme lorsque l'on vieillit peut survenir plus tôt que prévu si la peau subit trop d'agressions : l'épiderme devient plus fin, se déshydrate, perd de la souplesse et de l'élasticité, se ride et se régénère mal.

Comment soigner sa peau, la conserver en bonne santé, fraîche et tonique le plus longtemps possible ? Un bon programme de soins, complet, est comparable à une balance à deux plateaux. Sur l'un des plateaux, la multitude de produits entreposés dans notre salle de bains pour les soins externes de la peau. Et sur le second plateau ? Il est souvent oublié alors qu'il s'avère en fait plus important. Pourquoi ? Parce que les produits de soins soi-disant miracles nous ont fait perdre de vue le poids considérable de la « cosmétologie interne ».

Nous insisterons donc encore une fois fermement sur le fait qu'une alimentation saine et équilibrée, suffisamment d'activité, de l'air frais et du soleil en quantité raisonnable constituent le b.a.-ba de la beauté et de la santé. Les cosmétiques modernes sont efficaces, c'est vrai, mais si vous voulez rayonner et avoir bonne mine, il vous faut jouer sur la synergie entre l'alimentation, le mouvement et les soins de la peau.

POURQUOI LA PEAU SE RELÂCHE-T-ELLE ?

Une mauvaise hygiène de vie et l'abus de savons et autres détergents agressent particulièrement la peau. Elle vieillit de ce fait plus vite qu'une peau intacte en bonne santé. La capacité naturelle de régénération diminue ou certaines de ses fonctions naturelles sont perturbées. La peau vieillit de façon visible si :

- les cellules de l'épiderme se développent en nombre réduit et leur activité diminue ;
- la couche cornée devient plus mince et plus flasque ;
- les réserves cellulaires du derme diminuent ;
- le tissu de protéines fibreuses du derme (constitué de collagène et d'élastine) est massivement perturbé ;
- les vaisseaux capillaires se dessèchent, entravant l'approvisionnement des cellules et entraînant une moins bonne régénération cellulaire ;
- le film acide et la protection hydrolipidique sont trop souvent agressés ;
- les cellules lipidiques de l'hypoderme dépérissent.

À quoi attribuer l'efficacité des cosmétiques ?

Le fait que la publicité sur les produits de beauté mette surtout l'accent sur tel ou tel agent actif a totalement faussé notre vision de ce qui fait la qualité et l'efficacité d'un cosmétique.

De plus, la multitude des produits proposés laisse à croire que l'on a affaire à des formules très différentes les unes des autres alors qu'en réalité, la majorité d'entre elles repose sur quelques recettes-types.

- Bien que les formules des cosmétiques nous paraissent innombrables et mystérieuses, il en est d'elles comme des recettes de pâtisserie : il n'existe en réalité que quelques pâtes (brisée, sablée, feuilletée et levée), à partir desquelles il est possible de réaliser toutes sortes de gâteaux. La qualité de chaque pâte dépend à la fois des ingrédients utilisés et de leur quantité : non seulement la farine, le beurre et les œufs choisis ont leur importance, mais les proportions doivent être bonnes. Pas assez de levure ? La pâte ne gonflera pas. Trop ou pas assez de beurre ? La pâte brisée sera ratée. Cela dit, à partir de chaque type de pâte, on peut cuisiner des plats très variés : une pâte levée, par exemple, servira aussi bien à confectionner un gâteau sucré qu'une pizza salée.

- C'est la même chose pour les cosmétiques. Les « pâtes de base » des produits de beauté sont les émulsions, les gels, les mélanges huile-cire et les préparations aux tensioactifs (shampooings et produits pour la douche).

L'élément décisif : la qualité de la base

Que ce soit en cosmétologie conventionnelle ou naturelle, les règles de base déterminant la conception des produits sont identiques.

Prenons le cas de l'émulsion qui représente comme qui dirait une « pâte » à partir de laquelle on peut fabriquer toute une série de produits :

- un lait démaquillant,
- une crème pour le visage,
- un lait pour le corps,
- un produit solaire.

En regardant votre visage dans un miroir grossissant, vous pouvez déjà vous faire une première idée de votre peau : si les pores sont très dilatés, vous avez ce que l'on appelle une peau grasse, s'ils sont resserrés, votre peau est normale ou sèche.

Étant donné que le taux d'hydratation de l'épiderme joue un rôle décisif pour l'obtention d'une belle peau lisse et ferme, il faut fournir à cette dernière des lipides et des substances qui fixent l'eau. Mais pas les uns après les autres! L'apport doit être simultané. Et c'est justement ce que permet une émulsion. C'est pourquoi cette forme de préparation cosmétique se rencontre le plus fréquemment. Les gels sont un deuxième type de préparations très courantes. Eux aussi constituent la base d'une large gamme de produits :

- les soins pour le visage,
- les nettoyants,
- les produits solaires,
- les déodorants à bille.

Contrairement aux émulsions, les gels ne contiennent ni graisse ni émulsifiant. De l'eau et un épaississant (gélifiant) constituent leurs composants de base.

LES PRINCIPAUX COMPOSANTS D'UN PRODUIT COSMÉTIQUE

- La **base** : il s'agit de la partie quantitativement la plus importante. Dans le cas d'une émulsion, elle est constituée d'eau et d'huile ou de cire.
- Les **agents actifs** : ils permettent au cosmétique de nous offrir des soins supplémentaires, plus spécifiques. Les hydratants et les filtres solaires sont des agents actifs, tout comme les vitamines.
- Les **additifs** : ils stabilisent la préparation cosmétique. Parmi eux : les conservateurs et les antioxydants.
- Les **parfums** : un produit de beauté pourrait très bien se passer de substances odorantes… si ce n'est qu'on choisit aussi avec le nez. Il est bien connu que le parfum joue un rôle important, voire décisif, au moment de l'achat.

Émulsions : huile dans l'eau ou eau dans l'huile ?

On distingue trois types d'émulsions : huile dans l'eau (H/E), eau dans l'huile (E/H) et, plus rarement, l'émulsion trois phases dite émulsion triple (E/H/E ou H/E/H).

Ce sont la quantité d'eau et le type d'émulsifiant qui déterminent si l'émulsion est une huile dans l'eau ou une eau dans l'huile.

Quel que soit votre teint, l'effet hydratant d'un masque de rondelles de concombre une fois par semaine s'avère très efficace contre les ridules.

- L'émulsion huile dans l'eau est légère, hydratante et a l'avantage de bien pénétrer dans l'épiderme. Le lait (de vache par exemple), est une émulsion huile dans l'eau, dans laquelle la graisse du beurre est dispersée dans l'eau.
- L'émulsion eau dans l'huile possède un taux de matière grasse plus élevé et donne une crème très riche.
- L'émulsion trois phases, comme par exemple eau dans l'huile dans l'eau (E/H/E), consiste en une émulsion normale que l'on mélange ensuite avec un autre émulsifiant et une phase extérieure. Dans la préparation ainsi obtenue, l'eau et l'huile sont différemment réparties : de petites gouttelettes d'eau dans des gouttelettes d'huile, elles-mêmes finement dispersées dans l'eau. Une telle émulsion prolonge d'une à deux heures l'effet hydratant sur la peau (effet de dépôt).

Les gels : ils existent sous des formes très diverses

Dans un gel classique, les gélifiants (épaississants) jouent un rôle primordial. Ils sont comparables à une structure qui présenterait des espaces libres pouvant retenir beaucoup d'humidité. De telles substances ne se trouvent pas seulement dans les gels mais aussi dans de nombreuses préparations cosmétiques allant de la crème au shampooing.

- La gomme xanthane est un épaississant souvent employé dans les produits cosmétiques naturels. Elle est obtenue par des procédés biotechnologiques.
- Les gélifiants peuvent être d'origine végétale, comme la farine de guar (Guar Gum), la gomme arabique ou l'agar agar et l'alginate, ces deux derniers provenant des algues. La gélatine est d'origine animale, la bentonite et l'hectorite d'origine minérale.
- Les gélifiants synthétiques ou semi-synthétiques (les acrylates) procurent, il est vrai, une bonne sensation sur la peau, mais ne sont pas employés dans les produits cosmétiques certifiés (Ecocert/Charte Cosmébio, BDIH « Cosmétique Naturel Contrôlé » ou Nature & Progrès).

MALHEUREUSEMENT EN VOIE DE DISPARITION : L'ÉMULSION EAU DANS L'HUILE

La meilleure protection pour la peau reste la formule eau dans l'huile, mais elle se fait de plus en plus rare sur le marché. Les experts estiment que seuls 5 % des produits offerts contiennent encore ce type d'émulsion (E/H). C'est bien dommage ! La tendance est aux préparations plus légères. L'émulsion huile dans l'eau, plus légère pourtant qu'eau dans l'huile, se raréfie elle aussi. Ce sont les produits encore plus légers, du style « fluides » (apparentés aux gels), qui sont actuellement en vogue.

La base : décisive pour l'efficacité

Chef du département développement de Beiersdorf depuis des années, le Dr Klaus-Peter Wittern souligne qu'« une excellente base fournit déjà 80 % de son efficacité au produit, les

20 % restant étant assurés par les agents actifs. Les nombreuses études scientifiques que nous avons menées montrent clairement que même les meilleurs agents actifs ne servent pas à grand-chose s'ils sont incorporés à une base inefficace. »

La publicité cosmétique dominante a totalement inversé le rapport de force : en attirant systématiquement l'attention sur les agents actifs et occultant l'importance de la base, elle a fait tomber cette dernière dans l'oubli.

Huiles et graisses pour la base

Au moment de se fournir en matières premières, les entreprises peuvent très bien faire le choix d'acheter des produits bon marché ou de moindre qualité. Cela ne se verra pas directement dans le produit car, même avec ce type d'ingrédients, on peut concocter des mélanges doux, blancs et parfumés.

Sur le principe, les créateurs de cosmétiques ont le choix entre trois possibilités pour composer leur base. Pour la phase huileuse d'une émulsion, ils peuvent opter pour :

- des huiles et graisses végétales,
- des dérivés d'huile minérale, comme le Paraffinum Liquidum
- des ingrédients de synthèse comme les silicones ou les esters synthétiques.

On considère qu'une base est bonne pour l'épiderme si les matières premières employées répondent aux besoins de la chimie très complexe de la peau, et si elles sont compatibles avec les substances déjà présentes dans celle-ci. Mais il reste que ce qui est bon pour la peau ne l'est pas forcément pour la marge bénéficiaire du fabricant. Le fossé est grand entre le prix d'un dérivé du pétrole et celui d'une huile végétale de qualité supérieure.

COMBIEN ÇA COÛTE ?

(1 kg)	normale :	qualité bio :
Huile de paraffine	1,00 €	
Huile d'amande	8,00 €	15,00 €
Huile d'olive	7,00 €	12,00 €
Huile d'avocat	4,50 €	18,00 €
Huile d'argousier	160,00 €	

Sur le marché des tensioactifs, les différences de prix sont importantes. D'un côté on trouve les meilleures substances lavantes, douces et d'origine végétale comme les acylglutamates (les plus chères) ou les tensioactifs dérivés du sucre. De l'autre côté, on trouve les bases lavantes conventionnelles comme le sodium lauryl sulfate ou le sodium laureth sulfate, qui sont bien meilleur marché. L'économie d'échelle, réalisée par un grand groupe industriel qui effectue des achats en très grand volume, accentue encore cette différence de prix de la matière première.

1 kg d'acylglutamate (substance active)	20,00 €
1 kg de lauryl sulfate (substance active)	2,60 €

(Prix approximatifs pour de petites quantités, environ 500 kg.)

Les silicones peuvent tout faire

En étudiant de plus près les déclarations INCI des différentes crèmes, on remarque que les diméthicones font partie des composants les plus utilisés. Comme les méthicones ou les polysiloxanes, elles appartiennent à la famille des silicones. Il s'agit de polymères synthétiques dont les utilisations possibles sont multiples. Ils sont composés d'un grand nombre de molécules de base du même type (les monomères) et sont liquides, visqueux ou huileux, suivant la taille des molécules.

Les silicones sont des substances entièrement synthétiques, « construites » à partir de silice et d'oxygène. En théorie, on pourrait aussi bien utiliser du sable pour les fabriquer.

À la grande joie des chimistes, les huiles ou cires de silicone peuvent être structurées à l'envie. Elles sont résistantes thermiquement et chimiquement, s'étalent bien et garantissent une longue conservation de l'émulsion.

- Qu'un composant siliconé possède ou non de bonnes propriétés soignantes dépend de la manière dont il a été synthétisé. Dans tous les cas, et pour le bien de la peau, les silicones sont préférables aux huiles minérales.
- Les fabricants de cosmétiques naturels refusent les silicones pour des raisons écologiques car elles ne sont pas dégradables. Leurs adeptes font valoir qu'ils « bâtissent à partir de sable », donc à partir d'une matière de base naturelle. Le contre-argument est que les silicones ainsi obtenues sont des créations complètement artificielles. Leur bio-accumulation n'est pas suffisamment explorée, c'est-à-dire qu'on sait encore peu de choses sur la manière dont elles s'accumulent dans l'organisme.

RÈGLE N° 1 POUR LES COSMÉTIQUES NATURELS
UNIQUEMENT DES HUILES ET GRAISSES VÉGÉTALES

Pour obtenir une émulsion, les fabricants de cosmétiques naturels certifiés n'utilisent ni silicones, ni huiles minérales. Il suffit, pour se persuader de la différence entre la composition d'une émulsion naturelle et une autre conventionnelle, de regarder les exemples de produits à partir de la page 241.
La griffe du fabricant est généralement reconnaissable dans ses produits : chez la majorité des producteurs de cosmétiques conventionnels, les silicones jouent un rôle central, chez d'autres, c'est un mélange de silicones et d'huiles naturelles qui prédomine. Mais on trouve encore et toujours des huiles minérales comme ingrédient de la base.
Dans les cosmétiques naturels aussi, on reconnaît l'empreinte du concepteur. Cependant, leur point commun est que les huiles et les graisses qu'ils utilisent sont généralement d'origine végétale, bien que certains d'entre eux aient de plus en plus souvent recours aux huiles estérifiées (voir page 166).

Les huiles végétales, les graisses et les cires de l'agriculture biologique Contrôlée (AB) proviennent de plantes cultivées sans engrais ni désherbants chimiques. Le label « AB » est légalement déposé, et la production de l'agriculture biologique est surveillée par des organismes de contrôle.

Les paraffines : bon marché et faciles à travailler

Les huiles minérales comme la paraffine liquide sont composées de chaînes d'hydrocarbures sans oxygène. Elles résistent à toute transformation par une organisme vivant, et l'organisme ne peut les métaboliser. Les huiles et cires de paraffine sont obtenues à partir de résidus du raffinage du pétrole.

- Les paraffines continuent à être utilisées car elles sont faciles d'emploi, et surtout peu onéreuses. Les huiles minérales associées à certains émulsifiants permettent de fabriquer des émulsions qui se conservent longtemps et sont faciles à travailler. Elles ne rancissent pas, ne changent pas de couleur, ne dégagent pas d'odeur, et se laissent facilement parfumer avec n'importe quel type de substance odorante. Jusqu'à présent, l'industrie cosmétique s'insurgeait énergiquement contre toute critique à l'encontre des huiles minérales. Mais aujourd'hui, on commence à tirer les premières conséquences d'études indiquant qu'elles seraient problématiques pour la santé.

Une source de risque : les huiles minérales dans les rouges à lèvres

Le risque potentiel que représentent les hydrocarbures minéraux (cires et huiles minérales) fait l'objet de débats depuis 1987. Des études à court et long termes sur les rats ont montré que l'absorption par voie orale de certaines cires et huiles d'hydrocarbures minérales (présentant une faible viscosité et des chaînes courtes) entraîne de dangereux effets d'accumulation. Dans la pratique, cela signifie que les rouges à lèvres contenant de tels ingrédients (qui pour une bonne partie atterrissent dans l'estomac de la consommatrice) représentent un risque potentiel.

Les hydrocarbures minéraux dans la liste INCI :
- Paraffinum Liquidum
- Petrolatum
- Cera Microcristallina
- Ozokerite
- Ceresine
- Paraffin

D'après les recommandations du Colipa (Comité de Liaison des Industries de la Parfumerie, l'interprofession européenne de l'industrie cosmétique), on ne devrait plus à l'avenir utiliser pour les rouges à lèvres et les produits buccaux que les hydrocarbures minéraux pour lesquels ont été fixées des valeurs de sécurité (Acceptable Daily Intake ou Dose Journalière Admissible).

L'huile de paraffine et des cires comme la vaseline (Petrolatum dans la déclaration INCI) proviennent des résidus de la distillation du pétrole, comme la cérésine ou l'ozokérite (graisse minérale).

Mais comment le consommateur peut-il savoir si une huile ou une cire minérale suspecte pour la santé a été effectivement remplacée par une autre puisque, dans tous les cas, seules les désignations INCI indiquées ci-dessus figureront sur l'emballage ? Mieux vaut raisonner de la même façon pour toutes les sources de danger : pourquoi prendre des risques avec des substances suspectes qui peuvent sans problème être remplacées par des cires et huiles végétales ? Voilà vingt ans que l'on s'interroge sur l'innocuité des huiles et cires minérales alors que dans les cosmétiques naturels certifiés, elles ont été taboues dès le départ.

LA CHIMIE DES SILICONES : UN MONDE ARTIFICIEL ET CLOS

Les chimistes font la différence entre la chimie du carbone (ou chimie organique) et celle de la silicone. Cette dernière est totalement coupée de la nature. Avec les milliers de créations de la chimie des silicones, on pourrait construire un monde artificiel totalement à part.
Dans les laxatifs pour petits enfants, les silicones sont employées comme anti-mousse. Elles ont en outre un effet purgatif et facilitent « l'évacuation ».
Elles entrent dans les produits pour les soins de la peau en tant que « skin conditioners ». Cela signifie qu'elles jouent le rôle d'émollient et procurent une sensation de douceur sur la peau. Mais elles ne sont pas riches en éléments nutritifs comme le sont les huiles grasses végétales ou des agents actifs aussi puissants que les huiles essentielles.

Les huiles végétales : une base d'excellente qualité riche en agents actifs

Autour de l'an 300 avant Jésus-Christ, le philosophe grec Théophraste décrivait déjà dans son « Histoire des plantes » plus de 500 espèces dont les composants étaient utilisés pour leurs vertus thérapeutiques.

Les huiles végétales constituent l'un des piliers des produits cosmétiques naturels. Les différences de qualité sont phénoménales. Elles dépendent avant tout des méthodes de culture de la plante et du mode d'extraction de l'huile, deux éléments qui se répercutent sur les prix.

- Que ce soit pour l'alimentation ou les soins de beauté, les huiles pressées à froid représentent le nec plus ultra. Elles sont pressées mécaniquement selon un processus très doux et la température de chauffe des fragments de plantes ne dépasse pas 35° C. Cela permet de conserver tous les précieux éléments constitutifs comme les acides gras polyinsaturés, les lécithines, les vitamines et les substances minérales. Même à la deuxième ou troisième pression, on obtient encore de bonnes huiles de table.
- Les huiles de qualité inférieure ne sont recommandées ni pour la table, ni pour les cosmétiques. Exercer une forte pression sur les résidus d'une première pression, les chauffer fortement ou utiliser des additifs chimiques constituent des techniques qui détruisent le potentiel naturel d'agent actif d'une huile. Non seulement, elle perd une partie de ses composants et son goût caractéristique, mais elle peut aussi contenir des traces de solvants chimiques.

Les plus importantes huiles grasses

➢ Huile de soja (Glycine soja)

L'huile de soja (obtenue à partir de la fève de soja) est riche en lécithine et en vitamine E. Elle sert aussi à la fabrication d'extraits végétaux. C'est ainsi que l'huile de calendula est en fait un extrait du souci des jardins mélangé à de l'huile de soja.

- Elle rend la peau douce, fixe l'eau, calme et raffermit.

➢ Huile de tournesol (Helianthus annuus)

Elle provient des graines de tournesol et a depuis toujours une réputation d'huile de beauté.

- Elle est riche en acides gras insaturés, stimule la régénération de l'épiderme, adoucit les peaux rêches, tonifie et soigne.

Sont-elles au début ou en fin de la liste ? Le positionnement dans la liste INCI indique si les huiles végétales sont présentes en quantité importante ou non. Pour ces ingrédients aussi, chaque fabricant a ses préférences. L'Occitane, par exemple, utilise surtout le beurre de karité : 25 % dans la crème pour le corps et la crème pour le visage, 20 % dans la crème pour les mains et 15 % dans le lait corporel.

DES STARS D'HOLLYWOOD ET LES BIENFAITS DE LA NATURE

Que des stars d'Hollywood prêtent leur visage à la pub pour des marques de cosmétiques n'est pas surprenant dès que l'on sait que les contrats publicitaires leur rapportent des millions de dollars. Il est plus étonnant, en revanche, de voir de grandes stars comme Julia Roberts, Kate Blanchet ou Madonna faire de la publicité sans pour cela toucher le moindre cent. Eh oui, ça existe ! Ces trois divas d'Hollywood se sont ainsi publiquement déclarées inconditionnelles des cosmétiques naturels Dr. Hauschka. Mais les millions ont un grand pouvoir attractif : Julia Roberts va prochainement sourire pour les produits Avon. Dans les médias, court la rumeur qu'elle aurait signé un contrat lui rapportant entre deux et quatre millions de dollars américains.

➢ Huile de noix (Juglans regia)

Riche en vitamines, elle convient à tous les types de peau, et plus particulièrement aux peaux normales.

- Cette huile très nutritive protège légèrement du soleil.

➢ Huile de noix de Macadamia (Macadamia ternifolia)

Elle est tirée des noix de l'arbre de Macadamia qui pousse dans les régions du Pacifique.

• Elle contient la palmitoléine, un acide oléique très rare qui réussit particulièrement bien aux peaux sèches.

➢ Huile d'olive (Olea europaea)

C'est l'une des meilleures huiles de soin pour la peau. Outre l'acide oléique, elle contient aussi de l'acide linoléique et de l'acide palmitique.

• Cette huile pénètre bien dans l'épiderme, qu'elle adoucit, et constitue un excellent soin pour la peau.

➢ Huile d'avocat (Persea gratissima)

Riche en vitamines, en acides gras insaturés et en lécithine (qui joue le rôle d'émulsifiant), l'huile d'avocat est bien absorbée par la peau et fixe l'eau,

• L'avocat est très riche en vitamine A. Cette dernière favorise la régénération cellulaire et ralentit la desquamation des cellules de l'épiderme. Les vitamines B stimulent le métabolisme cellulaire. Quant aux acides gras essentiels, ils préviennent les gerçures.

➢ Huile de l'amande d'abricot (Prunus armeniaca)

Connue depuis bien longtemps pour ses vertus thérapeutiques en cas de problèmes gastriques et intestinaux, elle peut aussi rendre la peau douce et lisse.

• L'huile de l'amande d'abricot est parfaite pour lisser les petites rides du contour des yeux. Elle est merveilleuse pour les peaux sèches et peut être utilisée comme soin spécifique. Les noyaux d'abricot finement moulus sont utilisés comme abrasif dans les exfoliants.

➢ Huile d'amandes (Prunus dulcis)

C'est un classique des huiles de soin pour la peau. Avec son taux de graisse moyen, elle ne rancit pas vite et c'est l'une des

La marche triomphale des cosmétiques naturels entraîne des programmes de replantation. C'est le cas des amandiers en Provence, nombreux au début du 20e siècle, mais actuellement quasi absents du paysage provençal. Les amandes consommées en France et en Europe proviennent d'Espagne ou de Californie, la France ne produisant que 2 % de sa consommation ! C'est bien dommage et il est souhaitable que cela change.

meilleures et des plus douces huiles de base pour les crèmes, les produits nettoyants et les huiles de bain. Son odeur neutre constitue un autre avantage.
• Cette huile lisse la peau et l'adoucit. Elle convient parfaitement aux peaux grasses.

➢ Huile de ricin (Ricinus communis)

Le ricin, appelé aussi « arbre magique », se plaît sous les climats tropicaux, subtropicaux et méditerranéens. Les capsules de cette plante de la famille des euphorbiacées contiennent des graines oléagineuses. L'huile de ricin est un excellent ingrédient, très bien supporté par la peau, qu'elle soigne et regraisse.
• L'huile de ricin se distingue des autres huiles dans la mesure où elle est légèrement hydrophile. Une particularité qui en fait la seule huile soluble dans l'éthanol. C'est pour cette raison qu'elle est souvent employée comme regraissant dans des produits à base d'alcool.

En médecine traditionnelle indienne, l'huile de sésame est conseillée pour les massages et les bains. Elle est le plus souvent utilisée à l'état « mûr », c'est à dire après avoir été chauffée à feu doux pendant un certain temps.

➢ Huile de sésame (Sesamum indicum)

Elle provient des graines d'une plante oléagineuse ressemblant à la digitale et qui est constituée, à environ 50 %, d'une huile claire presque inodore.
• Compte tenu de sa grande douceur, on l'utilise volontiers dans les crèmes pour le contour des yeux. Elle offre en outre une légère protection contre les rayons ultraviolets.

Le blanc de baleine naturel, provenant des sinus du cachelot, est une graisse très adaptée à la peau. Depuis que l'espèce est protégée et la chasse à la baleine interdite, on a élaboré des substances de remplacement ayant les mêmes propriétés. L'une des plus connues et des plus efficaces est l'huile de jojoba.

➢ Huile de jojoba (Simmondsia chinensis)

Ces dernières années, l'huile de jojoba a connu une ascension triomphale et bien méritée. Elle se distingue des autres huiles végétales par sa consistance de cire. Elle devient liquide au dessus de 10°. On l'obtient en pressant les petites graines du jojoba, une plante de la famille des buxacées. Cette huile presque inodore se conserve longtemps, de façon naturelle.
• Elle convient parfaitement à la peau, dans laquelle elle pénètre sans laisser de film gras. De par ses propriétés hydratantes, elle est idéale pour le soin des peaux flasques, qu'elle lisse et raffermit, comme des peaux rêches et abîmées.

➢ Huile de germe de blé (Triticum vulgare)

L'huile de germe de blé est riche en vitamines. C'est d'ailleurs la plus riche en vitamine E ! On l'utilise volontiers en masques sur les peaux mûres et sèches, qui desquament.

- C'est aussi une huile de soins corporels idéale. En compresses tièdes, elle favorise l'élimination des cellules mortes, redonnant ainsi de la fraîcheur au teint.
- Pure, elle constitue un soin intensif pour les peaux normales ou sèches. Elle présente l'inconvénient de ne pas bien pénétrer dans la peau, c'est pourquoi on la mélange généralement à une quantité assez importante d'huile plus légère. Les protéines de blé sont utilisées pour donner à la chevelure du brillant et de la tenue.

Le chanvre, lui aussi, est utilisé depuis des siècles pour ses vertus thérapeutiques. Pour obtenir une huile de bonne qualité, il faut prendre des graines provenant de plantes cultivées sans pesticides. L'huile de chanvre est riche en acides gras insaturés, surtout gamma-linoléniques.

L'HUILE D'ARGAN : UNE NOUVELLE ÉTOILE AU FIRMAMENT DES COSMÉTIQUES

L'huile d'argan (Argania spinosa) a été portée aux nues comme étant « une découverte extraordinaire », une huile « sensationnelle ». Même si cela est quelque peu exagéré, elle mérite effectivement des louanges, quand elle est de bonne qualité.

- Cette huile « en or » du Sud-Ouest du Maroc est riche en acides gras insaturés (plus de 80 %) et plus particulièrement en acides oléique et linoléique. Elle se distingue par son taux inhabituel de tocophérol.
- C'est un bonheur pour les peaux mûres (desséchées, vieillissantes ou ridées) et son action « miraculeuse » ne se limite pas aux cosmétiques. Elle se révèle aussi très importante pour la santé, ce que les Berbères savaient déjà depuis des siècles.

Le vinaigre de pomme est un bon produit maison pour avoir un teint frais et une peau bien tendue. Un massage du visage, le matin, avec une cuillère à soupe diluée dans une tasse d'eau stimule la circulation du sang.

BEURRE DE KARITÉ (SHEABUTTER) : UN INGRÉDIENT PRÉCIEUX

Le beurre de karité est une substance hybride qui se situe entre la cire et l'huile grasse. Il est doté de formidables vertus soignantes, en particulier grâce son taux élevé d'insaponifiables : 15 %, alors que les huiles dans leur grande majorité n'en contiennent que 1 à 2 %. À titre de comparaison, il faut savoir qu'une bonne huile d'avocat n'en contient que 6 % au maximum. Ces insaponifiables sont très précieux et comptent parmi les meilleurs agents actifs : ils pénètrent bien dans la peau, qu'ils assouplissent, fixent l'eau et favorisent l'absorption des autres principes actifs.

Agents actifs particulièrement précieux : les huiles grasses

Les huiles grasses riches en agents actifs diffèrent des autres, tant par leur quantité que par leur qualité. On les récolte en volumes beaucoup plus faibles (à partir de graines souvent minuscules), et elles se distinguent par leur taux élevé en acides gras essentiels. Essentiel signifie que le corps en a besoin mais ne peut les fabriquer lui-même.

Pures ou incorporées à un produit de beauté, ces huiles sont une merveilleuse gâterie pour la peau. De plus, elles ont presque toutes une longue tradition médicinale et leur efficacité a été testée et prouvée. Les graines de l'onagre par exemple, utilisées sous forme de bouillie, constituaient un cicatrisant bien connu des sorciers-guérisseurs indiens du Mexique.

- Les huiles contenant beaucoup d'acides gras essentiels maintiennent la peau élastique et favorisent le processus naturel de régénération. Elles réussissent très bien aux peaux sèches et sensibles. Les vitamines qu'elles contiennent, quant à elles, apaisent les inflammations, harmonisent et lissent la peau.

La bourrache est une plante annuelle qui se propage naturellement dans les jardins. Ses feuilles finement coupées et ses jolies fleurs bleues aromatisent et relèvent les salades et les jus de légumes.

➢ Huile de graines de bourrache (Borago officinalis)

Les graines de bourrache ont la grosseur d'une tête d'épingle.

- Leur huile contient un taux élevé de précieux acides (acides alpha et gamma-linolénique) qui stimulent le métabolisme.

➢ Huile de graines d'argousier (Hippophae rhamnoides)

C'est une des huiles les plus précieuses, et ses bienfaits sont tellement divers qu'on peut l'assimiler à un médicament. En Russie, elle a sa place dans l'encyclopédie des médicaments, et on l'utilise aussi bien pour les peaux abîmées par les UV que dans les thérapies anticancéreuses.

Les baies de l'argousier recèlent un taux élevé de vitamine C. Principaux composants de cette huile : l'acide linoléique, l'acide palmitoléique, la vitamine E, les caroténoïdes, les flavonoïdes (en grande quantité) et les phytostérols.

- Cette huile de couleur orange est utilisée principalement pour entretenir les peaux sèches et rêches, ainsi que dans les shampooings et les soins capillaires contre les pellicules et les démangeaisons du cuir chevelu.

➢ Huile de nigelle (Nigella sativa)

Elle est obtenue à partir des graines de la nigelle (cumin noir). Celle qui vient d'Égypte est d'une qualité exceptionnelle. On dit que Nefertiti et Cléopâtre l'utilisaient déjà. Cette huile grasse contient environ 70 % d'acides gras insaturés et de précieuses substances liées à ses graisses (comme la stéarine, la vitamine E et l'huile essentielle).

- Dans les cosmétiques, l'huile de nigelle entre dans la composition des produits de soins du corps et du visage mais aussi dans les huiles de massage. Sa puissante action antibactérienne et antimycosique en fait un bon produit pour les peaux grasses, présentant des impuretés ou ayant tendance aux inflammations. Elle est généralement très bien supportée par les personnes à la peau sensible.

➢ Huile d'onagre (Oenothera biennis)

Les personnes souffrant de névrodermite, de psoriasis ou d'eczéma savent apprécier son action apaisante. L'onagre est l'une des plus anciennes plantes médicinales des Indiens d'Amérique ; dans nos contrées, elle a été découverte assez tardivement.

C'est en 1917 que le scientifique allemand Unger s'aperçut que ses graines contenaient 15 % d'une huile pure et dorée.

Deux années passèrent encore avant que l'on ne découvre que l'onagre est l'une des rares plantes riches en acides gras essentiels polyinsaturés (environ 78 % d'acide linoléique), et qu'elle contient un acide rare, l'acide gamma-linolénique (environ 9 %).

• L'huile d'onagre se marie bien avec celle d'amande douce. Elle est dotée d'une action thérapeutique et de propriétés revitalisantes. En outre, elle affine le grain de la peau et joue un rôle précieux dans le traitement des cheveux fatigués. Son prix élevé explique qu'elle soit souvent mélangée à de l'huile de germe de blé ou de lin ce qui ne diminue aucunement son intérêt puisque ces deux huiles sont elles aussi de grande valeur.

Pour que la peau retrouve son pH d'origine et son tonus naturel, il suffit d'ajouter de la lotion à la rose de bonne qualité dans un peu d'eau claire et tiède, et d'en tapoter le visage préalablement nettoyé.

➢ Huile de cynorrhodon (Rosa mosqueta)

Cette huile très fine provient des fruits (cynorrhodons) de la rose.

• Elle est riche en vitamines et en acides gras polyinsaturés. L'huile de rose sauvage hydrate les peaux sèches et leur fait gagner en élasticité. Elle adoucit et assouplit également les peaux rêches.

Les macérats : des huiles grasses particulières

On appelle macérats (ou huiles infusées) des huiles obtenues en captant les agents actifs liposolubles d'une plante par extraction. Pour ce faire, du calendula ou du millepertuis, par exemple, vont macérer plusieurs semaines dans des huiles de base comme l'huile d'amande ou l'huile de tournesol.

Bien connue des randonneurs de montagne, l'arnica, dont la fleur jaune ressemble à la marguerite, pousse sur des prairies maigres. Elle appartient aux plantes médicinales les plus anciennes.

➢ Huile d'arnica (Arnica montana)

Riche en principes actifs, elle contient entre autres des flavonoïdes, des composés de la vitamine A et de l'azulène.

• C'est une huile qui active bien la circulation du sang et convient donc parfaitement aux problèmes de jambes (comme les varices ou les phlébites). En cosmétologie pour le visage, on l'utilise généralement contre les impuretés de la peau.

➢ Huile de calendula (Calendula officinalis)

L'huile de calendula (souci des jardins) était déjà connue dans l'Antiquité pour ses vertus thérapeutiques.

- Elle stimule la circulation du sang et possède des propriétés apaisantes, tonifiantes, anti-inflammatoires. L'huile de calendula est un produit précieux qui entre dans le traitement de divers problèmes de peau.

➢ Huile de millepertuis (Hypericum perforatum)

Le millepertuis est une plante médicinale appréciée pour ses vertus cicatrisantes. Extraite des fleurs fraîches, son huile est conseillée aux peaux sensibles, sèches ou rêches. Elle apaise l'épiderme en cas de légers coups de soleil.

- Elle entre surtout dans la composition des masques pour peaux acnéiques ou impures. Riche en tanins, l'huile de millepertuis fouette la circulation du sang et convient donc parfaitement pour les massages contre les courbatures, les sciatiques ou les contractures.
- Dans les préparations cosmétiques, elle rafraîchit le teint des peaux pâles et mal irriguées.

➢ Huile de racine de bardane (Arctium majus)

La racine de bardane contient, entre autres, une importante quantité de tanins stimulant la circulation.

- Ses extraits huileux ont fait leurs preuves dans le traitement des cheveux gras, des pellicules et de la chute des cheveux. Dans les soins capillaires, on utilise souvent l'extrait de racine de bardane pour fortifier le cuir chevelu et les racines de cheveux, ou pour lutter contre la prolifération des bactéries et champignons en cas de pellicules.

Les fruits poilus de la bardane sont des projectiles très appréciés des enfants car ils s'accrochent aux cheveux et aux vêtements. C'est la racine charnue de cette plante bisannuelle qui est utilisée pour les cosmétiques.

Les huiles naturelles sont également utilisées sous forme hydrogénée. Dans ce cas, leur dénomination INCI commence par « Hydrogenated » (par exemple Hydrogenated Castor Oil pour l'huile de ricin hydrogénée). Ces huiles cireuses permettent d'épaissir les crèmes ou les rouges à lèvres.

HUILES VÉGÉTALES NATURELLES VERSUS HUILES ESTÉRIFIÉES

Comme le montre la comparaison des produits (pages 242-310), les huiles estérifiées ont été promues par un certain nombre de fabricants au rang de matière première principale. On les reconnaît aux termes INCI de Caprylic Capric Triglyceride, Coco Caprylate Caprate, Oleyl Erucate, Oleyl Oleate ou Decyl Oleate Cetearyl Isononate. Appartiennent aussi à ce groupe des composés d'une structure chimique légèrement différente comme par exemple l'éther. Termes INCI : Dicaprylyl Ether, Octyldodecanol.

- Les huiles estérifiées sont d'origine naturelle mais diffèrent fondamentalement des huiles végétales purement naturelles en ce sens qu'elles résultent de la chimie des acides gras.

Les huiles végétales sont le point de départ de ces huiles appartenant au groupe des triglycérides, ce qui signifie que trois acides gras sont liés à une unité de glycérol (glycérine). Le glycérol est un polyol, un alcool triple auquel trois acides gras peuvent se lier.

- Par conséquent, les huiles végétales peuvent être dédoublées (en glycérol et en acides gras). Une telle séparation est obtenue à l'aide d'un produit alcalin comme l'hydroxyde de potassium ou l'hydroxyde de sodium (soude). Une fois dédoublés, le glycérol et les acides gras entrent immédiatement en réaction avec le produit alcalin pour former les sels sodiques ou potassiques des acides gras correspondants. C'est ainsi qu'on obtient les savons, selon un processus de base appelé la saponification.

Les huiles estérifiées sont, elles aussi, le résultat du dédoublement d'une huile végétale. C'est-à-dire qu'on utilise les différents acides gras, que l'on combine avec du glycérol ou d'autres alcools pour obtenir de nouvelles liaisons ayant des propriétés différentes.

- Les huiles estérifées sont le produit d'une réaction entre des acides gras (des acides fermes et cireux à chaînes plus longues, comme par exemple l'acide stéarique, l'acide oléïque, l'acide palmitique etc.) et des alcools (des alcools gras ou des polyols comme le glycérol). Elles ont une consistance liquide, huileuse.

- Ces huiles « synthétiques » provenant de substances naturelles sont souvent employées dans les cosmétiques. On les trouve plus rarement, et en quantité plus faible, dans les produits naturels. Elles sont inévitables puisqu'elles servent à solubiliser bon nombre d'agents actifs lipophiles comme les vitamines ou les antioxydants.
- Des restrictions ont été mises en place pour empêcher les abus. Le BDIH préconise de ne pas dépasser, dans une formule de cosmétique naturel, 10 % de substances estérifiées (huiles estérifiées ou matières premières hydrogénées). Dans la phase huileuse, ce taux peut aller jusqu'à 50 % maximum. La volonté du BDIH étant que les huiles végétales continuent à jouer un rôle central.

Une pierre d'achoppement : les émulsifiants

Pour obtenir les émulsions qui constituent la base des crèmes et de nombreux autres produits, il faut mélanger de l'huile et de l'eau. Cela n'est possible qu'à l'aide d'intermédiaires spécifiques : les émulsifiants. Dans ce domaine aussi, la cosmétologie naturelle fait d'autres choix que l'industrie cosmétique classique.

PEG ou pas PEG : une décision fondamentale

Si ces trois lettres, PEG, apparaissent dans presque toutes les listes INCI de la cosmétologie conventionnelle, c'est qu'il s'agit d'émulsifiants et d'agents solubilisants à la fois pratiques et bon marché.

RÈGLE N° 2 POUR LES COSMÉTIQUES NATURELS
PAS D'ÉMULSIFIANTS ÉTHOXYLÉS (PEG)

Le développement de nouveaux types d'émulsifiants, en harmonie avec les principes de base de la cosmétologie naturelle, a fait de grands progrès ces dernières années. Le groupe de ce que l'on appelle les émulsifiants polyglycériques tient désormais une place importante. Ces derniers agissent en partie comme les émulsifiants ou agents de solubilisation de type PEG, mais ne sont pas éthoxylés. Dans la liste INCI, on les repère sous le nom de Polyglyceryl, suivi d'un chiffre.

Les classiques parmi les émulsifiants naturels

- La « Cold Cream » est toujours actuelle en cosmétologie naturelle. Il s'agit d'une émulsion ne contenant comme seul émulsifiant que de la cire d'abeille saponifiée (Sodium Beeswax).
- La lanoline, obtenue à partir de laine de mouton, est souvent utilisée pour les émulsions eau-dans-l'huile. Les phénomènes d'allergie qui lui ont été imputés étaient généralement dus à la présence de pesticides. En effet, afin d'éliminer les parasites de la toison, les moutons sont baignés avant la tonte dans une eau en contenant. En cosmétologie naturelle, on n'utilise que de la laine de moutons n'ayant pas eu à subir ce traitement.
- Le Glyceryl Stearate est un autre classique parmi les émulsifiants. C'est un composé simple de glycérol, acide gras qui forme des émulsions huile-dans-l'eau stables et agréables pour la peau.
- Depuis peu, on emploie aussi dans les produits cosmétiques des émulsifiants alimentaires utilisés en boulangerie et en pâtisserie, comme par exemple les esters d'acide citrique et d'acide lactique (Glyceryl/Cocoate/Citrate/Lactate, Glyceryl/Oleate/Citrate ou Glyceryl/Stearate/Citrate).

Le vent en poupe : émulsifiants et tensioactifs multifonctionnels

Les émulsifiants dérivés du sucre comme les Cetearyl Glucoside, Coco Glucoside ou Cocoyl Glucoside existent depuis bien longtemps sur le marché. Mais ils connaissent actuellement un regain d'intérêt du fait de leur polyvalence. Ils permettent d'obtenir des lotions huile-dans-l'eau (H/E) très douces pour la peau, mais aussi des émulsions à vaporiser et des produits moussants (émulsions moussantes). Il en va de même des acylglutamates comme le Sodium Cocoyl Glutamate et le Disodium Cocoyl Glutamate. Ils ont été employés jusqu'ici exclusivement en tant que co-tensioactifs doux alors qu'ils ont aussi de fantastiques propriétés émulsifiantes.

Car la tendance est aux émulsifiants pouvant aussi jouer le rôle de tensioactifs ou aux tensioactifs qui sont également de bons émulsifiants, la nouvelle devise étant : « Moins de matières premières dans un produit : vive la polyvalence ! ». Cette évolution convient tout à fait aux cosmétiques naturels car il n'est pas facile de trouver des matières premières proches de la nature et bien supportées par la peau. Quand celles que l'on maîtrise déjà bien se révèlent être multifonctionnelles, cela permet d'élargir la gamme de bons produits naturels pour la peau.

L'EAU FAIT COULER BEAUCOUP D'ARGENT DANS LES CAISSES

La base de la plupart des produits pour le visage et le corps est composée d'eau et d'huiles (ou graisses) qui, mélangées à un émulsifiant, forment une émulsion. Il est difficile de savoir combien une crème contient d'eau (60, 70 ou 90 % ?), mais une chose est sûre : plus il y a d'eau, plus l'argent coule dans les caisses du fabricant. C'est pourquoi cet ingrédient tout en liquidité est parfois surnommé « profitol » par les professionnels. Aujourd'hui, certains émulsifiants permettent d'atteindre un taux de 90 % d'eau. En règle générale, il s'agit d'une eau ordinaire, purifiée et adoucie (débarrassée de son calcaire). Dans les produits cosmétiques naturels français, on emploie le plus souvent des hydrolats (voir page 50.

Les meilleurs agents actifs pour la peau

Il est indéniable qu'il existe de bons agents actifs dans les cosmétiques. Mais leur effet peut être modulé, voire déterminé, par toute une série de facteurs.

Sur les produits pour le visage, par exemple, on trouve souvent l'indication « effet hydratant ». Prenons le cas d'un bon hydratant comme l'urée (Urea) : il faut savoir qu'une petite quantité d'urée ne suffit pas à apporter l'« effet hydratant » recherché. Des études ont prouvé qu'une bonne hydratation suppose une concentration minimale de 3 %, ou une certaine combinaison des substances. Or, s'il arrive souvent que les produits contiennent de bons agents actifs, il n'est pas rare que ce soit en quantité insuffisante pour assurer leur efficacité. De plus, celle-ci dépend aussi de la synergie entre les agents actifs et la richesse des composants de la base, qui se doit de renfermer des ingrédients naturels d'origine végétale.

LA TENDANCE :
LES AGENTS ACTIFS DIRIGÉS SUR DES RÉCEPTEURS

La découverte de composés chimiques vraiment nouveaux, qui seraient nettement plus efficaces que ceux que l'on connaît déjà, reste un événement extrêmement rare. En règle générale, les « nouveaux » agents actifs cosmétiques ne sont que des variantes du répertoire habituel : des vitamines, des précurseurs de vitamines et des substances minérales.
Mais l'ambition actuelle des chercheurs est de réussir à obtenir une action plus en profondeur. Les « principes actifs dirigés sur les récepteurs » sont censés pouvoir intervenir jusque sur l'activité biologique de la peau, pour la garder « en forme » quasi de l'intérieur. Des modélisations de la peau montrent comment cela pourrait fonctionner, mais il n'a pas été encore possible d'apporter les preuves de leur efficacité.

Agents actifs protecteurs et soignants

➢ L'allantoïne : un adoucissant

L'allantoïne est contenue dans l'urine des mammifères et dans des végétaux comme l'érable, le marronnier, le germe de blé, les salsifis et les betteraves rouges. Elle peut améliorer l'état de la peau de façon significative, du moins en éprouvette (in vitro).

- Compte tenu du faible dosage de l'allantoïne dans les produits cosmétiques, il n'existe pas de preuve que l'action positive d'un produit qui en contient puisse lui être attribuée.

L'allantoïne étant seulement présente en infime quantité dans les plantes, on ne la trouve que sous sa forme synthétique sur le marché. C'est pourquoi elle n'est pas autorisée en cosmétologie naturelle.

➢ Vitamine E : le tocophérol

La vitamine E est un bon argument publicitaire du fait de ses importantes propriétés protectrices pour la peau. Elle empêche les processus d'oxydation par la lumière ou l'oxygène, lisse la peau et améliore la fixation de l'eau dans la couche cornée. Mais il faut se méfier des agents actifs ayant le vent en poupe, car le discours les concernant est souvent trompeur.

- La mention « contient de la vitamine E » indique généralement une concentration minime.
- Des mentions telles que « vitamine E pour la peau » ou « effet soignant », ne peuvent se justifier qu'au-delà d'un taux de 0,2 % dans le produit ; au-dessous, seul un effet antioxydant, pour le produit, et non pour la peau, peut être escompté.
- En Allemagne, si l'on veut pouvoir se vanter qu'un produit est « enrichi » ou « renforcé » en vitamine E, il faut qu'il en contienne environ 0,5 %.

LES VITAMINES DANS LE RÔLE D'AGENTS ACTIFS, UN PROBLÈME POUR LES FABRICANTS DE COSMÉTIQUES NATURELS

Que les vitamines soient de bons agents actifs ne fait de doute pour personne. Mais le problème est de les obtenir à partir de matières premières naturelles.

- Ainsi, la vitamine A provient principalement de composants animaux (huile de foie de morue, par exemple). Les plantes, elles, ne fournissent que de la provitamine A (bêtacarotène). Cette dernière ne peut pas vraiment remplacer la vitamine A, dans la mesure où seules de faibles quantités de bêtacarotène se transforment en vitamine A dans la peau. Sachant que le BDIH refuse les ingrédients provenant de vertébrés morts, cette vitamine ne fait pas partie des substances autorisées. Le cahier des charges d'Ecocert l'exclut également.
- Les vitamines B sont très peu présentes dans la nature et il faudrait une masse importante de végétaux pour en extraire suffisamment. Ce gaspillage de ressources ne serait ni écologique ni économique. C'est la raison pour laquelle les vitamines B ne sont disponibles que sous forme synthétique ou identique nature.
- En revanche, on rencontre souvent la vitamine E (tocophérol) dans les cosmétiques, car elle est la plus facile à obtenir de source naturelle.

Les vitamines des cosmétiques ne peuvent pas remplacer celles de l'alimentation : une orange, par exemple, fournit bien plus de vitamine C qu'une crème, et on bénéficie en prime de l'action de l'acide de fruit qui stimule le métabolisme cellulaire. En revanche, 0,1 g de vitamine C dans un pot de crème (ce qui correspond à une orange) apporte seulement une dose infime de vitamine à chaque application.

• En ce qui concerne la vitamine C, le BDIH a accepté un compromis et autorisé la molécule de synthèse (Ascorbyl Palmitate), compte tenu de l'importance du complexe antioxydant qu'elle forme avec la vitamine A.

La vitamine A stimule et accélère la régénération des cellules de l'épiderme, rendant la peau plus douce et plus lisse. En quantité suffisante, elle empêche aussi la formation d'eczéma.

➢ Vitamine A : le rétinol

C'est une substance extrêmement fragile, qui se dissocie dès qu'elle entre en contact avec l'oxygène. C'est la raison pour laquelle, dans les cosmétiques, on l'emploie souvent sous sa forme de palmitate, qui sera transformée en vitamine A dans la peau.

• La vitamine A (rétinol) rend l'épiderme souple, stimule la régénération cellulaire et estompe les transformations de la peau dues à l'âge. La concentration habituelle dans les crèmes est comprise entre 0,05 et 0,1 %.

➢ Vitamine C : Ascorbyl Palmitate

La SFA (« Société Française des Antioxydants »), qui a son siège à Paris, est spécialisée dans les recherches sur les agents actifs contre le vieillissement de la peau.

La peau est un pilier de notre système immunitaire et elle doit toujours être prête à entrer en action. Ses cellules protectrices ont besoin de vitamine C pour lutter contre les bactéries et les virus. Par ailleurs, celle-ci renforce l'action protectrice de la vitamine A contre les radicaux libres, et protège les cellules des méfaits durables occasionnés par le soleil, les gaz d'échappement et la fumée de cigarette.

• L'importance de la vitamine C va au-delà d'effets positifs sur la peau (formation des fibres de collagène, tonicité de l'épiderme et des tissus conjonctifs, cicatrisation) puisqu'elle participe aussi aux mécanismes vitaux de défense immunitaire.

➢ Le panthénol

Le panthénol est une forme de l'acide pantothénique, l'une des vitamines du groupe B. Cette « vitamine de la beauté » fixe l'eau dans la peau, favorise le métabolisme énergétique et a un effet calmant et cicatrisant.

- Le panthénol est le plus souvent utilisé comme « moisturizer » (hydratant) dans les produits de soins pour peaux sèches et sensibles à raison de 0,5 à 5 % en moyenne.
- C'est un bon agent actif qui n'est pas autorisé, lui non plus, dans les cosmétiques naturels du fait de son origine synthétique.

Les vitamines sont souvent employées comme agents actifs dans les crèmes car on bénéficie en même temps de leur faculté à stabiliser la préparation : une infime quantité d'oxygène de l'air pouvant déjà déclencher des réactions de décomposition en chaînes dans le produit, les vitamines E (Tocophérol) et C sont alors utilisées comme antioxydants.

➢ Provitamine A : le carotène

Ce précurseur est transformé en vitamine A dans l'organisme. Il est important d'en consommer suffisamment car celle-ci est très importante pour le système immunitaire, la peau, les muqueuses et les yeux.

- La provitamine A est incorporée aux cosmétiques pour ses propriétés antioxydantes, et plus particulièrement dans les produits pour peaux sèches, rêches, ayant besoin de se régénérer.

➢ Urea : l'urée

L'urée représente 7 % des facteurs hydratants naturels de la peau. Une application hydrate la couche cornée pour plusieurs heures (effet « moisturizer »).

- L'urée est souvent mélangée à d'autres hydratants. Quand elle est utilisée seule, elle représente de 1 à 10 % du produit. Ce n'est qu'à partir de 3 % que l'effet hydratant est notoire. Entre 5 et 10 %, l'hydratation est importante, favorisant l'évacuation des cellules mortes.
- Si l'urée atteint ou dépasse 3 % dans une crème, elle se trouve dans la première moitié de la liste INCI.

➢ Protéines / aminoacides

Les protéines et acides aminés sont impliqués dans le métabolisme cellulaire de l'organisme. À eux seuls, les vingt acides aminés existants constituent les unités structurales élémentaires permettant d'obtenir le nombre infini de protéines que l'on connaît.

- Les acides aminés fixent bien l'eau et aident la peau à se constituer une protection hydratante contre le dessèchement.

➢ Coenzyme Q10

Élaborée par l'organisme, la coenzyme Q10 est une substance vitale pour l'apport énergétique et la protection des cellules. C'est dans les compléments alimentaires ou par le biais de l'alimentation qu'on l'absorbe le plus sûrement.

- La coenzyme Q10 est entrée sur la scène des cosmétiques en tant qu'antioxydant. Elle renforcerait l'autoprotection des cellules par la neutralisation des radicaux libres.

➢ Vitamine H : la biotine

La biotine est une vitamine hydrosoluble contenue dans de nombreuses enzymes. La levure, le foie, le jaune d'œuf et les céréales, pour ne citer qu'eux, en sont riches. Elle joue un rôle dans le métabolisme des glucides, de la graisse et des protéines. Elle contribue à la formation de la kératine, constituant des cheveux et des ongles.

- Très importante pour la peau et les cheveux, la vitamine H est précieuse (mais onéreuse) pour la cosmétologie (voir aussi page 203).
- Elle fait pousser les ongles et les cheveux, et rend la peau souple et lisse.

L'extrait de houblon détend et apaise la peau. Celui de ginkgo, lui, la raffermit et la tonifie.

Les agents actifs lissants et renforçants

- Compte tenu de son taux élevé d'insaponifiables, l'huile d'avocat est dotée d'un excellent pouvoir soignant.
- Le bisabolol, principe actif issu de la camomille, a une action anti-inflammatoire et apaisante sur les peaux sensibles.
- Les céramides (substances produites par la peau) exercent une influence positive sur la barrière protectrice de la peau. Elles entrent dans la composition des cosmétiques sous leur forme naturelle ou synthétique (c'est généralement le cas pour les cosmétiques conventionnels).
- Le beurre de karité, les huiles de noix de Macadamia, de pépins de raisin et d'amande d'abricot ont fait la preuve de leurs propriétés soignantes et lissantes.
- L'huile de germe de blé est riche en vitamines. Elle revitalise surtout les peaux mûres, sèches et rêches.

• Les extraits de levure stimulent et tonifient. Ils se révèlent également merveilleux dans les masques et les cataplasmes pour peaux grasses présentant des impuretés et de l'acné.

➢ L'acide hyaluronique : Hyaluronic Acid

Il s'intègre étroitement à la couche cornée de la peau, formant un film qui fixe les cellules cornées de l'épiderme et retient l'eau, ce qui explique son effet lissant et assouplissant.

L'acide hyaluronique est généralement utilisé en très petites quantités du fait de son prix très élevé. S'il est vrai qu'il est efficace même à petite dose, il y a des limites. Un mini-dosage de 0,001 % n'est bon que pour l'impact publicitaire et ne conduit pas à une hydratation significative de la peau. D'autres part, la diminution, avec l'âge, de la production d'acide hyaluronique par la peau ne peut pas être compensée par des produits de soins car cet acide ne peut pas la pénétrer.

À l'origine, l'acide hyaluronique était obtenu à partir de la peau de veau ou de la crête de coq. De nos jours, il est principalement fabriqué par des procédés biotechnologiques.

➢ Les polyphénols : flavonoïdes et anthocyanes

L'action positive de ces agents actifs végétaux secondaires s'avère également très importante en médecine.

• Les polyphénols protègent des infections (airelles), des problèmes cardio-vasculaires (vin rouge), améliorent l'irrigation sanguine (ginkgo) et jouent même le rôle d'inhibiteurs de tumeurs (en cas de leucémie et de cancer du poumon ou du sein). Parmi ces agents actifs préventifs de tumeurs : certains composants du thé vert, l'hypéricine du millepertuis et la quercétine du chêne.

• Le thé vert, la lavande, le raisin noir, le pavot, la rose, les baies, les pensées… toutes ces plantes et beaucoup d'autres contiennent des anthocyanes. Encore plus efficaces que les vitamines C et E pour fixer les radicaux libres, ce sont donc de très bons moyens de protéger la peau et de la garder fraîche et en bonne santé.

Les polyphénols mettent des touches de couleur dans la nature. Ils nous offrent par exemple le rouge des cerises et le bleu noir des myrtilles. On en a recensé environ 5 000 dont l'action est très variable selon les combinaisons.

➢ Les hydratants : le palmarès des cinq meilleurs

La bonne vieille glycérine est la preuve que nouveau n'est pas obligatoirement synonyme de meilleur. Mais l'acide hyaluronique et l'urée lui ont damé le pion et sont devenus les superstars des substances hydratantes. C'est un grand tort !

Le n° 1 : La glycérine (glycérol). Tous les tests chiffrés concordent et confirment que cette substance hydratante est extrêmement efficace.

Le n° 2 : Urea. L'urée vaut la glycérine alors que l'acide hyaluronique si souvent vanté n'obtient de bons résultats qu'en quantité bien supérieure à celle que contiennent les cosmétiques dans leur ensemble.

Le n° 3 : L'acide hyaluronique. Il ne pénètre pas dans l'épiderme mais forme comme un film à la surface de la peau.

Le n° 4 : L'aloès. C'est un hydratant végétal qui a fait ses preuves sur les peaux sèches et abîmées. Ses agents actifs ont été étudiés sous toutes les coutures et les méthodes d'analyse modernes ont permis d'identifier 160 substances différentes (minéraux, ferments, vitamines et acides aminés).

Le n° 5 : Alcools et aminoacides. Les aminoacides, qui font partie des composants de la peau et contribuent à l'hydratation. Mais deux alcools (les propylène glycol et butylène glycol) ont des propriétés hydratantes encore supérieures. Il ne s'agit pas d'alcools simples mais polyvalents (polyols).

Le Sodium PCA, lui aussi, un des principaux composants de la peau, se révèle être un très bon agent de fixation de l'humidité.

LES ACIDES AHA : UNE TORTURE POUR LA PEAU

Les AHA (Alpha-Hydroxy-Acides) ou acides de fruits ont connu leur période de gloire, mais la vague est passée, comme d'autres modes avant elle. C'est une chance car ces acides n'ont de toute façon jamais eu d'efficacité dans les cosmétiques conventionnels.

- Les AHA font partie des kératoplastiques. La kératolyse est le terme technique pour un nettoyage de la peau, permettant de dissoudre la substance hydrolipique qui relie les cellules entre elles. La peau subit donc un peeling massif, une sorte d'abrasion. Seuls les esthéticiennes et les dermato-

logues sont autorisés à utiliser des dosages élevés (les dermatologues pouvant même dépasser les 70 %).
Ces peelings agressifs ne sont ni nécessaires ni conseillés pour une peau normale car, même si les acides sont correctement employés, « ils peuvent provoquer des irritations de la peau, rougeurs, brûlures, sensations de tiraillement, accompagnées d'une forte desquamation » (Raab / Kindl).

Agents actifs raffermissants et renforçants

Conseil pour améliorer l'efficacité d'une crème : comme la chaleur favorise la pénétration des différentes substances dans la peau, l'absorption des principes actifs sera renforcée si l'on place des compresses tièdes sur le visage que l'on vient de crémer. Autre façon d'intensifier ce processus : pratiquer une fumigation avant de passer la crème.

- Les produits vendus sous l'appellation « crème soin minceur », pour raffermir la poitrine ou lutter contre la cellulite, contiennent surtout des agents stimulant la circulation du sang, comme le thé (extrait de thé vert), le piment, le poivre, la centella asiatique (herbe du tigre), le marron d'Inde, la cannelle, le cyprès, le pamplemousse, le cèdre ou l'huile essentielle d'orange. On peut ajouter à cette liste les extraits d'écorce de chêne, de sauge et de romarin.
- Les produits raffermissants font beaucoup de bien à la peau d'autant que, pour les appliquer, on procède chaque jour à de petits massages circulaires.

Mais pour qui a de sérieux problèmes de cellulite, de poids ou de silhouette, un programme sportif est de rigueur. Une amélioration significative passe obligatoirement par le sport et une alimentation saine. Une crème ne peut régler tous les problèmes même si elle peut jouer un rôle dans leur amélioration.

RÈGLE N° 3 POUR LES COSMÉTIQUES NATURELS UNE FORMULATION RICHE EN AGENTS ACTIFS

En étudiant les fiches-produits pour le visage et le corps présentées à partir de la page 242, on constate que dans certains produits conventionnels, les lettres A.A. (agent actif) se font relativement rares. Et même dans les produits où elles apparaissent, c'est la plupart du temps bien à la fin de la liste INCI, en quantité infime, au point que l'on peut parfois se demander si on peut encore leur attribuer le nom d'agent actif. Leur présence semble n'être qu'un alibi permettant de les utiliser comme argument publicitaire (non mensonger puisque ces substances sont réellement présentes dans le produit). Dans les bonnes formules de produits cosmétiques naturels, en revanche, il est d'usage que l'ensemble du produit soit riche en agents actifs et que les composants de la base (huiles ou extraits) soient eux aussi riches en agents actifs. L'efficacité du produit n'en est que renforcée !

Les extraits sont l'âme d'un produit

Les extraits de plantes jouent un rôle fondamental en cosmétologie naturelle, ce qui fait dire à certains qu'ils sont l'âme du produit. Leur fabrication est tout un art et un savoir-faire hérités de la médecine par les plantes. Les extraits sont riches en agents actifs et employés dans presque toute la gamme de produits de soin pour le corps (des crèmes aux shampooings).

Dans les entreprises à orientation anthroposophique « classiques », comme Weleda et Wala, leur fabrication est une « discipline-clé ». Mais même les fabricants plus jeunes comme Sanoflore, Florame et Logona ont fait de leurs extraits maison un symbole caractéristique de leur marque. Logona, par exemple, a mis au point sa propre méthode d'extraction : un mélange d'éthanol, d'eau et de glycérine circulant à travers les fragments de plantes pendant six à huit heures.

Des extraits plus « exotiques » sont venus se joindre aux extraits traditionnels

On trouve des descriptions détaillées sur les effets bénéfiques des extraits, mais une partie de ces écrits ne résiste pas à un examen sérieux. Il ne s'agit pas de remettre en question l'efficacité de ces substances, mais de rappeler qu'ils sont soumis aux mêmes principes que tous les agents actifs des cosmétiques et que seule une alimentation saine et équilibrée peut permettre d'apporter à la peau (par voie interne) les vitamines, oligo-éléments et autres composants dont elle a besoin ! Mais l'un n'empêche pas l'autre et il reste vrai que les extraits aussi jouent un rôle important dans les cosmétiques : selon la plante ou le fragment de plante dont ils sont tirés, ils ont la propriété de raffermir ou d'éclaircir la peau, de stimuler la circulation ou d'affiner le teint.

> **Urtica Dioica (Nettle) Extract (ortie)**

L'extrait d'ortie est le plus souvent employé dans les produits capillaires pour faire briller les cheveux.

> **Calendula Officinalis Extract (calendula)**

L'extrait de fleurs de souci des jardins a fait ses preuves dans les produits de soins pour peaux sèches.

Au Moyen Âge, le calendula était déjà utilisé par la célèbre guérisseuse Hildegarde de Bingen pour le traitement des peaux présentant des impuretés.

> **Cistus Incanus (Cistus) Extract (ciste)**

Il est tiré des feuilles et des branches du Cistus Incanus, un arbrisseau originaire de Grèce.

> **Ginkgo Biloba (Ginkgo) Extract (ginkgo)**

Cet extrait utilisé pour les soins de la peau provient des feuilles du ginkgo. En médecine, on utilise cette plante en cas de mauvaise irrigation sanguine du cerveau, et contre les phénomènes d'acouphène.

> **Chamomilla Recutita (Chamomile) Extract (camomille)**

Ce « calmant » classique, utilisé pour les problèmes gastriques et de peau, est extrait des fleurs de camomille.

> **Malva Sylvestris (Mallow) Extract (mauve)**

Par distillation aqueuse des fleurs de Malva Sylvestris, on récolte l'huile qui remonte à la surface. Quant à l'eau, elle est réintroduite dans le circuit pour être utilisée comme hydrolat.

> **Commiphora Abyssinica (Myrrh) Extract (myrrhe)**

L'extrait de myrrhe est la résine aromatique de l'arbre à myrrhe que l'on a dissoute dans de l'alcool.

- **Rosa Centifolia (Rose) Extract (pétales de rose)**

Sous forme d'huile ou d'extrait, la rose fournit des composants indispensables, surtout pour le soin des peaux mûres.

- **Rosmarinus Officinalis (Rosemary) Extract (romarin)**

On le tire des feuilles et des fleurs du romarin, une plante méditerranéenne.

- **Salvia Triloba (Sauge) Extract (sauge)**

La sauge, plante médicinale classique, se plaît partout en Europe. L'extrait est tiré de ses feuilles.

Si l'on trouve souvent de l'extrait d'euphraise dans les produits pour le contour des yeux, c'est qu'il a la propriété d'apaiser la peau irritée. L'extrait de citrus, lui, affine le grain de la peau, l'extrait de centella raffermit l'épiderme.

- **Euphrasia Officinalis Extract (euphraise)**

L'extrait d'euphraise officinale est souvent employé dans les produits de soins pour les yeux.

- **Hamamelis Virginiana (Witch Hazel) Extrait (hamamélis)**

L'hamamélis ou « noisetier des sorcières » est originaire d'Amérique du Nord et d'Amérique centrale. L'extrait est obtenu à partir de ses feuilles.

- **Spirulina Platensis Extract (spiruline)**

Cet extrait hydratant tiré d'une algue microscopique bleu-vert provient des lacs sodiques de l'Est de l'Afrique.

- **Usnea Barbata Extract (usnée, barbe de Jupiter)**

L'usnée pousse dans les montagnes, sur les écorces d'arbres et les rochers.

- **Vitis Vinifera (Grape) Fruit Extract (raisin noir)**

L'extrait tiré de la peau et des grains du raisin noir contient une oligomère, la procyanidine, à l'action fortement antioxydante. Il joue donc le rôle de capteur de radicaux libres.

➢ **Melia Azadirachta (Neem) Extract (neem)**

Cet extrait a fait ses preuves et permet de garder le cuir chevelu en bonne santé, condition sine qua non pour avoir de beaux cheveux.

La séborrhée est une maladie inflammatoire de la peau qui affecte souvent le cuir chevelu mais peut aussi concerner d'autres parties de la peau. La plupart du temps, les traitements locaux conseillés se révèlent être des solutions alcoolisées !

➢ **Bambusa Vulgaris / Bambusa Arundinacea (bambou) Extract (bambou)**

Les extraits de bambou sont tirés de la racine et des jeunes pousses.

➢ **Nelumbo Nucifera Flower Extract (fleur de lotus)**

Le lotus joue un rôle très important dans la médecine par les plantes en Asie.

➢ **Panax Ginseng (Ginseng) Extract (ginseng)**

L'extrait de racine de ginseng renforce l'irrigation sanguine de la peau.

➢ **Mentha Piperita (Peppermint) Extract (menthe poivrée)**

À partir de la menthe poivrée séchée, on obtient un extrait rafraîchissant qui stimule la circulation du sang.

➢ **Gaultheria Procumbens Leaf Extract (wintergreen, Gaulthérie couchée)**

Elle est originaire d'Amérique du Nord et ses feuilles (qui ont l'aspect du cuir) contiennent une huile essentielle.

➢ **Adansonia Digitata Pulp Extract (baobab)**

Le baobab est un des symboles de l'Afrique. À Madagascar, on en compte jusqu'à sept variétés. Ses feuilles sont consommées également comme légume, en accompagnement ou dans la soupe.

- **Helicrhysum Italicum Extract (immortelle)**

Cette plante herbacée à fleurs pousse en Italie, en France et en Espagne.

- **Hibiscus Esculentus Extract (gombo)**

L'Hibiscus Esculentus (gombo ou okra) est originaire de l'Est de l'Afrique. On le cultive aussi dans le Sud de la France.

- **Cyathea Medullaris Extract (fougère arborescente)**

Avec ses 500 à 600 espèces, la Cyathea est probablement la plus grande famille de fougères arborescentes.

- **Evernia Prunastri Extract (mousse de chêne)**

Elle est récoltée en grande quantité dans le Sud de la France et permet d'obtenir par distillation la fameuse « mousse de chêne » ou « mousse odorante ». En tant que parfum, elle présente un fort potentiel allergène.

- **Althaea Officinalis Root Extract (guimauve)**

La vraie guimauve appartient à la famille des malvacées. Ses racines, fleurs et feuilles sont aussi utilisées à des fins thérapeutiques.

- **Amaranthus Caudatus Seed Extract (amarante queue de renard)**

L'amarante queue de renard, aussi connue sous le nom de blé des Incas, est originaire d'Amérique du Sud. Ses graines comestibles s'achètent en magasins diététiques.

- **Asparagopsis Armata Extract (algue à crochets)**

Elle fait partie de la famille des algues rouges. On la trouve entre autres sur les côtes atlantiques françaises.

➢ **Porphyra Umbilicalis Extract (algues Nori)**

Les algues Nori sont riches en éléments nutritifs. Ce légume de mer est souvent utilisé dans les rouleaux de sushi.

➢ **Aspalathus Linearis Leaf Extract (rooibos / thé rouge)**

En Afrikaans, « rooibos » est le nom d'une infusion obtenue à partir des feuilles et des pousses d'un buisson mesurant environ 1,50 m de hauteur.

Les additifs : BHT et EDTA

Le fait que l'on continue à utiliser dans les cosmétiques des additifs comme le BHT et le Tetrasodium EDTA est regrettable car ce sont des substances auxquelles les fabricants pourraient facilement renoncer s'ils étaient suffisamment sensibilisés au problème (voir page 135). Dans le langage de la cosmétologie, conservateurs (voir ci-dessous) et colorants sont des composants qui comptent aussi parmi les additifs.

Les conservateurs sur la sellette

Avec quoi conserver si l'on ne veut employer ni parabènes ni autres conservateurs de synthèse ? La tâche est ardue pour qui veut renoncer aux conservateurs de synthèse. Certains conservateurs sont beaucoup plus faciles à utiliser que d'autres. En effet, un mélange de phénoxyéthanol et de parabènes permet d'économiser de nombreux tests de stabilité microbiologique : on connaît par expérience leurs effets sur les germes et les bactéries que l'on veut éliminer.

Conserver en douceur : une grande responsabilité

Les systèmes de conservation des cosmétiques naturels sont conçus dans une optique différente. Ils impliquent de bien penser et le contenu et le contenant, ce qui suppose à la fois :
- de choisir des substances qui ont des propriétés conservatrices ;

- de se pencher sur le conditionnement du produit.

Une crème en pot nécessite un autre type de conservation qu'un produit en tube et il est difficile dans ce cas de renoncer aux conservateurs de synthèse. C'est pourquoi on trouve peu de pots dans les rayons de cosmétiques naturels.

Jean-Louis Pierrisnard, directeur recherche et qualité de L'Occitane le confirme, il est nécessaire de jouer à la fois sur les conservateurs et sur le conditionnement. Cité dans *Le Monde,* il déclare : « On ne peut pas faire un bon produit technique sans conservateur chimique. » Cela laisserait à penser qu'il n'envisage pas qu'on puisse faire un bon produit sans conservateur de synthèse, mais il n'en est rien.

Interrogé sur cette déclaration pour les besoins de cet ouvrage, il s'explique : « Pour l'article du *Monde,* je ne parlais pas de tous les produits, mais des crèmes, car les nôtres sont souvent conditionnées en pot de 50 ml et les nombreux essais que nous avons réalisés sans conservateurs de synthèse (listés à l'annexe 6 de la Directive cosmétique) n'ont pas donné satisfaction au niveau de certains germes pathogènes. Nous continuons donc à travailler sur des modifications des formules et, en parallèle, sur de nouveaux contenants comme les tubes ou les flacons avec pompe, pour diminuer les risques de contamination microbienne lors de l'utilisation. »

RÈGLE N° 4 POUR LES COSMÉTIQUES NATURELS
REPENSER LA CONSERVATION

Tous les produits certifiés conformément aux cahiers des charges Ecocert/Charte Cosmébio, BDIH (« Cosmétique Naturel Contrôlé ») ou Nature & Progrès jouent sur les deux tableaux en la matière : d'un côté, sur les substances ayant un pouvoir de conservation, de l'autre, sur l'emballage, c'est-à-dire le choix de contenants qui garantissent que le moins de germes possible puissent venir contaminer le produit au moment de l'utilisation. Les cahiers des charges autorisent quelques conservateurs de synthèse doux : peu de fabricants les utilisent, préférant jouer sur le pouvoir de conservation de certains additifs comme l'alcool ou les huiles essentielles.

Le scepticisme est toujours de rigueur surtout face aux conservateurs

Chaque responsable de service recherche et développement sait qu'il n'existe aucun conservateur qui ne soit pas du tout problématique. Les conservateurs doivent venir à bout des microorganismes et, s'ils y réussissent, ils ont rempli leur fonction. Mais chaque produit qui doit anéantir les microorganismes peut, s'il n'est pas soigneusement dosé, ni suffisamment étudié pour ses éventuels effets secondaires, agresser la peau, voire être dangereux. L'innocuité de chaque conservateur – même naturel – doit être prouvée avant qu'il ne soit introduit dans un produit.

En particulier chez les pionniers de la cosmétologie naturelle, les modes de conservation utilisés sont le fruit de longues années d'expérience et de développement. De nombreuses substances ont été testées en laboratoire – puis abandonnées – jusqu'à ce que des résultats satisfaisants soient atteints.

Si l'on prend les choses au pied de la lettre, il n'existe aucune substance naturelle qui puisse être qualifiée de conservateur. La réglementation sur les cosmétiques autorise seulement l'utilisation de produits synthétiques bien déterminés. Si la conservation est assurée par des substances naturelles, ces matières premières ne doivent avoir qu'une action conservatrice secondaire. Leur fonction principale ne doit pas être la conservation.

Jusqu'en 2004, pratiquement aucune des entreprises à la recherche de nouvelles matières premières naturelles au pouvoir conservateur n'avait eu de succès. Mais soudain, une matière première au nom commercial de Plantservative WSR est arrivée sur le marché et a trouvé de nombreux clients intéressés par ce « conservateur botanique » (voir page 189).

L'examen d'une nouvelle matière première : un chemin long et difficile

Introduire une matière première entièrement nouvelle revient à pénétrer sur un terrain sensible, car il faut vérifier si les indications du fabricant permettent une appréciation exacte de la matière première et si ces indications correspondent à la réalité.

Les fournisseurs de matières premières font ce que toute personne qui veut vendre fait : ils vantent l'efficacité de leur produit. La manière dont le produit est présenté peut déjà éveiller des soupçons.

D'une façon générale, il faut être méfiant quand un fournisseur propose un conservateur qui agit sur toutes les bactéries, les levures et les moisissures. Au niveau médical, il y a plusieurs familles d'antibiotiques qui agissent chacune spécifiquement sur certaines bactéries, et si on veut un spectre plus large, on associe certains antibiotiques entre eux. En cosmétique, on travaille de la même façon, il n'existe pas de conservateur qui agisse sur tous les germes !

La méticulosité avec laquelle une matière première est vérifiée varie d'entreprise à entreprise. Certaines d'entre elles emploient des collaborateurs qui consacrent tout leur temps à rassembler des dossiers sur les matières premières et les produits, et à les gérer (y compris les tests et les évaluations de sécurité). Les experts ne se penchent sur une matière première que si le fournisseur a complètement renseigné le questionnaire qui lui a été fourni. Si le questionnaire est négligé, ce qui n'est pas rare, l'affaire est alors réglée d'office. Par contre, s'il est rempli, une série de mesures est mise en œuvre pour juger si la substance est ou non inoffensive.

Les étapes suivantes consistent à :

- éplucher tout d'abord la littérature scientifique sur le sujet.
- apprécier la nouvelle matière première. On évalue sa consistance et son odeur, par exemple. Chaque élément qui sort de l'ordinaire fournit une pièce de plus au puzzle qui permettra d'estimer cette matière première.
- tester la matière première dans une formulation d'essai. En ce qui concerne les conservateurs, par exemple, il existe des valeurs « standards », fruits de l'expérience. Si les résultats aux tests auxquels a été soumise la nouvelle matière première divergent de ces valeurs de référence, la nouvelle matière première devrait être analysée de façon plus approfondie dans un laboratoire professionnel, et ce par des protocoles et méthodes de recherche différents, jusqu'à ce que sa composition chimique soit précisément établie.

Parfois des talents de détective sont nécessaires

En ce qui concerne la clarification de la composition d'un produit, la qualification scientifique des intervenants n'est pas la seule à entrer en ligne de compte, il y a aussi les savoirs d'expérience. Un directeur recherche et développement qui a déjà découvert de multiples pollutions dans des matières premières censées être pures et naturelles, en sait déjà un peu plus sur les possibilités de tricher pour cacher certaines choses. Il porte généralement une lourde responsabilité, et s'engage personnellement: c'est au responsable du département scientifique d'accorder ou non le laissez-passer aux matières premières et aux produits finis. En cas d'erreur, c'est lui – et non l'entreprise – qui doit répondre personnellement de ses erreurs.

À la recherche des habituels suspects

Pour les fabricants de cosmétiques orientés vers la nature, et surtout pour les fabricants de cosmétiques naturels certifiés, il est particulièrement important de s'assurer qu'une matière première ne contient pas le moindre ingrédient indésirable. Pour supprimer tous les doutes sur l'éventuelle présence d'ingrédients indésirables dans une matière première, il faut les trouver. En ce qui concerne les conservateurs, on peut parler d'une liste des « suspects habituels ».

Face à un extrait naturel qui a une action conservatrice très efficace, il est nécessaire – par principe – de bien vérifier avant de l'utiliser qu'il ne contient aucune substance de synthèse, puisque les fabricants orientés vers les cosmétiques naturels ne peuvent ni ne veulent en aucun cas les utiliser. Un extrait qui a un fort pouvoir de conservation sera soupçonné de contenir des parabènes, du glycol ou du formaldéhyde.

FORMALDÉHYDE : AUTORISÉ PAR LA RÉGLEMENTATION SUR LES COSMÉTIQUES

La réglementation sur les cosmétiques autorise le formaldéhyde à hauteur de 0,10 % (1000 ppm) dans les produits buccodentaires, et de 0,20 % (2000 ppm) dans les autres. Dans les aérosols, le formaldéhyde est interdit car il est nettement plus dangereux de l'inhaler que de le passer sur la peau. Dans tous les cas, le formaldéhyde d'un cosmétique doit être déclaré. Pour les fabricants de produits cosmétiques naturels, ni le formaldéhyde, ni les libérateurs de formaldéhyde ne sont acceptables.

Différentes méthodes de recherche

HPLC, RMN, IR, spectro de masse, CPG, ces sigles sont une énigme pour les non-initiés. Mais pour les experts, ils renvoient à différentes méthodes d'analyse. Les ingrédients cosmétiques peuvent être testés par une série de méthodes. Laquelle est la bonne, et pour quel objectif ?

S'il y a un doute quant à la présence de formaldéhyde, les services de l'État peuvent procéder à des analyses selon une méthode en deux étapes. Jürgen Jung, directeur du département cosmétiques, objets d'utilisation courante et tabac du BBGes (Office fédéral pour la santé de Berlin), décrit ainsi les méthodes d'analyse officielles :

« Pour déterminer, dans le cadre des contrôles administratifs, la présence ou non de formaldéhyde dans les cosmétiques, nous devons appliquer la méthode préconisée par le "Recueil administratif des processus d'analyse" selon le § 64 LFGB (anciennement § 35 LMBG). Il s'agit d'une méthode d'analyse commune à tous les états membres de l'UE, qui a été édictée conformément à l'annexe IV de la directive 82/434/CEE concernant le rapprochement des législations des États membres, et qui est relative aux méthodes d'analyses nécessaires au contrôle de la composition des produits cosmétiques (basé sur l'article 8 de la directive 76/768/CEE – directive cosmétique européenne). La méthode comprend deux phases : utilisation d'une méthode photométrique puis d'une méthode HPLC (chromatographie). Si la méthode photométrique permet de constater que les valeurs limites sont dépassées, il sera nécessaire d'appliquer la méthode HPLC. Dans les cas litigieux, seuls les résultats obtenus avec cette seconde méthode pourront servir de base à une évaluation légale. »

Un cas d'école : Lonicera caprifolium

Le « cas de Plantservative WSR », un extrait de la plante Lonicera Japonica, montre combien il peut être problématique d'introduire un nouveau conservateur. La dénomination INCI pour l'UE est Lonicera Caprifolium Extract (extrait de chèvre-feuille).

Ecocert a autorisé cet extrait et retira l'autorisation en 2006. Que s'est-il passé ? De mois en mois, le doute concernant le caractère purement naturel de cet extrait grossissait. C'est surtout le fait que plusieurs des analyses de laboratoire réalisées aient montré des taux de formaldéhyde non négligeables qui déclencha la nervosité. Le fabricant de l'extrait fut prié de répondre à des questions restées ouvertes sur la composition exacte de l'extrait. Ces demandes restèrent sans réponse.

Où en est-on actuellement ? Ecocert attend l'évaluation de la matière première par la DGCCRF (Direction générale de la concurrence, de la consommation et de la répression des fraudes) et l'AFSSAPS (Agence française de sécurité sanitaire des produits de santé). Tant qu'il n'a pas été validé par elles, Plantservative WSR ne peut recevoir l'autorisation.

ECOCERT CERTIFIE DES MATIÈRES PREMIÈRES

Ecocert certifie des matières premières, ce qui n'est pas le cas du BDIH (Allemagne). Ces politiques d'autorisation différentes s'expliquent elle-même par le caractère différent de chacune de ces organisations. Contrairement au BDIH, Ecocert est avant tout un organisme de certification. En ce qui concerne les conséquences, chaque politique a ses avantages et ses inconvénients. Inconvénient de la politique du BDIH pour les fabricants de cosmétiques : ils portent seuls la responsabilité qu'une matière première corresponde aux exigences du cahier des charges du BDIH. L'inconvénient pour le BDIH : le travail de contrôle, car le BDIH doit vérifier tous les documents présentés par le fabricant pour les matières premières qu'il utilise. Si l'on constate a posteriori que les documents étaient incomplets ou faux, c'est le seul fabricant du produit qui est responsable.

Ecocert, lui, s'épargne ce contrôle des documents pour les matières premières qu'il a déjà autorisées. L'avantage de la politique Ecocert pour les fabricants de cosmétiques : s'ils utilisent des matières premières autorisées par Ecocert, ils ne prennent pas de risque. Mais, comme le cas Lonicera Caprifolium le montre, il y a des limites au système. S'il y a des problèmes avec une matière première autorisée, les fabricants aussi en subissent les conséquences (reformuler des produits).

Fabricant – fournisseur – client : une relation difficile

Les clients qui n'achètent que de petites quantités ne sont pas en position de force face aux fabricants et aux distributeurs. Un gros client, lui, a la part plus belle pour imposer ses exigences. Cependant, même les petits clients doivent trouver un moyen de respecter la législation et de pouvoir garantir que leurs produits sont suffisamment sûrs.

- Il est souvent difficile, par exemple, d'obtenir des fabricants et distributeurs des informations sur la composition exacte des mélanges tout prêts. Et pourtant, ces informations sont indispensables pour pouvoir déclarer correctement les ingrédients contenus dans le produit.
- Il peut être encore plus difficile d'obtenir des informations sur une nouvelle matière première, car certains fabricants refusent de donner des informations, s'abritant derrière la protection du secret industriel. Si l'on veut obtenir la divulgation de toutes les informations, il est possible de passer par les autorités responsables car, face à elles, l'argument secret industriel ne fonctionne plus et le fabricant est tenu de leur donner toutes les réponses. Mais l'expérience montre que c'est un chemin très laborieux.

Une matière première ne doit pas rester « mystérieuse »

L'histoire du conservateur Plantservative WSR nous renvoie à des questions fondamentales.

1. Question : peut-on employer une matière première dont on ne sait pas excatement de quoi elle est composée ? La réponse est un non très clair.

Ne serait-ce que pour des raisons juridiques, la transparence est de rigueur en ce qui concerne les matières premières que l'on souhaite employer dans les cosmétiques. La réglementation concernant la déclaration INCI précise en effet que tous les composants de la matière première doivent être indiqués. Par exemple, si pour un extrait de calendula, l'extraction a eu lieu avec de l'eau, de l'éthanol et de la glycérine, ces quatre ingrédients doivent apparaître dans la liste INCI : Aqua (eau), Glycerin, Alcohol et Calendula Officinalis (souci des champs). C'est-à-dire que pour pouvoir respecter la loi, un fabricant de cosmétiques doit savoir précisément ce que contient une matière première et dans quelles proportions.

2. Question : quelles conséquences vont être tirées de ce cas ? Est-ce qu'à l'avenir les contrôles vont être renforcés en amont, avant même qu'une matière première ne puisse être utilisée?

En Allemagne, en 1996/1997, le « scandale des pépins de pamplemousse » a fait la Une des journaux. À cette époque, un extrait dangereux pour la santé, mélangé à une forte dose de chlorure de benzéthonium, était présenté comme une « substance miracle ». Les conséquences de l'affaire furent durables comme le montre la méfiance régnant à l'encontre des nouvelles matières premières.

Conséquence du scepticisme accru, des initiatives comme par exemple les questionnaires détaillés à remplir par un fabricant. Et en cas de soupçons, des analyses sont demandées pour apporter des éclaircissements sur cette matière première. À propos d'analyse, on peut se poser aussi d'autres questions:

3. Question : quelles méthodes d'analyse faut-il employer et à quel moment faut-il agir ?

Le cas Lonicera a clairement montré qu'en France d'importants acteurs concernés n'ont pas seulement mis en doute mais refusé la méthode d'analyse de l'UE pour rechercher le formaldéhyde. L'argument : la méthode serait désuète et entraînerait des résultats positifs erronés en ce qui concerne le formaldéhyde.

En principe, un scientique ou une entreprise ont le droit de remettre en question les méthodes d'analyses officielles et de s'engager à l'introduction de nouvelles méthodes. Mais ces nouvelles méthodes ne sont valables que si elles ont été validées comme pouvant permettre d'atteindre l'objectif fixé.

Vu par le consommateur, la question de savoir quelles méthodes sont acceptées est une question importante.

En matière de formaldéhyde, le très influent magazine de consommateurs allemand *Öko-Test* ne connaît aucun pardon. Les analyses que le magazine fait faire sont effectuées par méthode photométrique, première étape de la méthode de mesure de l'UE.

Si l'analyse dévoile un taux de formaldéhyde dépassant 0,002 % (20 ppm), le produit est mal noté. La limite se situe entre 10 et 20 ppm car le formaldéhyde peut aussi se trouver dans la nature (en quantité infime, il est vrai).

Question importante : attendre ou agir ?

La comparaison avec les réalités allemandes vise uniquement l'objectif d'attirer l'attention sur la nécessité de la critique et des contrôles. La cosmétologie naturelle doit, comme tout autre secteur économique, être prête à répondre à des questions critiques ou à accepter un accompagnement critique par les médias et les associations de consommateurs.

Du point de vue du consommateur, il est inacceptable qu'une substance sur laquelle pèsent des doutes importants, comme c'est le cas de Plantservative WSR, ait pu être aussi longtemps employée, qui plus est dans des produits cosmétiques naturels. Si les résultats des analyses menées selon les méthodes habituelles avaient été acceptés – ce que certains fabricants ont fait et qui les a conduits à renoncer à ce nouveau conservateur – des produits contenant Plantservative WSR auraient pu être retirés du marché bien plus tôt.

Le cas Lonicera a une fois de plus montré que la conservation des produits cosmétiques naturels est un challenge très complexe. Il n'y a pas de chemin facile permettant d'obtenir une bonne conservation, mais seulement un ensemble de moyens et de mesures bien orchestrés.

« Sans conservateur », la formule prête à confusion

Aucun cosmétique contenant de l'eau ne peut être préservé sans conservateur. Une crème ou un lait pour le corps portant la mention « sans conservateur » garantit seulement qu'aucune substance répertoriée en tant que telle n'est contenue dans le produit. Mais il y a obligatoirement conservation. Et ce par l'intermédiaire de composants qui jouent un double rôle dont celui de conservateur (comme c'est le cas de l'alcool ou des huiles essentielles).

Jean-Louis Pierrisnard se montre très critique vis-à-vis de ces ingrédients qui « ne sont peut-être pas exempts de reproches au niveau toxicologique et manquent d'évaluations toxicologiques sérieuses. L'alcool utilisé par certaines entreprises à fortes doses dérègle le mécanisme de la cellule et peut entraîner des séborrhées réactionnelles, ce qui est aussi problématique. De plus il détériore le film protecteur hydrolipidique de l'épiderme. »

Attention : en ce qui concerne l'alcool, il faut faire la distinction entre les conséquences d'un abus de consommation et celles engendrées par sa présence dans les cosmétiques.

On connaît les conséquences néfastes de l'alcoolisme sur les cellules du foie. Celui-ci se met à grossir, puis ses cellules, endommagées, sont remplacées par du tissu cicatriciel volumineux : c'est la cirrhose. L'abus d'alcool n'agit pas seulement sur le foie mais sur tous les organes (dont la peau).

Ce même alcool est un ingrédient classique des cosmétiques. On le trouve en concentration particulièrement importante (40 à 50 %) dans les après-rasages et les déodorants, où il joue un rôle désinfectant. Mais il faut tenir compte du fait que seule une petite dose de produit est utilisée à chaque application, et que de ce fait, la quantité absorbée est répartie sur plusieurs semaines.

- Les formules de lotions pour le visage dépendent des types de peaux. Leur taux d'alcool est généralement élevé, mis à part dans les produits pour peaux sèches et sensibles, en principe exempts d'alcool (si le fabricant est consciencieux...).
- L'utilisation de l'alcool comme produit de conservation dépend de chaque marque. C'est la liste INCI qui permet de voir dans quelle mesure le fabricant d'un produit mise ou non sur cet ingrédient (voir fiches-produits page 241).

Ce qu'il faut retenir : contrairement aux modes de conservation des cosmétiques conventionnels, la conservation par l'alcool ou les substances odorantes (huiles essentielles, voir page 184) a fait la preuve depuis de longues années qu'elle était douce et fiable.

De récentes recherches montrent que les flavonoïdes du vin rouge diminuent le risque d'infarctus. Les médecins conseillent cependant une consommation modérée, car l'alcool entraîne une diminution plus rapide du taux de flavonoïdes dans le sang.

Un demi-litre de bière (4 %) contient environ 20 g d'alcool pur (éthanol). La plus grande partie de cet alcool arrive via le système sanguin dans le foie, où il sera dégradé.

La garantie de conservation : tout dépend du contrôleur

Chaque fabricant de cosmétiques a le droit de développer ses propres systèmes de conservation. La réglementation exige cependant que des évaluateurs de sécurité expertisent et évaluent chaque produit d'un point de vue toxicologique. Leur intervention est primordiale puisqu'ils sont chargés d'empêcher l'emploi de nouveaux ingrédients suspects. Cela peut concerner aussi les substances naturelles si leur profil toxicologique n'est pas transparent.

Par ailleurs, se pose le problème du dosage. À haute dose, des substances synthétiques comme le pentylène glycol (un hydratant) ont un bon pouvoir de conservation, et on pourrait être tenté de les utiliser dans ce but. Mais, que la substance soit naturelle ou synthétique, point trop n'en faut.

Une position-clé, celle d'évaluateur de la sécurité

Le choix des ingrédients employés est de la responsabilité du fabricant, mais pas seulement. L'évaluateur de la sécurité porte, lui aussi, une grande responsabilité, celle de la pertinence des contrôles qu'il effectue. Ses connaissances en toxicologie vont être sollicitées, surtout pour les substances « à usage détourné ». Ainsi, un fabricant de produits naturels peut choisir d'utiliser du thymol en concentration élevée pour conserver un produit. Avec les conséquences catastrophiques que l'on connaît dans la mesure où, à dose élevée, cet ingrédient s'avère très allergène.

Un produit contenant trop de thymol, ou tout autre ingrédient inconnu, doit être bloqué par l'évaluateur de la sécurité et n'être autorisé à la vente qu'à partir du moment où les données récoltées sont suffisantes pour confirmer son innocuité.

Les lois de protection du consommateur constituent un arsenal impressionnant mais, malheureusement, leur application pratique se révèle être une tout autre affaire. En France, il serait bon, dans le cadre de la discussion actuelle sur la sécurité des produits cosmétiques, de mettre à l'ordre du jour le problème de l'intensité des contrôles auxquels procèdent les évaluateurs de sécurité.

Les grandes entreprises font souvent travailler leurs propres toxicologues. Cela ne signifie pas pour autant que les évaluateurs de la sécurité soient placés dans une relation de dépendance patron-employé. Ils bénéficient en règle générale d'un contrat spécifique, leur conférant suffisamment d'indépendance pour pouvoir dire « non » quand il est nécessaire de le faire, et la plupart d'entre eux le font à la hauteur de ces exigences.

Les petites entreprises, elles, chargent des toxicologues libéraux ou des experts ayant une qualification de toxicologue, de cette évaluation de la sécurité. Il semblerait cependant que toutes ne soient pas au courant de l'obligation de faire appel à ce genre de professionnel. De plus, cette démarche requiert beaucoup d'énergie puisqu'il n'est pas rare qu'il faille fournir trois ou quatre dossiers bien détaillés pour un seul produit.

Comment expliquer que, malgré ces contrôles préventifs, de nombreux cosmétiques soient sujets à critique ? C'est très simple : l'évaluation de la sécurité se base sur la réglementation en vigueur, laquelle autorise pour les cosmétiques beaucoup de substances considérées dans ce livre comme problématiques.

Shampooing et coiffage

Pour les produits de soins du corps et des cheveux aussi, la même question fondamentale se pose : quelles matières premières le fabricant a-t-il utilisées ? Dans le domaine des produits de toilette (gels-douche et shampooings), ce sont les substances lavantes (tensioactifs) qui font toute la différence entre les produits conventionnels et les produits naturels.

Les soins capillaires et les produits de styling pour les cheveux représentent un marché colossal. Et pourtant (contrairement à ce que l'on voudrait nous faire croire), aucun produit cosmétique ne peut réparer, voire guérir, des cheveux abîmés. La chevelure est un matériau inerte en plus ou moins bon état, mais on ne peut en aucun cas parler de cheveux en bonne ou en mauvaise santé.

Shampooings et produits de douche

Dans le tintamarre publicitaire organisé autour des shampooings et des gels-douche, on se préoccupe peu de l'objectif premier de ces produits, qui reste de nettoyer. On fait son beurre avec les prétendues nouvelles formules de soin ou les agents actifs de toute sorte. Rien n'est trop beau : les vitamines, les huiles naturelles et les fruits, de l'orange à la pomme. Peu de shampooings ne surfent pas sur la vague écologique en promettant à qui veut l'entendre d'être doux et naturels. Et pourtant, les mentions « à l'huile d'amande », « aux agents actifs de citron » ou « biodégradable » ne nous renseignent pas (ou si peu) sur la qualité réelle du produit. Ce n'est pas un peu d'huile d'amandes qui va rendre un shampooing doux, ce sont les tensioactifs employés qui font toute la différence !

- Les shampooings sont les cosmétiques les plus vendus. Leur fonction première est de nettoyer les cheveux et le cuir chevelu, de les débarrasser de la saleté, du sébum et des résidus des produits de coiffage. Mais on attend beaucoup plus encore d'un shampooing : non seulement les cheveux doivent être propres, mais ils doivent aussi briller, être faciles à coiffer et si possible gagner en vitalité. Et, bien évidemment, le shampooing doit également bien mousser, se rincer facilement et ne pas piquer les yeux!
- De même, les gels-douche doivent à la fois nettoyer, soigner et parfumer, tout en laissant une sensation de douceur sur la peau.

➢ Des jumeaux : les shampooings et les produits de douche

En matière de shampooings naturels, la différence de prix s'explique souvent par le mélange de tensioactifs employés, ceux véritablement doux étant bien plus chers que les autres.

En ce qui concerne la composition, shampooings et gels-douche sont pour ainsi dire jumeaux, dans la mesure où ils sont constitués en grande partie des mêmes composants : eau, tensioactifs et épaississants.

- Depuis toujours, on utilise des tensioactifs et co-tensioactifs doux ou durs. Les adjectifs « doux » et « durs » ne nous renseignent pas sur la qualité du lavage. Les tensioactifs doux modernes nettoient parfaitement bien même s'ils ne moussent pas beaucoup (la mousse ne révèle en rien la qualité de lavage).

Il faut savoir que, quel que soit le nombre d'ingrédients d'un shampooing ou d'un gel-douche, l'eau et les tensioactifs représentent plus de 90 % du produit. Certaines substances lavantes étant agressives pour la peau, le choix à l'achat devrait toujours être déterminé par les tensioactifs qu'il contient (voir nos fiches-produits à partir de la page 242).

Les tensioactifs

C'est aux fabricants de cosmétiques naturels que nous devons le développement et l'utilisation de tensioactifs doux. Mais malgré cette évolution, ces ingrédients restent toujours un sujet sensible. Ils sont généralement classés en trois groupes, selon leur « dureté » et le potentiel allergène correspondant.

• Les tensioactifs cationiques, employés dans les shampooings pour cheveux secs (afin d'éviter le chargement électrostatique) et pour leurs propriétés antibactériennes, se révèlent très irritants.
• Les tensioactifs anioniques s'avèrent plus doux que les précédents (Sodium Laureth Sulfosuccinate, par exemple)
• Les tensioactifs amphotères (comme le Cocamidopropyl Betaïne) sont encore un peu plus doux.
• Les tensioactifs non ioniques, obtenus à partir de matières premières renouvelables (les cocoglucosides, par exemple), paraissent particulièrement doux pour la peau. Comparés au Sodium Lauryl Sulfate, lui aussi non ionique, les alkylpolyglycoside (APG ou tensioactifs de sucre) sont nettement moins allergènes. Ils sont élaborés à partir de saccharose, de glucose et d'amidon.
• Les acylglutamates, encore plus doux pour la peau, se font encore rares dans les produits de soins pour le corps en raison de leur prix élevé.

Lorsque l'on se trouve face à un mélange de tensioactifs (comme le mélange très courant, Laureth Sulfate de Sodium voire Lauryl Sulfate d'Ammonium et Cocamidopropyl Betaine), la liste INCI n'indique pas la proportion de chacun dans le produit. Il est donc impossible de savoir si ce mélange est peu ou très irritant. Par conséquent, les seuls produits offrant une réelle garantie sont ceux qui ne contiennent que des tensioactifs non irritants.

Cette classification n'est qu'une première indication. En réalité, il y a des tensioactifs plus ou moins « durs » parmi les tensioactifs « durs », et des différences de degré dans la douceur des tensioactifs doux.

Dans la plupart des produits, les tensioactifs sont mélangés, ou le tensioactif est lui-même un mélange, comme par exemple le Sodium Cocomonoglycéride Sulfate, un hybride constitué d'APG et d'un tensioactif anionique. Sa base végétale est composée d'huile de coco et de glycérine, il mousse bien et est parfaitement biodégradable.

➢ Naturels mais pas doux pour autant : le lauryl sulfate de sodium et le lauryl sulfate d'ammonium

Le lauryl sulfate de sodium et le lauryl sulfate d'ammonium, deux tensioactifs utilisés dans les dentifrices, les shampooings et les gels-douche, illustrent bien que « qui dit naturel ne signifie pas automatiquement bon pour la peau ».

Le lauryle provient de l'acide laurique (dans les huiles de coco ou de noyau de palmier). Quant au sulfate, c'est un composant anorganique. Le fait d'être naturelles n'empêche pas ces deux substances d'être hautement allergènes.

Le lauryl sulfate est une des substances-test préférées des dermatologues dans la mesure où bon nombre de personnes y sont allergiques. Le fait qu'on le trouve malgré tout dans des produits cosmétiques dont certains sont naturels s'explique probablement par son prix modique.

Qu'ils soient utilisés isolément ou sous forme de systèmes, les tensioactifs doivent être soumis à des tests permettant de savoir s'ils sont ou non bien supportés par la peau. Le plus courant est le test sur globules rouges (RBC - Red Blood Cell Test). Il est pratiqué in vitro (en laboratoire) sur des globules rouges isolés sur lesquels on fait tomber des gouttes de solution diluée de tensioactif. En observant à partir de quelle concentration les cellules meurent, cela permet de déterminer l'effet de la substance sur les yeux et les muqueuses. Le résultat obtenu fournit un indicateur de l'effet irritant.

Nous avons 300 à 900 cheveux par cm^2. Leur durée maximale de vie est de 5 ans et ils peuvent atteindre 60 cm. Les cils, eux, ont un cycle de croissance compris entre 100 et 150 jours.

Les sulfates apparaissent comme les tensioactifs les plus agressifs. Il faut cependant bien étudier chaque substance car la longueur de la chaîne d'acides gras a beaucoup d'importance. Plus elle est courte, plus le tensioactif est irritant. Avec le lauryle (C12) commencent les tensioactifs à chaîne courte. En matière d'acceptabilité, le type de sel, donc le cation, joue aussi un rôle. Le sodium, par exemple, est moins bon que l'ammonium, le magnésium se révèle être le meilleur. Lors du test RBC, les cellules ne meurent jamais en présence des acylglutamates, les meilleurs tensioactifs actuellement présents sur le marché.

RÈGLE N° 5 POUR LES COSMÉTIQUES NATURELS
UNIQUEMENT DES TENSIOACTIFS D'ORIGINE VÉGÉTALE, MÊME S'ILS NE SE VALENT PAS TOUS

Dans les produits cosmétiques naturels, il est d'usage d'employer des tensioactifs doux, d'origine végétale, mais, selon les fabricants, ils ne sont pas tous de même qualité. Les plus doux parmi les doux sont les acylglutamates, des tensioactifs coûteux que l'on trouve beaucoup plus rarement que leurs concurrents bon marché. Les produits dans lesquels les tensioactifs se taillent la part du lion (shampooings, gels-douche) méritent qu'on prenne le temps de comparer les mélanges de tensioactifs très divers que les fabricants de cosmétiques naturels utilisent.

Lauryl sulfate de sodium et lauryl sulfate d'ammonium : comment se fait-il qu'ils soient autorisés dans des produits certifiés ?

Les produits contenant des tensioactifs (les shampooings tout particulièrement) placent les fabricants de cosmétiques naturels devant un réel problème de conscience : en effet, le consommateur attend d'un shampooing qu'il produise une belle mousse (même si la qualité du lavage n'est pas en rapport avec son importance). Et comme les tensioactifs durs moussent mieux que les doux... et que l'incidence sur le prix n'est pas non plus négligeable...

Qu'autorisent et qu'interdisent les organismes certificateurs des cosmétiques bio ? La décision est souvent le résultat d'âpres discussions, chaque fabricant essayant de faire accepter ses matières premières. Les cahiers des charges et la liste positive du BDIH (les ingrédients autorisés) sont continuellement adaptés aux nouvelles donnes.

Lorsqu'un nouveau fabricant veut obtenir une certification, il n'est pas rare de voir la liste des produits autorisés s'allonger. Pour certaines matières premières, tout se joue sur un fil, car qui dit d'origine naturelle ne dit pas obligatoirement bon pour la peau.

Les cahiers des charges de Ecocert/Charte Cosmébio et du BDIH « Cosmétique Naturel Contrôle » ont un point en commun : les tensioactifs autorisés par ces deux organisations sont d'origine végétale. Cela ne signifie pas pour autant qu'ils soient tous bons ou produisent le même effet sur la peau.

- Ainsi Ecocert/Charte Cosmébio autorise le lauryl sulfate de sodium et le lauryl sulfate d'ammonium, pourtant très irritants pour la peau.
- Le BDIH lui aussi a dernièrement autorisé un sulfate, le cocoylsulfate de sodium, comparable au lauryl sulfate. Cependant, comme sa chaîne d'acides aminés est un peu plus longue, il est mieux supporté que le lauryl sulfate de sodium pur.

Les cosmétiques bio ou naturels certifiés contiennent des tensioactifs ou des systèmes de tensioactifs plus ou moins doux, ou plus ou moins irritants. Le consommateur qui veut être sûr d'utiliser un shampooing doux doit donc se faire une opinion sur les produits afin de pouvoir choisir en connaissance de cause.

COMMENT RECONNAÎTRE LES TENSIOACTIFS VRAIMENT DOUX?

Les **tensioactifs dérivés du sucre** font partie des plus doux. Ils sont aussi appelés alkylpolyglucosides (APG). On les reconnaît au mot « Glucoside » :

- Coco Glucoside
- Decyl Glucoside
- Lauryl Glucoside

Les **acylglutamates** sont particulièrement doux. À base d'acides aminés, on les reconnaît au mot « Glutamate » :

- Sodium Cocoyl Glutamate
- Disodium Cocoyl Glutamate
- Sodium Lauroyl Glutamate

C'est l'ensemble de la formule qui a son importance

Après un bain d'huile de coco, la peau devient douce et soyeuse, et exhale un parfum exotique sucré. Comme cette substance crémeuse passe à l'état liquide à 23°, vous pouvez la faire tiédir avant l'emploi.

Dans les produits de toilette comme les shampooings et les gels-douche, on rencontre souvent une combinaison de différents tensioactifs, ce qui rend très difficile l'appréciation de la qualité. Les lauryl sulfates purs, par exemple, sont irritants. Mais l'effet d'un produit sur la peau dépend de la combinaison des ingrédients, car on peut y trouver des tensioactifs doux ou autres substances adoucissantes qui diminueront considérablement son action agressive.

Ainsi, le Cocamidopropyl bétaïne réduit l'effet irritant d'autres tensioactifs (voir dessin). S'il représente 80 à 90 % du mélange, l'action agressive du laureth sulfate de sodium sera très atténuée et le produit pourra être qualifié de « légèrement irritant ». S'il ne représente que 40 % du produit, le potentiel irritant sera nettement plus important.

Un shampooing contient généralement 80 à 90 % d'eau. Viennent ensuite les tensioactifs, et les 3 % restants sont composés d'agents actifs, de parfums, de colorants et de conservateurs.

Selon le cahier des charges du BDIH « Cosmétique Naturel Contrôlé », le Cocamidopropyl bétaïne n'est pas autorisé dans les produits naturels, car la partie « propyl » est un dérivé du pétrole. L'action adoucissante de ce tensioactif peut être obtenue avec d'autres substances comme les acylglutamates. En revanche, Ecocert/Charte Cosmébio l'autorise.

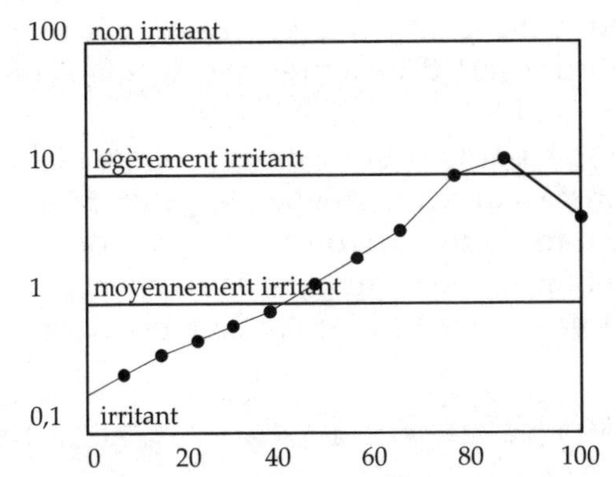

Taux de TEGO® bétaine F50 (Cocamidopropyl Betaine) dans le mélange de tensioactifs (en %)

La peau est habitée par de nombreuses bactéries de toutes sortes, qui vont et viennent. Seules certaines d'entre elles y ont élu domicile fixe. Elles se nourrissent par exemple de glycérol et d'acides aminés, et transforment cette nourriture en substances qui empêchent la formation de micro-organismes comme les moisissures. La microflore de la peau est une protection très sophistiquée et très efficace de l'épiderme.

Les tensioactifs réellement doux ont un prix

Quand on se penche sur les prix, on comprend mieux pourquoi les shampooings contenant uniquement des tensioactifs doux sont plus chers que les autres : ces substances coûtent, pour les meilleures d'entre elles, jusqu'à 16 fois plus cher que des composés irritants comme le lauryl sulfate de sodium.

En étudiant les formules de shampooings de divers fabricants, on note des différences significatives. Les fabricants qui emploient les plus doux et les plus chers des tensioactifs (l'acylglutamate combiné à des tensioactifs de sucre) restent l'exception, mais ils existent. Il serait souhaitable que le recours à cette nouvelle génération de tensioactifs doux se généralise tant pour des raisons de santé que pour des considérations écologiques. Si vous voulez savoir ce que chaque fabricant a choisi d'utiliser, reportez-vous au tableau page 272.

Les agents actifs dans les produits de soins pour le corps

Les gels-douche, bains moussants et shampooings peuvent-ils aussi être des produits de soins ? On en doute (même si ces produits se vantent de contenir des agents actifs soignants) lorsque l'on considère les tensioactifs agressifs pour la peau qu'ils contiennent. Choisir dès le départ des tensioactifs et co-tensioactifs doux est la meilleure garantie pour le bien-être de la peau et du cuir chevelu.

• Si un gel-douche contient des tensioactifs peu adaptés à l'épiderme, à quoi sert d'y ajouter des agents actifs pour soigner la peau ?
• Certains regraissants sont destinés à atténuer l'action asséchante des tensioactifs et à soigner la peau. Mais leur action reste illusoire dans la mesure où la plus grande partie du produit est rincée. En fin de compte, le seul moyen de ménager la peau est d'employer une base et des co-tensioactifs doux.

L'alternative au bain moussant : l'huile de bain

Comment faire qu'un bain soit un bon soin pour la peau ? Il suffit d'utiliser une huile de bain. Celles qui flottent à la surface de l'eau ne contiennent pas d'émulsifiant et ne sont pas prévues pour laver. Une petite douche est donc conseillée avant de plonger dans la baignoire. Ces huiles forment un film bénéfique sur l'épiderme, mais risquent aussi de laisser des traces sur les vêtements. On peut aussi utiliser des huiles essentielles rendues hydrosolubles par des tensioactifs.

Le bon shampooing

Qui n'a pas de problèmes de cheveux ! Mais cela révèle généralement un problème de cuir chevelu. Si celui-ci produit trop peu de sébum, les cheveux sont secs et poreux. Mais si les glandes sébacées tournent en sur-régime, les cheveux sont gras. La sécrétion de sébum est avant tout réglée de manière hormonale et les shampooings n'ont que peu d'effet sur elle. Mais cela n'empêche pas qu'il est important de choisir le bon shampooing.

La première chose à faire si les cheveux sont abîmés est d'en rechercher la cause. Les coupables sont souvent les traitements chimiques comme la permanente ou les colorations, sans oublier une mauvaise alimentation ou des expositions abusives au soleil.

• Un cuir chevelu sec a besoin de substances lavantes douces qui n'attaquent pas la production de sébum déjà trop faible.
• Si les cheveux sont gras, on pourrait croire qu'il faut employer des tensioactifs plus durs pour limiter la production de séborrhée. C'est un mauvais calcul car un traitement drastique assèche brutalement la peau qui réagit par une augmentation de la production des glandes sébacées. C'est l'inverse de l'effet souhaité.

Pour respecter les états changeants et complexes de la peau et du cuir chevelu, les shampooings contiennent une base, des regraissants (censés équilibrer l'assèchement provoqué par les tensioactifs) et des agents actifs.

Les bons agents actifs pour chaque type de cuir chevelu

Cheveux secs :

- Le panthénol, les extraits de plantes comme l'ortie, le souci des jardins (calendula), les protéines de soie, la bétaïne extraite de la betterave à sucre constituent de bons agents actifs pour cheveux secs.
- Le panthénol aide la tige capillaire à retenir l'humidité, empêchant ainsi le dessèchement du cheveu.
- La vitamine H (biotine) est importante ; elle doit être apportée surtout par l'alimentation : lait, jaune d'œuf ou levure sont de vrais produits de beauté pour la peau, les ongles et la chevelure.
- Les protéines de soie gainent les cheveux, ce qui facilite leur coiffage.

Cheveux gras :

Les tanins, que l'on trouve par exemple dans les extraits de romarin ou d'écorce de chêne, donnent une légère rugosité aux cheveux, empêchant ainsi qu'ils ne se plaquent les uns aux autres.

Pellicules :

L'acide salicylique ou le soufre (pour détacher les pellicules) sont souvent employés avec la piroctone olamine dans les cosmétiques conventionnels. Mais une telle action antibactérienne n'est pas sans poser problème. La piroctone olamine ne doit pas dépasser 1 % dans les produits destinés à être rincés.

- L'un des agents actifs les plus anciens utilisé dans le combat contre les pellicules est le pyrithione de zinc (toxicologiquement suspect), autorisé uniquement dans les produits à rincer immédiatement.
- L'acide fumarique est un acide de fruit efficace contre les infections dermatophytiques (champignon de la peau). C'est donc une bonne substance contre les micro-organismes qui déclenchent les démangeaisons pelliculaires.

Les shampooings conditionneurs pour cheveux secs contiennent des tensioactifs cationiques qui empêchent que la chevelure se charge négativement, mais ont l'inconvénient d'irriter le cuir chevelu.

Les goudrons de genièvre, qui ne sont pas toxiques, ont malheureusement pâti de la discussion concernant les goudrons car le consommateur ne les distingue pas des goudrons de houille problématiques. C'est bien dommage car ce sont de bons agents actifs antipelliculaires.

Si l'on a énormément de pellicules, un shampooing antipelliculaire ne nous apporte pas de grand soulagement. Le problème est du ressort du dermatologue qui dispose, pour lutter contre les microbes et l'inflammation chronique du cuir chevelu, d'agents actifs d'une toute autre nature que ceux autorisés en cosmétologie.

LES CHEVEUX GRAS AUSSI S'EN TIRENT MIEUX AVEC DES TENSIOACTIFS DOUX

Au fond, la différence entre un shampooing pour cheveux normaux et un pour cheveux gras réside dans la quantité de tensioactifs employés. La composition du mélange doit être telle que le cheveu soit bien lavé, mais en douceur, de façon à ne pas relancer la production de sébum. Quand on a les cheveux gras, le sébum ne descend pas de la racine vers la pointe comme on aurait tendance à le croire, mais se répand par contact des cheveux entre eux. C'est pourquoi une permanente légère ou un lavage au rhassoul donnent de bons résultats : les cheveux devenus un peu plus rugueux en surface gardent une certaine distance les uns par rapport aux autres.

Produits de styling pour la coiffure

L'efficacité des soins traitants, comme les démêlants par exemple, s'explique par le fait que les tensioactifs cationiques entourent le cheveu dont la structure est abîmée et y restent accrochés malgré le rinçage. Ils peuvent ainsi résister à plusieurs lavages. Voilà pourquoi, si on les emploie trop souvent, les couches se superposent et les cheveux s'alourdissent et se plaquent.

Donner plus de volume à la chevelure, avoir des cheveux soyeux faciles à démêler après le shampooing... les exigences du consommateur sont faciles à satisfaire pour qui emploie les grands moyens, en l'occurrence la mallette du parfait chimiste. Et la cosmétologie conventionnelle ne s'en prive pas ! Elle utilise chaque fois qu'il le faut des composés d'ammonium quaternaires (quats et polyquats) et dispose de centaines de silicones permettant d'obtenir des effets spéciaux supplémentaires.

Cure, démêlant ou masque ? Sur le principe, tous ces produits se valent

Les soins traitants (ou conditionneurs) existent sous de multiples formes : démêlants, masques capillaires, cures, laits, cires ou crèmes. Les masques, par exemple, ne sont rien de plus que des démêlants plus épais qu'on laisse poser sur les cheveux pour obtenir des résultats plus probants.

Comment agissent ces produits? Les cheveux en bon état sont beaux et lisses car leurs fibrilles (longs fils cellulaires) sont protégées par une couche écailleuse. Si celle-ci est endommagée, les cheveux deviennent rugueux et secs. Lorsque les fibrilles s'effilochent à l'extrémité, on dit qu'ils fourchent.

Les soins traitants ne modifient en rien le cheveu, ils ne font que l'entourer d'un mince film à l'intérieur duquel il reste en mauvais état. Imaginez une corde rugueuse recouverte de silicone. Elle paraît plus lisse et a meilleure allure qu'auparavant ce qui, vu de l'extérieur, est un progrès. Mais à l'intérieur, la corde (ou le cheveu) est toujours aussi abîmée. En réalité, seul un cheveu qui repousse peut être considéré comme sain.

Protection des cheveux : de grandes différences parmi les produits

Les soins traitants se différencient par leur composition : le gainage peut être obtenu à partir de produits chimiques de synthèse ou de substances naturelles.

- La plupart des produits qui gainent le cheveu proviennent du pétrole (paraffine), mais on trouve aussi des huiles végétales (ou des corps gras végétaux), ainsi que des huiles animales ou synthétiques (huiles de silicone). On utilise également des protéines de soie ou de blé et des cires de fruit (tirées de la peau des pommes).
- La cosmétologie naturelle, elle, mise surtout sur les matières premières renouvelables, plus écologiques, et qui soignent parfaitement le cheveu : les huiles de noix de coco, de soja, ou de germe de blé ; les extraits de henné ; la cannelle de Chine.

Est-il nécessaire de faire deux shampooings à la suite pour avoir des cheveux bien lavés ? Non, un seul suffit amplement dans la majorité des cas. Et si l'on ressent vraiment le besoin d'en faire un second, une toute petite dose de shampooing suffit.

RÈGLE N° 5 POUR LES COSMÉTIQUES NATURELS
PAS DE COMPOSÉS SILICONES, PAS DE QUATS

Les silicones et les quats facilitent la vie des créateurs de soins capillaires et produits de coiffage conventionnels. Les fabricants de cosmétiques naturels, eux, peuvent jouer sur les substances naturelles comme la soie, la bétaïne et les extraits de plantes pour formuler leurs produits. Si leur marge de manœuvre était étroite au départ, grande était leur ambition de progresser dans ce domaine ! Et ces derniers temps, une multitude de cosmétiques naturels efficaces ont été créés pour le styling des cheveux à partir de matières premières naturelles.

Produits de styling et cosmétologie naturelle : on peut se passer des quats

Outre la cire végétale (dans les cires pour cheveux), le shellac et la chitine provenant de la carapace des crustacés (dans les laques et les gels), on utilise maintenant dans les gels pour cheveux et gels effet-styling des matières premières plus modernes comme la gomme déhydroxanthane. La fixation est plus forte qu'avec les produits ne contenant que de la simple gomme xanthane. Certains aminoacides et composés d'aminoacides spéciaux constituent aussi des matières premières intéressantes. Ils jouent actuellement un rôle important dans la recherche et l'on met beaucoup d'espoir dans ces substances qui devraient permettre d'obtenir de nouvelles avancées en matière de soins capillaires et de styling.

Produits déodorants

Il y a trois types de composants problématiques dans les produits déodorants : les parabènes (conservateurs), les composés d'aluminium synthétiques et les substances bactéricides.

- Les parabènes ont fait la une des journaux car ils avaient été retrouvés dans des tumeurs cancéreuses du sein.
- Les composés d'aluminium synthétiques comme les chlorure et chlorhydrate d'aluminium (INCI : Aluminium Chloride, Aluminium Chlorhydrate) peuvent provoquer des inflammations et des eczémas.
- Pour tuer les germes, on introduit aussi des désodorisants et conservateurs bactéricides comme le triclosan.

Ce qu'on entend généralement par déodorant aujourd'hui correspond à une combinaison d'agents actifs anti-transpirants et désodorisants.

Tout comme les bombes de laque, les sprays déodorants sont constitués de 90 % de gaz propulseurs (propane ou butane) et de 10 % seulement de substances actives.

- Les sprays contiennent souvent de très petits sels d'aluminium.
- Les déodorants à bille et sticks ont généralement la même composition, sous des formes plus liquides ou plus fermes.
- Le risque de trouver des sels d'aluminium dans les sticks est minime, ceux-ci n'étant pas solubles dans les savons. Il est par contre fréquent que les personnes sensibles ne supportent pas les stéarates alcalins contenus dans les sticks car ils provoquent des irritations.

Les déodorants naturels : les sels d'aluminium naturels (aluns) et les agents actifs naturels

La cosmétologie naturelle n'emploie pas de sels d'aluminium synthétiques dans les déodorants. On leur préfère les aluns, poudres cristallines naturelles provenant des terres et schistes alunifères. Ils ont un bon pouvoir anti-transpirant tout en restant très doux. Nul besoin, par conséquent, de craindre de conséquences fâcheuses pour la peau, ni de répercussions négatives dues aux pores bouchés.

• Tout comme les oxydes et hydroxydes d'aluminium, les aluns sont des roches cristallines chimiquement inertes, c'est à dire qu'elles ne libèrent pas d'aluminium. Il peut en être tout autrement des chlorhydrates d'aluminium.

Autres recours naturels contre l'odeur de la transpiration :

• Le farnésol : ce précieux composant des huiles essentielles est très onéreux, c'est pourquoi on l'utilise souvent sous sa forme « identique nature ». D'aucuns lui reprochent d'avoir un pouvoir désodorisant moindre, mais il permet tout de même de garder une certaine fraîcheur tout au long de la journée, ce qui n'est pas négligeable.

• Le triéthylcitrate provient entre autres du jus de griottes. Il empêche la formation des mauvaises odeurs de transpiration et présente l'intérêt de créer un dépôt durable d'agents actifs.

Les dentifrices

S'interroger sur les dentifrices amène à se poser une question fondamentale : où s'arrête le pouvoir d'un produit ? Qu'est-ce qui reste du ressort du spécialiste, en l'occurrence le dentiste ?

De nos jours, les dentifrices sont considérés comme des « Superman » : ils devraient non seulement nettoyer les dents mais aussi leur donner un blanc éclatant, sans oublier de lutter, ou même de prévenir la formation des caries et le développement de la parodontose. Certains dentifrices promettent même de « lutter contre 12 problèmes de dents et de gencives, et de procurer une protection antibactérienne 12 heures durant. » Comment, vous ne saviez pas que vous aviez

Les dentifrices conventionnels peuvent contenir des tensioactifs durs dont certains scientifiques contestent l'emploi : en effet, ils détériorent la flore buccale et peuvent irriter les muqueuses.

12 problèmes de dents et de gencives à combattre ? Vous n'êtes pas la seule, ni le seul ! Cette expression « 12 problèmes de dents et de gencives » est une absurdité pure et simple.

Comment agit un dentifrice ?

La cavité buccale et la langue peuvent fournir au médecin des informations sur notre santé et lui permettent de compléter son diagnostic.

En principe, c'est très simple. Pour nettoyer les dents, on emploie des substances dites abrasives qui éliminent en douceur la plaque dentaire de l'émail. Cela peut être de la craie, de la pierre ponce ou des substances organiques comme les noyaux d'abricots ou d'amandes pilés. Le charbon actif serait lui aussi un excellent détergent, mais qui voudrait acheter un dentifrice de couleur noire !?

• Mais avoir les dents propres ne suffit plus, beaucoup d'acheteurs voudraient avoir « les dents plus blanches ». C'est pourquoi de nombreux produits portent la mention « blanchissant ».

Or, seuls des « abrasifs » plus durs ou des agents décolorants peuvent éclaircir les dents, avec l'inconvénient que de vrais abrasifs endommagent l'émail et que l'effet blanchissant est à peine perceptible à l'œil nu.

La nourriture est le premier mode de prévention des caries et de la parodontose. Un dentifrice ne peut compenser l'abus de sucreries industrielles, de jus et boissons sucrés.

Pour un résultat plus visible, il existe des « strips dentaires blanchissants » que l'on doit laisser agir sur les dents. L'ennui est qu'ils entrent en contact avec les gencives qui, elles, n'apprécient pas trop le traitement. Ajoutons que celui-ci doit être poursuivi pendant des semaines avant de produire un résultat sensible.

En résumé : sachant que les dentifrices blanchissants ne sont pas extrêmement efficaces et que les strips ont, eux aussi, un effet limité (et peuvent endommager les gencives), le meilleur moyen d'avoir des dents plus blanches est encore de s'adresser à son dentiste.

• Un dentifrice peut-il protéger des caries et de la parodontose ? La meilleure protection réside sans aucun doute dans une hygiène dentaire régulière à l'aide d'un dentifrice dont les corps abrasifs éliminent la plaque dentaire. Le dentifrice doit-il contenir des fluorures ? Alors que leurs partisans soulignent leur action bactéricide et désinfectante, leurs détracteurs leur reprochent leur influence négative sur la flore buccale et la salive, dont le rôle est si important.

La cavité buccale, ses muqueuses et la langue sont un milieu très sensible qu'il ne faut pas agresser sans raison sérieuse avec des armes chimiques. D'ailleurs, la salive n'est pas seulement partie prenante des fonctions digestives, elle est aussi un nettoyant naturel riche en micro-organismes et contribue à conserver une flore buccale saine.

• Dans les dentifrices, on peut se passer des fluorures, du triclosan (un bactéricide) et des conservateurs synthétiques. Il existe des alternatives naturelles à ces conservateurs : la camomille, la menthe, le clou de girofle et les huiles essentielles (lavande, cannelle, citron, thym, origan ou sauge), qui ont par ailleurs des propriétés antiseptiques et préviennent les inflammations.

En résumé

Tout comme pour les produits du visage, les fabricants de cosmétiques naturels certifiés (Ecocert/Charte Cosmébio, BDIH « Cosmétiques Naturels Contrôlés, Nature & Progrès) renoncent dans leurs produits de soins corporels à toutes les substances suspectes (des conservateurs synthétiques aux additifs problématiques comme l'EDTA).

• Pour les produits de toilette (shampooings, gels-douche), ils n'utilisent que des tensioactifs provenant de matières premières naturelles. Ces derniers peuvent cependant se révéler plus ou moins doux (voir page 272). La comparaison des produits nous permet de prendre conscience qu'il existe des différences de qualité très nettes entre les tensioactifs ou mélanges de tensioactifs.

• Alors que dans le domaine des produits de styling de la coiffure, le renoncement à tous les types de composés siliconés constituait au départ un réel handicap pour les fabricants de produits naturels, les nouvelles substances permettent désormais d'atteindre de très bons résultats.

Les savons étaient autrefois composés de graisses animales comme le suif de bœuf ou la graisse de porc. Aujourd'hui, ils sont principalement composés de graisses végétales comme les huiles de palme, d'olive ou de coco. Le point critique en ce qui concerne la plupart des savons conventionnels est la présence de l'EDTA, nocif pour l'environnement.

Les soins pour bébé

Plus ils sont jeunes, plus les parents sont perdus face à l'offre très étendue de produits pour bébés. Ils veulent tout ce qu'il y a de mieux pour leur enfant, mais comment savoir quels sont les meilleurs produits ? La multitude de crèmes, d'huiles ou de shampooings pourrait fait croire que, dans l'intérêt du bébé, il faut le « traiter » avec des tas de produits. Ne nous en laissons pas conter.

Les meilleurs soins pour bébé sont les plus simples

La peau du nourrisson est merveilleusement douce et de ce fait très sensible. Il lui faut environ un an pour se développer totalement et pouvoir se protéger contre les influences extérieures. Et c'est justement parce que la peau du bébé est si douce et si perméable que son développement naturel devrait être le moins possible entravé.

- La peau d'un bébé a un pH neutre durant les premières semaines : elle n'est donc pas encore protégée par le film acide protecteur qui met les cellules à l'abri des influences extérieures néfastes, des bactéries et des champignons. Il faut environ 6 semaines pour que le pH devienne acide et que la peau puisse mieux se défendre.
- La peau du tout-petit ne produit pas encore de mélanine qui protège du soleil.
- Les glandes sébacées qui forment un film lipidique protecteur sur la peau ne fonctionnent pas encore très bien. C'est l'absence de ce film qui explique d'ailleurs que les bébés sentent si bon.
- La peau est très perméable car les cellules de l'épiderme ne sont pas encore suffisamment soudées les unes aux autres.

Caresser et câliner un bébé est très bon pour sa peau. Les caresses stimulent la circulation du sang et contribuent à rendre la peau plus résistante.

De l'eau, un peu d'huile ou de crème et... beaucoup de câlins et caresses

Il est préférable de laisser la peau du nourrisson se développer à son rythme. Chaque produit cosmétique représente en quelque sorte une ingérence dans son métabolisme très subtil et fragile. Comme les fiches-produits page 285 le montrent, les produits pour bébé ne sont pas dépourvus de substances peu coûteuses ou suspectes comme les huiles minérales, l'EDTA ou les conservateurs de synthèse (parabènes ou même libérateurs de formaldéhyde). Mais de toutes façons et indépendamment de leur composition, tous les produits doivent être utilisés avec parcimonie. Cela concerne aussi les produits naturels car, même s'ils ne contiennent pas de substances suspectes pour la santé, ils interagissent avec la peau, et tout cela n'est pas anodin. En revanche, une utilisation ciblée sur les parties de l'épiderme qui ont effectivement besoin d'être protégées ou sont soumises à des agressions (comme le froid par exemple) se justifie entièrement.

Programme de soins pour les tout-petits

- Baigner le bébé dans un peu d'eau claire à laquelle on ajoutera un soupçon d'huile d'olive. Un à deux bains par semaine suffisent pour un nourrisson. Les autres jours, le laver à l'eau claire avec un gant jetable. Une hygiène exagérée conduit au dessèchement de la peau et peut même provoquer des irritations.
- Après la toilette, tapoter délicatement l'épiderme pour le sécher. Ne pas frictionner, car les trois couches de la peau ne sont pas encore bien formées.
- Tant que le bébé a très peu de cheveux, on peut renoncer sans regrets au shampooing, ou au moins choisir un produit aux substances lavantes (tensioactifs) très douces.
- Ne passer d'huile ou de crème que sur les parties sèches de la peau.
- Avant de mettre la couche, passer sur la peau une huile ou une fine couche de crème pour bébé.
- Les tout-petits ont besoin d'air frais mais il ne faut jamais les exposer en plein soleil, et les experts déconseillent les produits solaires. Il est préférable d'habiller le bébé avec un vêtement ample qui cache bien ses membres, et de le mettre à l'ombre.
- S'il fait froid, passer sur le visage et les oreilles un baume ou une crème protectrice grasse. Une crème trop légère (contenant beaucoup d'eau) assècherait la peau et ne lui offrirait pas une protection suffisante.

Laisser le bébé gigoter sans couche n'est pas seulement bon pour son derrière, cela stimule aussi la formation des cellules de la peau et la renforce.

Chapitre 5

MAQUILLER, COLORER, TEINTER

Aux grandes occasions, ces dames souhaitent se faire belles, passant des heures devant leur miroir pour se transformer en beautés du soir époustouflantes au maquillage parfait. Rouges à lèvres, mascaras et poudres ne sont cependant pas réservés à ces jours de métamorphose, ils font aussi partie du quotidien de nombreuses femmes.

Bien que les produits de maquillage ne soient pas conçus pour les soins, les fabricants de cosmétiques naturels mettent un point d'honneur à ce que leurs formulations contiennent le maximum de substances soignantes, même les poudres ou les ombres à paupières.

Que sommes-nous en droit d'attendre de bons produits de maquillage ? En principe les mêmes qualités que celles qu'on demande aux cosmétiques pour les soins du visage et du corps.

- Les fonds de teint et poudres doivent non seulement remplir leur fonction mais aussi et surtout être exempts d'ingrédients nocifs pour la peau.
- Ceci est particulièrement important pour les produits utilisés dans la région extrêmement sensible des yeux, comme pour les rouges à lèvres dont une bonne partie atterrit bien malgré nous dans l'estomac.

De nombreux colorants et conservateurs problématiques

La majeure partie des produits de maquillage contient un fort pourcentage de colorants. Les mascaras et les fonds de teint renferment 5 à 8 % de pigments, les rouges à lèvres environ 10 %, et les ombres à paupières jusqu'à 30 %. D'autre part, fonds de teint et mascaras ne peuvent se passer de conservateurs.

• Dans les produits conventionnels, ces conservateurs sont généralement les substances classiques que l'on retrouve aussi dans les autres produits.
• En matière de couleurs, les colorants azoïques ou contenant des composés organohalogénés font partie des substances préoccupantes pour la santé.
• Le problème des filtres solaires de synthèse se pose également dans de nombreux produits conventionnels.

Les cosmétiques naturels n'ont jamais offert d'aussi belles couleurs

Tout en restant fidèle à son principe de « créer des produits naturels et respectueux de l'environnement », la cosmétologie naturelle a considérablement élargi son offre de maquillage. Cependant, les entreprises qui proposent une gamme complète sont toujours aussi peu nombreuses. Parmi les fabricants certifiés (Charte Cosmébio BIO et ÉCO ou BDIH « Cosmétique Naturel Contrôlé »), on trouve du maquillage chez Weleda, Dr. Hauschka, Logona et Lavera.

En France, la situation est différente : presque tous les fabricants de produits cosmétiques naturels se limitent aux produits de soins pour le visage et pour le corps. Seule exception, *Couleur Caramel* qui s'est spécialisé dans le maquillage.

Les femmes allergiques au nickel ont souvent des soucis avec les mascaras car le maquillage pour les yeux peut contenir des pigments et colorants pollués par les métaux lourds. Les impuretés que transportent parfois ces pigments peuvent déclencher des allergies de contact. Une des tâches importantes du fabricant est de veiller à ce que la présence de ces impuretés soit réduite au minimum.

Les couleurs irisées enrichissent la palette de possibilités

Auparavant, les producteurs de cosmétiques naturels n'avaient à leur disposition que des oxydes de fer et quelques colorants naturels. Pour le rouge, ils devaient se contenter du carmin (obtenu à partir des cochenilles). Mais ces temps sont révolus.
• L'industrie des colorants a développé une grande palette de couleurs irisées à partir desquelles on peut obtenir une multitude d'effets micacés (brillants) et nacrés. Le principe de base est simple : les différents minéraux sont astucieusement combinés en très fines couches. Le grand nombre d'associations possibles crée autant d'effets colorés, brillants et micacés. Les pigments sont tellement fins que l'œil ne peut les identifier. Leurs substances de base se composent en règle générale de dioxyde de titane, de mica, de silice et d'oxydes de fer.

• Ce progrès a considérablement élargi le choix de couleurs pour les différentes poudres, rouges à lèvres, mascaras et eye-liners. Il a également permis de formuler des produits plus modernes, comme les gloss.

RÈGLE N° 1 POUR LE MAQUILLAGE NATUREL
UNIQUEMENT DES COLORANTS
ET DES INGRÉDIENTS DE BASE NATURELS

Dans les produits de maquillage naturels, ne sont utilisés que des colorants bien déterminés : tous ceux classés potentiellement dangereux sont tabous. Ce choix restreint bien sûr la gamme des couleurs, surtout si on les compare à celles de l'industrie cosmétique conventionnelle, mais un brin de créativité suffit pour obtenir un grand nombre de nuances très élégantes.
Certains fabricants ont testé des milliers de recettes avant de pouvoir offrir à leurs clientes une gamme de couleurs attrayantes pour les rouges à lèvres et autres maquillages.
Comme pour les produits de soins du visage et du corps, les fabricants de vrais cosmétiques naturels n'utilisent que des ingrédients naturels pour les bases de leurs produits de maquillage (émulsions pour les fonds de teint, bases pour les poudres ou les rouges à lèvres). Pour les fonds de teint et les rouges à lèvres, ce sont en premier lieu des huiles de grande qualité : jojoba, amande, amande d'abricot. Parmi les meilleurs ingrédients de base naturels pour les poudres : les protéines de soie et le Lauroyl Lysine

Translucent, Apricot, Gold : d'élégants jeux de lumière pour un superbe maquillage

Fond de teint, rouge à joues, eye-liner, ombre à paupières, mascara, crayon à lèvres, rouge à lèvres ou gloss ? La palette de produits et de couleurs de la cosmétologie naturelle offre tout ce dont vous avez besoin (et même de quoi vous apprêter pour un dîner de gala). En revanche, il est toujours plus facile de s'approvisionner en produits conventionnels puisqu'on les trouve aussi bien en parfumeries de luxe qu'en supermarché.

Pour savoir où trouver vos produits naturels, consultez les adresses Chapitre 2.

- Couleur Caramel offre un large choix de produits de maquillage. Les ombres à paupières se déclinent en couleurs particulièrement gaies. La variété de tons permet d'obtenir des effets très chics.
- Les duos apportent une note élégante au maquillage pour les yeux : « bleu fumé et ivoire moiré », ou « lilas et rose tendre » de chez Dr. Hauschka, ou les duos de Logona.
- Pour faire une brillante apparition, le gel scintillant de Lavera est idéal pour le visage, le décolleté ou même sur des mèches de cheveux.
- Lavera utilise la chlorophylle des feuilles dans Young Faces pour atténuer les rougeurs et matifier le teint.
- En ce qui concerne les blushes, partir de deux teintes comme celles que propose Logona permet de nuancer les effets et d'obtenir des dégradés, que ce soit pour le maquillage du jour ou du soir.

Le fond de teint

La base d'un bon fond de teint devrait constituer également un soin bénéfique pour la peau. Cela n'empêche pas qu'il est préférable de mettre une bonne crème de base avant d'appliquer le fond de teint, sauf si la peau est très grasse. Dans ce cas seulement, le fond de teint pourra être utilisé directement.

Quelle que soit sa nature, l'objectif reste toujours le même : avoir un teint frais et bronzé.

- La solution la plus simple est la crème de jour teintée. La seule différence avec une crème normale est la présence de pigments. On l'applique directement sur la peau, elle n'a aucun effet couvrant.
- Les termes « perfecteur de peau », « modeleur unifiant », « voile de lumière » et autres, désignent les produits qu'on applique après la crème de jour. Un fond de teint doit être couvrant. Comme toutes les autres crèmes, sa base est constituée d'une émulsion d'huiles, de graisses ou de cires, auxquelles ont été ajoutés les mêmes composants que dans les poudres (talc et pigments). Les fonds de teint peuvent donc, eux aussi, constituer un bon soin pour la peau. Mais comme pour toutes les émulsions, leur qualité dépend entièrement des ingrédients, et il est très instructif de se livrer à des comparaisons.
- Le pouvoir couvrant d'un fond de teint dépend de sa consistance, plus ou moins fluide ou plus ou moins épaisse. Un produit fluide (émulsion eau dans l'huile en général) cou-

vre légèrement, un crémeux un peu plus, et un ferme encore mieux. Le plus couvrant de tous est le « camouflage », utilisé par les acteurs de théâtre.

La poudre

La poudre pour le visage doit à la fois couvrir, absorber les traces de gras et de sueur, bien adhérer et si possible être douce comme la soie. Les matières premières sont tout d'abord finement broyées, tamisées puis mélangées à des composants de consistance liquide ou semi-ferme.

La poudre libre fixe le fond de teint. Elle est transparente et se marie bien avec la couleur de la peau. La poudre compacte donne un aspect plus mat et plus couvrant. Il faut l'appliquer avec une houpette en tapotant délicatement, sans frotter.

- Le talc et le kaolin sont les bases les plus courantes utilisées pour les poudres naturelles. Le talc est une roche blanche inodore qu'il faut soigneusement nettoyer et désinfecter pour éviter toute présence d'amiante. Très onctueux, il permet d'obtenir des poudres procurant une douce sensation sur la peau. Le kaolin l'est moins, c'est pourquoi il est associé à l'huile de jojoba qui le rend plus agréable à la peau.
- Les poudres de polyéthylène ou de nylon constituent des bases synthétiques peu onéreuses. Elles confèrent une consistance assez fine à la poudre.
- La poudre de soie est principalement composée de fibroïne, l'un des constituants du fil de soie.
- Les amidons (de pomme de terre, par exemple) jouent souvent le rôle d'additifs, mais ils présentent l'inconvénient de coller puisqu'ils absorbent l'humidité de l'air.
- Le Lauroyl Lysine, un ester d'aminoacides, est un excellent ingrédient pour les poudres mais il coûte cher. 1 à 2 % suffisent en général à donner au produit une douceur incomparable.

Le rouge à lèvres

Les lèvres ne possèdent pas de glandes sébacées et leur peau consiste en une fine couche de cellules cornées contenant peu de mélanine (protection solaire naturelle de la peau). Humidifiées en permanence par la salive, elles ont tendance à se crevasser et à former un milieu nutritif propice aux infections microbiennes. Un bon soin pour les lèvres doit empêcher qu'elles se dessèchent et s'infectent.

Pour donner l'impression d'avoir des lèvres plus épaisses, il est préférable d'utiliser des couleurs claires. Les rouges à lèvres foncés rapetissent la bouche surtout si on les applique en couche trop épaisse.

Une base pour rouge à lèvres contient une vingtaine d'ingrédients. Ce sont surtout des graisses, des huiles et des cires. Ces dernières donnent la consistance : plus il y en a, plus le bâton est dur ; plus il y a de graisses, plus le rouge est crémeux et onctueux. Les huiles permettent une bonne répartition des pigments et donnent du brillant aux lèvres.

- Les meilleurs composants de base : l'huile de ricin, les cires d'abeilles, de carnauba ou de candelilla, et la lanoline.
- Les plus mauvais : les huiles de paraffine. Utilisées à haute dose, ces dernières sont rejetées par la peau des lèvres sur laquelle il faut en permanence remettre de la crème.

Conflit d'intérêts : un rouge à lèvres qui soigne ou qui tient ?

Les rouges à lèvres contenant des graisses protègent et soignent mieux que ceux qui tiennent bien. Pour éviter qu'ils ne « bavent », il est possible d'utiliser un crayon contour des lèvres ou de poudrer légèrement le rouge.

Les rouges à lèvres doivent non seulement embellir et soigner, mais de préférence tenir longtemps.

- Ceux qui tiennent le mieux sont composés de pigments et d'huiles volatiles qui s'évaporent à la température de la peau, fixant le rouge au bout d'une minute environ.
- Mais ces rouges à lèvres « longue tenue » contiennent des substances (des composés synthétiques proches des silicones) que les fabricants de cosmétiques naturels bénéficiant de la certification Ecocert/Charte Cosmébio BIO/ÉCO, BDIH « Cosmétique Naturel Contrôlé » ou Nature & Progrès se refusent à employer. C'est pourquoi les rouges à lèvres naturels ont une tenue normale. Prix à payer pour bénéficier de substances naturelles qui soignent et entretiennent la peau des lèvres : remettre du rouge régulièrement.

En résumé

Les vrais produits naturels de maquillage se différencient des conventionnels et des pseudo-naturels par le fait qu'ils n'utilisent que les substances autorisées dans les cahiers des charges (Ecocert/Charte Cosmébio BIO/ÉCO, BDIH « Cosmétique Naturel Contrôlé » et Nature & Progrès).

- Le renoncement aux composés problématiques prend d'autant plus d'importance dans le cas des produits de maquillage que de nombreuses personnes réagissent de manière hypersensible ou allergique aux colorants douteux.

La palette de produits cosmétiques naturels est désormais suffisamment diversifiée pour permettre de se farder joliment en variant les effets.

- Ces produits représentent un grand plus, dans la mesure où ils renoncent totalement à utiliser des colorants azoïques et autres composés problématiques. Mais comme les rouges à lèvres et les poudres ne contiennent aucun ingrédient synthétique, et surtout pas de silicones, leur utilisation est un peu différente : les rouges à lèvres tiennent un peu moins bien et certaines poudres sont moins faciles à étaler que les produits conventionnels.

Les cheveux : coloration fugace ou permanente

L'envie de se teindre plus ou moins durablement est d'autant plus courante qu'il est désormais devenu un jeu d'enfant de changer de look en changeant de couleur de cheveux. Seul « hic », de nombreuses études alimentent le doute concernant le lien entre les risques de cancer et les teintures régulières. Les amines aromatiques sont ainsi soupçonnées d'être cancérigènes et allergènes. Il est aussi prouvé que certains colorants capillaires déclenchent des allergies chez les coiffeuses.

Les colorants capillaires sont au premier plan des préoccupations de l'Union européenne. Les dossiers d'homologation que doivent fournir les fabricants vont être passés au peigne fin. 51 colorants ont déjà été éliminés pour absence de dépôt de ces dossiers.

Les colorants se divisent en deux groupes : les solubles (permettant de teindre les textiles, par exemple) et les insolubles (pigments). Les pigments colorent en se répartissant extrêmement finement dans le produit. Ils donnent leurs teintes aux fonds de teint et ombres à paupières ainsi qu'à la plupart des rouges à lèvres.

Chimie ou nature : il ne faut surtout pas se fier aux belles paroles

Les colorants capillaires faisant depuis des années la une des journaux, de nombreuses femmes cherchent une alternative plus rassurante. Mais il ne faut pas se laisser bercer par les mots : les slogans aux accents naturels vantent parfois des produits qui ne le sont pas du tout. C'est le cas, par exemple, du « Gel colorant aux extraits végétaux » d'Herbatint®, de la « Teinture aux plantes » de Martine Mahé ou des produits

Beliflor, portant la mention « Beauté et Santé du cheveu au Naturel ». Les produits correspondent-ils à l'image naturelle à laquelle les fabricants aspirent, ou ne se distinguent-il pas vraiment des colorants chimiques classiques ? (Voir fiches-produits p. 294.)

Quel risque représentent les colorants chimiques pour cheveux ?

La Directive sur les Cosmétiques liste précisément quels colorants sont autorisés dans les fonds de teint, rouges à lèvres, etc., alors que jusqu'à il y a quelques années, tout ce qui n'était pas expressément interdit était autorisé. Pourtant, on se trouve face à des substances présentant un niveau de risque bien différent.

D'un point de vue purement chimique, les cheveux sont des « supports » gratifiants : leur surface irrégulière permet à toute une série de substances chimiques de s'accrocher, comme c'est le cas lors d'une coloration fugace.

Contrairement aux colorants capillaires naturels, les composés chimiques modifient la structure de la fibre du cheveu. Pour le dire plus simplement : ils suppriment les pigments naturels et les remplacent par des synthétiques, ce qui modifie totalement la couleur d'origine.

Les risques encourus lors d'une coloration fugace ou permanente avec des produits chimiques n'ont pas tous la même gravité :

- Dans le cas des teintes claires, les produits à un composant, comme les crèmes ou mousses colorantes, présentent peu de risque. En revanche, plus on s'oriente vers les couleurs foncées, plus le risque augmente de rencontrer des substances nocives pour la santé.
- Les produits à deux composants sont généralement accompagnés d'un avertissement, souvent signe de la présence d'amines aromatiques associées à des risques pour la santé. On lit par exemple : « Attention, ce produit peut provoquer une réaction allergique, grave dans des cas qui restent rares. C'est pourquoi il est absolument indiqué de prendre les précautions suivantes. » L'une de ces précautions consiste à « procéder à un test de tolérance sur la peau, 48 heures avant l'emploi. »

En examinant de plus près le produit Beliflor Café, on découvre ce type d'avertissement. Sous la rubrique « Précautions d'emploi », on lit entre autres : « Peut provoquer une réaction allergique, essai de sensibilité conseillé ». En se reportant à la fiche-produit page 295, on comprend parfaitement pourquoi cet avertissement est le bienvenu.

Herbatint aussi assortit son produit « Châtain cendré » d'un avertissement. Même chose pour « Puravera » dont Börlind a l'exclusivité de la distribution.

La présence de ces avertissements signifie à elle seule que les colorants employés ne sont pas végétaux. Ce sont des substances chimiques qui, dans leur ensemble, ne se distinguent pas des produits conventionnels. Le contraste entre l'apparence naturelle du produit et la réalité des analyses est frappant.

Pour les colorants qui pénètrent dans le cheveu directement, le résultat obtenu dépend fortement de ce dernier. Les cheveux abîmés, par exemple, absorbent plus de couleur à la pointe. En se mélangeant à la couleur d'origine, le colorant fonce le cheveu. Pour obtenir une coloration plus claire, il faut au préalable le décolorer.

COMMENT LA COULEUR NATURELLE ENTRE-T-ELLE DANS LES CRÈMES ?

Le développement des colorants crème pour cheveux de Logona, qui a reçu un prix en 2005 à la BioFach (le plus important des salons professionnels allemands), est un exemple du dynamisme de la recherche dans le domaine des produits naturels. Ces colorants crèmes sont actuellement les seuls sur le marché des cosmétiques naturels.

- S'il suffisait de prendre une crème et d'y ajouter des couleurs, les choses seraient simples ! Mais la part de colorant de la crème serait trop faible pour obtenir la teinture souhaitée. Les recherches ont permis de mettre au point un procédé désormais breveté : le colorant des feuilles de henné est simultanément extrait sous forme concentrée, et stabilisé.
- Autre avantage de ces crèmes colorantes : elles teintent très facilement les cheveux qui repoussent.

Différences entre coloration fugace, coloration permanente et décoloration

Les colorants capillaires se répartissent en trois groupes : colorants fugaces ou semi-permanents, colorants permanents et décolorants.

- Les colorants fugaces ne pénètrent pas dans les fibres capillaires mais se contentent de recouvrir les écailles du cheveu, formant une gaine qui s'élimine au fil des shampooings.

- Les colorations par oxydation teintent plus durablement. Il ne s'agit pas de pigments colorés : la couleur est obtenue par un processus chimique. Deux produits chimiques incolores sont utilisés. La nuance recherchée s'obtient par oxydation avec du peroxyde d'hydrogène (eau oxygénée).
- La décoloration des cheveux se pratique à l'eau oxygénée (H^2O^2). Elle a au moins l'avantage de ne pas utiliser de colorants suspects.

Les peignes en bois sont de très beaux objets qui ménagent les cheveux. Mais un bon peigne en bois (traité à l'huile de lin odorante) a un prix car sa fabrication est très longue.

Les teintures avec des colorants végétaux

Tout a commencé avec le henné, un colorant végétal qui, au départ, n'était proposé que par un petit nombre d'entreprises bio. Depuis, les colorants végétaux sont beaucoup plus diversifiés et vont du henné aux herbes, en passant par les fruits et les écorces. La betterave rouge, la rhubarbe et la camomille fournissent des teintures qui tiennent bien sans pour autant entraîner de modification chimique de la structure naturelle du cheveu (comme c'est le cas des colorants d'oxydation). Les apports végétaux comme les protéines de soie et l'huile de jojoba ajoutent un effet bénéfique et soignent le cheveu. Les colorants cosmétiques naturels permettent :

- de nuancer la couleur naturelle des cheveux ou de lui donner plus d'intensité ;
- de choisir une toute autre teinte ;
- de faire des mèches plus « lumineuses ».

Dans le domaine des colorants capillaires, il est bien difficile de trouver de bons produits en dehors du milieu écologique alternatif. Parmi les grands des cosmétiques naturels en France et en Allemagne, seul Logona s'est spécialisé dans les colorants purement végétaux.

Choisir la bonne couleur

Comme les résultats obtenus avec les colorants végétaux dépendent de chaque type de cheveux, il est préférable de consulter un coiffeur qui déterminera la nature et la couleur des vôtres. Plus ils sont fins et clairs, plus la teinture prend vite et plus la couleur obtenue est intense.

En règle générale, les colorants végétaux peuvent se mélanger entre eux. C'est dans la gamme des rouges et des bruns que l'on peut obtenir le plus de nuances. Châtaigne, brun et acajou peuvent être foncés à l'aide de henné noir, par exemple (Indigofera Tinctoria). En mélangeant chêne doré et sahara, on obtient des nuances allant du doré au cuivré.

RÈGLE N° 1 POUR LES TEINTURES NATURELLES
UNIQUEMENT DES COULEURS NATURELLES

Tous les colorants capillaires employés en cosmétologie naturelle sont des colorants directs. On est donc sûr de ne pas se retrouver avec un réacteur chimique sur la tête comme c'est le cas avec les produits à deux composants.
Les teintures à partir de cosmétiques naturels sont durables, mais la couleur se dépose seulement sur le cheveu comme un film. C'est un grand avantage par rapport aux colorants chimiques qui endommagent la structure du cheveu. À force d'être coloré, celui-ci devient cassant et terne. Les colorants naturels ne pénètrent que dans la couche d'écailles qui entoure les fibres capillaires. Grâce aux propriétés soignantes bénéfiques des produits naturels, la chevelure reste saine, brille et a du volume.

Des accents modernes grâce aux colorants végétaux

Vous voulez des mèches ou des couleurs qui en jettent ? C'est possible, même avec les colorants végétaux. Mais il faudra d'abord acquérir un peu d'expérience avec les produits. Il suffit de prendre le temps de faire des essais pour finalement découvrir des mélanges dignes de professionnels.

- Il existe aussi des solutions pour les cheveux gris. Si l'on veut aller vers le blond, on obtient généralement des tons chauds et dorés. Sur les cheveux argentés, le résultat n'est pas le même, car ces derniers restent plus clairs que les cheveux ayant conservé leur couleur d'origine. Mais cette non uniformité a son charme. De plus, il faut savoir que l'effet sera de plus en plus couvrant au fil des teintures.

Le henné victime de soupçons

Pour les fabricants de colorants végétaux, le henné est une matière première extrêmement importante. Y renoncer aurait des conséquences graves. Aux États-Unis, les tatouages au henné ont fait la une des journaux, mais on s'est rapidement aperçu que l'irritation de la peau qu'on lui reprochait n'était pas due au henné lui-même mais bien à un additif destiné à renforcer la coloration.

Les colorations au henné sont durables bien que la couleur s'éclaircisse un peu au fil des lavages. Le cheveu ne retrouve sa couleur naturelle qu'en repoussant.

En Europe, une expertise de l'Union européenne, datant de 2001, échauffe les esprits. Elle conclut que le henné (Lawsone dans la déclaration INCI) peut présenter un risque pour la santé.

Le Lawsone (2-hydroxy-1,4-naphtoquinone) est une substance employée dans les colorations semi-permanentes. C'est aussi le principe colorant de la plante Lawsonia inermis, dont les feuilles servent à produire le colorant végétal henné.

Ces craintes sont-elles justifiées ?

Extrait d'un arbuste d'Afrique du nord, le henné est utilisé depuis des milliers d'années pour teinter les cheveux et le corps. Depuis le rapport des experts de l'Union européenne, des toxicologues impartiaux de renommée internationale se sont emparés du « problème du henné » pour en arriver à la conclusion que sa remise en cause n'était pas justifiée. Les autorités françaises et allemandes compétentes ont elles aussi examiné les dossiers de sécurité et les tests génotoxiques concernant cette substance. Il a été constaté qu'en l'état actuel des méthodes, aucune activité génotoxique du henné ne pouvait être prouvée. Le rapport des experts de l'Union européenne n'en a pas pour autant été mis au placard par Bruxelles qui refuse toujours de se laisser impressionner par les éléments fournis par l'industrie des colorants capillaires, les autorités nationales de sécurité et les experts internationaux.

Le grand perdant, dans ce conflit qui couve depuis quelques années, se trouve être le consommateur. Le doute a été semé dans les esprits et les responsables de cette affaire ne se donnent pas la peine de tout mettre en œuvre pour clarifier la situation. Dans l'intérêt du consommateur, il serait souhaitable qu'une politique plus énergique concernant l'étude des données sur le henné soit enfin mise en place.

En résumé

Choisir de se parer de nouvelles touches de couleurs grâce aux colorants végétaux, c'est être sûr de ne pas se trouver en contact avec des ingrédients nocifs. En contrepartie, il faut prendre le temps d'étudier leurs effets et accepter que tout ne soit pas réalisable. Avec les colorants végétaux, le programme de soins et de coloration comprend trois étapes :

- L'idéal est de faire d'abord à un masque capillaire naturel pour préparer le terrain et éliminer les restes des produits de coiffage, les pellicules et la séborrhée.
- On peut procéder ensuite à la teinture pour colorer, renforcer et donner un brillant soyeux.
- Et terminer par un bon soin au lieu du shampooing habituel : un conditionneur naturel qui contient de l'huile de graine de bardane, de la bétaïne et des protéines de blé, par exemple, pour fixer la couleur et lui donner plus d'intensité.

Chapitre 6

PROTECTION SOLAIRE : UN PLAISIR SANS REGRETS

Avoir une peau bronzée paraît tellement plus chic, dynamique et sportif ! Les avertissements concernant le risque de cancer de la peau ont certes choqué les esprits, mais de nombreux amoureux du soleil se croient protégés de manière optimale par les produits solaires offrant un indice de protection élevé. Ils se trompent. Même s'il est vrai que les produits affichant un indice de 40, 60 ou plus, contiennent un important cocktail de filtres solaires (jusqu'à 30 % du produit), la protection qu'ils offrent est parfois surestimée.

L'abus de soleil accélère le processus de vieillissement de la peau

Avoir un cancer de la peau fait aussi peur que vieillir, mais nombreux sont ceux pour lesquels un beau bronzage reste encore et toujours un objectif à atteindre. Le soleil est à la fois l'ami et l'ennemi de la peau. À dose raisonnable et dans de bonnes conditions, il stimule le corps et l'esprit. Mais si l'on en abuse, le tribut à payer sera lourd : rien ne fait vieillir plus vite qu'un trop-plein de soleil. Et si les choses tournent mal, un teint bien bronzé peut même se solder par un cancer de la peau. Pour jouir du soleil sans avoir à le regretter, il faut suivre un programme en trois points :

- des mesures de prévention ;
- un bon produit solaire adapté ;
- des bains de soleil modérés.

LE MÉTABOLISME ASSURE SA PROTECTION SOLAIRE GRÂCE AUX TOMATES

Les caroténoïdes naturels assurent-ils une meilleure protection de la peau ? C'est la question que s'est posée le Professeur Ulrike Heinrich (de l'université de Witten-Herdecke). Elle a nourri ses « cobayes » d'un mélange de caroténoïdes d'origine naturelle (algue Dunaliella Salina). Et ça a marché.
Les participants à l'expérimentation se sont révélés mieux protégés contre les méfaits du soleil. La protection vient apparemment d'une augmentation de la capacité de la peau à refléter les rayons, grâce à une modification de sa pigmentation, permettant simultanément de diminuer l'absorption et d'augmenter la réflexion de la lumière. La consommation de 40 g de concentré de tomates par jour, associés à 10 g d'huile d'olive, entraîne au bout de 10 semaines une autoprotection accrue de la peau, à peu près équivalente à un indice de protection 4.

L'autoprotection de la peau

Les rayons les plus perfides sont les rayons UVA identiques partout dans le monde. Ils pénètrent dans le derme où ils peuvent endommager les fibres de collagène et du tissu conjonctif. Ils accélèrent le vieillissement cutané et, dans le pire des cas, peuvent provoquer un cancer de la peau.

De par nature, la peau est bien préparée à être exposée au soleil, à condition de lui donner l'occasion de développer ses mécanismes de défense naturels. Ceux-ci empêchent les rayons nocifs de pénétrer dans les couches profondes de la peau tout lui en lui permettant de prendre de la couleur sans danger. S'exposer progressivement à partir du printemps est une réelle mesure de prophylaxie.

- Pour se protéger des rayons solaires, le corps se fait la « peau dure » en se dotant d'une couche de cellules cornées. Il ne convient pas pour cela de s'exposer longtemps et brutalement, surtout si nous avons été longtemps privé de soleil. La peau a besoin de temps pour préparer son manteau protecteur. Les premières expositions doivent donc être courtes.
- La peau se défend contre les rayons solaires en augmentant sa production de mélanine (pigment brun qui lui donne sa coloration). Mais cela prend un certain temps, plus long d'ailleurs chez les personnes à la peau blanche, de type nordique, que chez celles à la peau mate, de type méditerranéen.

• Le seul moyen de défense ultrarapide de la peau est de produire de l'acide urocanique qui forme un film protecteur à la surface de la peau. Efficace en cas de bain de soleil modéré sur une peau sèche, il ne suffit pas pour un séjour balnéaire où il sera de toute façon éliminé par les fréquentes baignades.
• Si la peau a été trop exposée, elle se met au travail pour réparer les dégâts. Mais s'il y a eu overdose, ses efforts seront vains et l'amoureux du bronzage aura droit à un coup de soleil.

Bien qu'ils ne représentent que 5 % du rayonnement solaire, les rayons UVB peuvent laisser des traces fort douloureuses. Ils pénètrent l'épiderme jusqu'à la couche basale, stimulent les cellules pigmentaires (qui produisent la mélanine protectrice de la peau) et sont les grands responsables des coups de soleil.

Qu'est-ce qu'une bonne protection solaire?

Lorsqu'on achète un produit solaire, on se réfère généralement à son indice de protection. On a tendance à penser que la peau est protégée proportionnellement au chiffre annoncé. Malheureusement, ce n'est qu'en partie vrai, car la différence entre les indices 20, 40 ou 60 est minime !
• Les indices de protection élevés sont très appréciés des consommateurs même si le bénéfice qu'ils en retirent est faible par rapport à la différence de prix qu'ils ont payée. Au-dessus d'un indice de protection 20, l'efficacité n'augmente pas significativement (voir graphique).

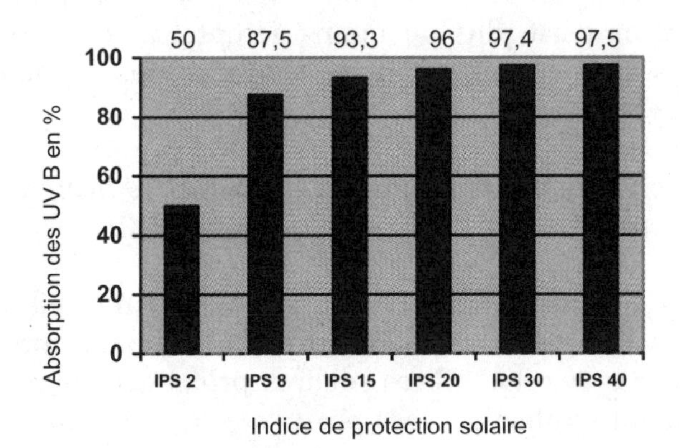

Filtre de protection solaire

Minéral

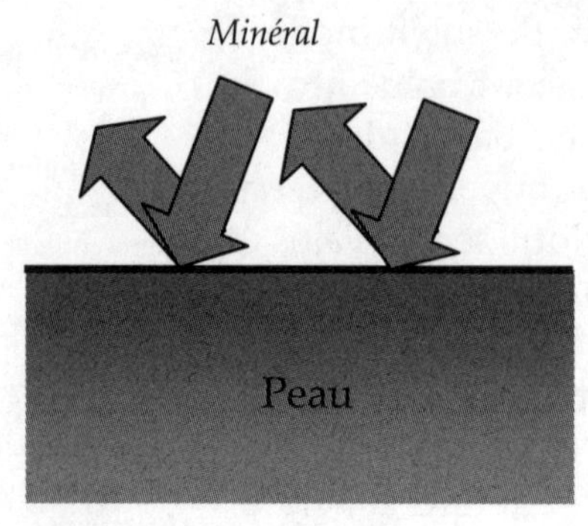

Réfléchit les rayons du soleil (UVA + B + C) comme dans un miroir invisible sur la peau

De synthèse

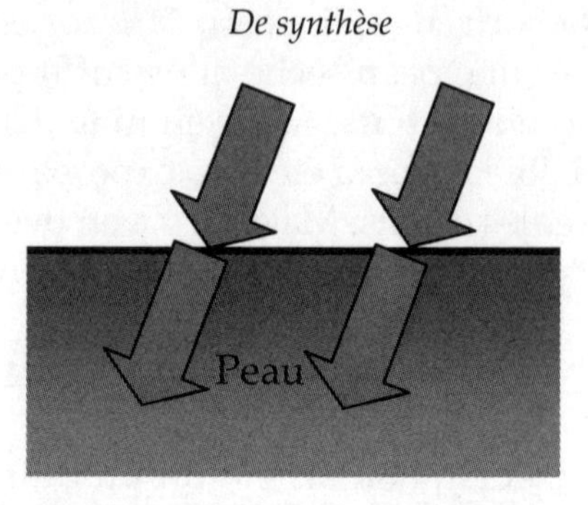

Absorbe et transforme le rayonnement solaire (UVB et A éventuellement)

- C'est plutôt la nature des filtres employés qui différencie les produits solaires. L'acheteur peut opter pour des filtres synthétiques ou minéraux.
- La troisième possibilité est de choisir un produit contenant à la fois des filtres minéraux et des filtres synthétiques. L'avantage : on diminue la quantité de substances synthétiques nocives pour la santé et polluantes pour l'environnement. Ce compromis est plus ou moins acceptable selon la nature des filtres synthétiques car ils ne sont pas tous dangereux au même degré.

Protection solaire physique (filtres solaires minéraux) ou chimique

En cas d'exposition ponctuelle prolongée au soleil ou pendant les vacances, il est nécessaire d'utiliser une protection contre les rayons. Les filtres solaires prolongent le processus naturel d'autoprotection de la peau.

- Les protections solaires physiques sont basées sur l'utilisation de micro-pigments qui réfléchissent les rayons UV et les dispersent. Une petite partie des rayons est absorbée. Les filtres solaires physiques sont généralement constitués de dioxyde de titane (INCI : Titanium Dioxide) et d'oxyde de zinc (INCI : Zinc Oxide).

**LES FILTRES SOLAIRES MINÉRAUX :
PLUS FACILES À ÉTALER QU'AUTREFOIS**

Dans les tout premiers produits solaires, ces filtres formaient un film blanc sur la peau. Cela a bien changé, exception faite des peaux masculines couvertes de poils où la crème laisse des traces difficiles à estomper.
De même, le filtre « s'émulsionne » au contact de l'eau laissant réapparaître la crème. C'est un avantage car cela permet de savoir si un enfant qui joue dans l'eau a encore suffisamment de crème pour le protéger du soleil.

- Les produits solaires contenant des filtres chimiques sont généralement des préparations mixtes, composées de filtres UVA et UVB (filtres à large spectre).

Les filtres chimiques ne forment pas, comme on a tendance à le croire, une couche qui s'interposerait entre le soleil et notre peau pour la protéger : ils réagissent sur et avec la peau. Ces réactions chimiques peuvent être à l'origine d'effets secondaires non négligeables, puisque le processus repose sur le fait que les molécules absorbent une certaine longueur d'onde. Ce n'est pas bénin puisqu'elles sont modifiées et que cela peut entraîner la formation de nouvelles molécules avec le risque d'un potentiel allergène ou de réactions phototoxiques.

À partir de 2006, l'indice de protection sera plafonné à 50+

La critique s'étant concentrée depuis des années sur des indices de protection insensés, une nouvelle réglementation (à caractère facultatif) doit entrer en vigueur en 2006. Le Colipa (fédération européenne des fabricants de cosmétiques) fixe, dans sa recommandation n° 19, une limite supérieure pour les indices de protection. Cette recommandation prévoit aussi que le terme « écran total » ne soit plus employé. Voici à quoi ressemble la classification recommandée.

Les silicones sont dotées de certaines propriétés qu'ont aussi les huiles mais n'en sont pas pour autant. C'est pourquoi un produit contenant des silicones peut être étiqueté « sans huile », ce qui laisse penser à l'utilisateur qu'il ne peut pas provoquer l'acné de Majorque. Cependant, les études montrent que les corps gras et les émulsifiants ne sont pas globalement responsables de l'acné de Majorque. En ce qui concerne les émulsifiants, d'ailleurs, il semblerait même que les PEG soient justement les coupables.

Peu de filtres solaires sont autorisés, et leur concentration maximale ne peut pas dépasser 4 à 10 %. La pratique qui consiste à combiner les filtres pour obtenir un indice de protection élevé ne va pas dans le sens du législateur, bien au contraire. Certains produits mis sur le marché atteignent un taux de 40 à 50 % de filtres.

Catégorie de produit	**IP**
Bas	2 - 4 - 6
Moyen	8 - 10 - 12
Élevé	15 - 20 - 25
Très élevé	30 - 40 - 50
Ultra élevé	50+

RÈGLE N° 1 POUR LA PROTECTION SOLAIRE NATURELLE : UNIQUEMENT DES FILTRES SOLAIRES MINÉRAUX, DES INGRÉDIENTS DE BASE NATURELS ET UNE CONSERVATION INOFFENSIVE

Les vrais produits solaires naturels ne se caractérisent pas par la seule présence de filtres minéraux. Tous leurs ingrédients doivent répondre aux critères de la cosmétologie naturelle, ce qui signifie que la base ne contient que des substances naturelles comme par exemple les huiles végétales.

- On n'utilise ni émulsifiants éthoxylés (PEG) ni huiles soupçonnées de déclencher l'acné de Majorque.
- En matière de conservation et d'additifs, les standards des cahiers des charges sont les mêmes que ceux des produits pour le visage et le corps, certifiés par Ecocert/Charte Cosmébio BIO/ÉCO, BDIH « Cosmétique Naturel Contrôlé » ou Nature & Progrès.

Les filtres solaires chimiques ont-ils une activité hormonale?

Dans quelle mesure les filtres solaires chimiques sont-ils problématiques ? La publication d'une étude de l'Institut de pharmacologie et de toxicologie de l'Université de Zürich a déclenché une tempête. Les cinq filtres UVB testés par les scientifiques suisses en laboratoire (Benzophénone-3, Homosalate, 4-méthylbenzylidène camph (4-MBC), éthylhexyl méthoxycinnamate – ancienne appellation : octyl-méthoxycinnamate – et Éthyhexyl diméthyl PABA – ancien nom : octyl-diméthyl-PABA) ont tous réagi comme des œstrogènes. Or, ceux-ci peuvent altérer le fonctionnement hormonal, voire contribuer au développement de cancers.

En 2003, Margaret Schlumpf, W. Lichtensteiger et H. Frei publiaient les résultats de leurs recherches dans un livre de 196 pages : « Les cosmétiques, effets et comportement environnemental de parfums et de filtres solaires de synthèse » (Kosmetika, Wirkungen und Umweltverhalten von synthetischen Parfümstoffen und UV-Filtern, Verlag Kind und Umwelt, 2003). Selon eux, nous sommes doublement soumis aux filtres UV : par l'intermédiaire de la peau, et par la chaîne alimentaire, « car ces composés, qui aiment généralement les graisses, se fixent dans les aliments gras, comme le poisson ou le lait maternel ».

Dans les tests visant à définir les indices de protection, la peau est enduite d'une bonne couche de crème, car plus celle-ci est épaisse, plus les tests sont reproductibles. Lors des premières expositions, vous devriez faire de même et vous enduire généreusement de la crème. En revanche, en remettre ne prolonge pas l'effet, et ne se justifie qu'aux endroits où il n'y a en a plus pour une raison quelconque (sable…).

FILTRES MINÉRAUX INDICE DE PROTECTION 40, EST-CE UN PLUS ?

Les fabricants de cosmétiques naturels proposent généralement des produits à l'indice de protection maximal de 20. Mais il existe aussi sur le marché des produits solaires naturels certifiés affichant un indice 40 (Phyt's et Lavera). Un tel chiffre s'obtient grâce à un processus complexe faisant entrer en jeu des nanoparticules.

Un indice de protection 40 apporte-t-il un plus ? Le développement technologique constant des cosmétiques naturels repose régulièrement la question de savoir s'il faut à chaque fois suivre l'exemple des fabricants conventionnels. Non seulement l'indice 40 n'apporte qu'un « tout petit plus », mais il s'accompagne aussi d'un autre problème : les indices de protection élevés nourrissant l'illusion d'être à l'abri de tout danger, les amoureux du soleil ont tendance à prolonger de plus en plus leur temps d'exposition…

Les produits solaires ne constituent pas une protection totale contre le soleil

Un produit solaire protège, c'est vrai, du coup de soleil. Et plus l'indice de protection est élevé, plus on peut prolonger l'exposition sans risquer de se brûler. Mais même alors, cela ne signifie pas qu'on soit en sécurité.

- Les laits, crèmes et lotions solaires ne protègent pas toujours des UVA co-responsables du cancer. L'indice de protection se réfère uniquement au degré de brûlure de la

Les gels solaires ont un effet hydratant mais ne soignent pas la peau. Une émulsion classique (crème ou lait) convient bien mieux à une peau normale.

peau consécutive à une exposition au soleil, mais il ne nous renseigne pas sur les autres dégâts que peuvent provoquer les rayons solaires. Pour éviter le vieillissement cutané prématuré et diminuer le risque de cancer de la peau, il est conseillé de prendre la précaution d'interrompre son bain de soleil à la moitié du temps préconisé pour un indice de protection donné.

- Raison supplémentaire de ne pas se fier à l'indice de protection indiqué sur l'emballage de la crème solaire : celui-ci est calculé pour une épaisse couche de crème (un demi-flacon ou un demi-tube par application). Comme personne n'utilise jamais autant de produit, il est plus raisonnable de considérer comme diminué de moitié cet indice.

Meilleure protection contre les UVA

Jusqu'ici, il n'existait pas d'indications vraiment fiables de l'efficacité d'un produit solaire en matière de protection contre les UVA. Les produits affichaient toutes sortes d'indications bien difficiles à décoder : « Protection contre les UVA selon le standard australien AS 2607 », ou « Persistent Pigment Darkening Factor – PPD » ou « Immediate Pigment Darkening – IPD ».

Depuis, l'Afssaps en France, puis les autorités européennes ont désigné la méthode PPD comme méthode de référence. Le Colipa (la fédération européenne de l'industrie cosmétique) travaille aussi, quant à lui, au développement d'une méthode basée sur cette méthode de référence mais destinée à la remplacer et ce, sans recours à des cobayes humains.

- Grâce à ces nouvelles mesures, tous ces produits solaires devront offrir une protection contre les UVB (coup de soleil), mais aussi contre les UVA (autres dommages pour la peau).

Comment est déterminé l'indice de protection solaire

Les filtres solaires sont testés sur des volontaires selon la méthode COLIPA. Le dos du « cobaye » humain est partagé en zones sur lesquelles on étale les différents produits à tester, puis exposé plus ou moins longtemps sous un simulateur solaire. Le temps nécessaire à l'apparition d'un érythème avec et sans protection permet de déterminer l'indice de protection.

Cet indice est une valeur moyenne puisque chaque peau réagit de façon spécifique. L'égalité dermatologique n'existe pas : certains rougissent très rapidement, d'autres plus lentement. Par conséquent, l'indice de protection solaire n'est qu'une indication moyenne. Les personnes ayant une peau très fragile ne peuvent pas vraiment s'y fier.
Les tests sur les humains sont très critiqués d'un point de vue éthique puisque les personnes testées sont soumises à des rayonnements qui stressent la peau et peuvent l'endommager. Des tests in vitro sont en cours de développement.

En résumé

Dans l'idéal, les produits solaires devraient remplir simultanément deux fonctions : protéger la peau des rayons et la soigner.

- En matière de protection, il n'y a pas à hésiter entre les filtres minéraux et les filtres chimiques.
- En ce qui concerne le soin de la peau et l'innocuité, il faut appliquer aux produits solaires les mêmes critères qu'aux autres produits de soin.

La lecture des déclarations INCI nous montre des différences significatives entre les produits conventionnels et les cosmétiques naturels, que ce soit pour les ingrédients de la base, les additifs ou les conservateurs.

133 FICHES-PRODUITS

On ne peut saisir les différences fondamentales entre les cosmétiques naturels et les produits conventionnels qu'après s'être donné la peine d'étudier les différents composants utilisés et les formulations. De quoi est constituée la base ? Quels additifs et quels conservateurs ont été employés ?

Pour vous puissiez faire vous-mêmes la comparaison, nous n'avons pas seulement analysé les cosmétiques naturels (certifiés et non certifiés) mais aussi des produits de marques conventionnelles, et de fabricants qui donnent à leurs produits (ou seulement à quelques-uns d'entre eux) une image écologique ou naturelle. Comme nos fiches le montrent, celle-ci est souvent attribuée à des cosmétiques dont la composition ne les distingue pratiquement pas des produits conventionnels. Par ailleurs, nous présenterons aussi des marques vendues exclusivement en pharmacie.

Dans les fiches-produits des pages suivantes, les lettres derrière chaque ingrédient signifient :

B = Composant de la base ; **A.A.** = agent actif ; **A** = additif ; **C** = conservateur ; **P** = parfum ; **(FPS)** = filtre de protection solaire. La combinaison **B/A.A.** indique que le composant de base est aussi un agent actif.

Les produits certifiés « Ecocert/Charte Cosmébio » ou « BDIH/Cosmétique naturel contrôlé » sont indiqués par un *.

– Puisque les premiers composants mentionnés dans la déclaration INCI représentent plus de 90 % du produit, et se taillent donc la part du lion du point de vue de l'efficacité, la lecture des 6 ou 8 premières substances permet déjà de prendre conscience des différences de qualité.
– Dans les produits conventionnels, on compte en moyenne rien moins qu'une dizaine de composants pour les seules catégories « conservateurs » et « additifs ».
– On reconnaît généralement la signature d'un fabricant au travers de tous les produits de sa gamme, surtout en ce qui concerne les bases et les conservateurs. Chacun a en quelque sorte son mélange type.

Certaines marques, par exemple, emploient un pourcentage élevé de silicones pour la base et cette tendance de fond se retrouve alors dans la plupart de leurs émulsions pour les soins du visage et du corps.

L'évaluation de la qualité

– Pour l'appréciation générale des différentes catégories (base, agents actifs, additifs et conservateurs), nous avons tenu compte des particularités respectives, comme par exemple les mélanges des conservateurs ou les bases mixtes.
– Contrairement aux huiles minérales ou aux silicones, les huiles végétales sont des composants très précieux puisqu'elles constituent un mélange naturel d'agents actifs très efficaces.
– Si les bonnes huiles végétales pour cosmétiques peuvent aussi être employées dans la cuisine, il est fortement déconseillé d'utiliser une huile de silicone pour la sauce de salade ! Elle n'a aucune valeur nutritive et vous « propulserait » rapidement vers les toilettes.

« Très bien » ou « bien » ? L'évaluation des huiles naturelles

À quel point les huiles contenues dans un produit sont-elles naturelles ? Dans les formulations de cosmétiques naturels, on constate quelques différences. Huile végétale pure, estérifiée ou hydrogénée : toutes, c'est vrai, ont en commun d'être végétales. Mais dans notre évaluation, nous avons tenu à les différencier en fonction de leur qualité, surtout quand les huiles estérifiées ou hydrogénées constituent la part la plus importante de la base d'un produit de soins pour la peau.

- Du fait de leur qualité naturelle authentique, toutes les huiles végétales pures ont reçu la note « très bien ». Certaines d'entre-elles ont été classées dans les bases (et sont donc précédées d'un B), tandis que d'autres sont dotées du B et du A.A. (agent actif). Bien que sur le principe toute vraie huile soit aussi un agent actif, nous avons souhaité distinguer certaines d'entre elles particulièrement efficaces, comme par exemple l'huile d'onagre, en leur attribuant « en exclusivité » à la fois « B » et « A.A. ».
- Il y a actuellement une tendance indéniable à délaisser les huiles végétales au profit des huiles estérifiées (voir page 166). Lorsque ces dernières constituent le plus gros de la base, c'est-à-dire se situent dans les trois premières places de la liste INCI, elles n'obtiennent qu'un « Bien ». Cette différenciation vise à montrer dans quels produits les huiles végétales continuent à tenir une position-clé, et dans lesquels elles sont reléguées au second plan par les huiles estérifiées.
- Les huiles hydrogénées, reconnaissables dans la liste INCI au mot « Hydrogenated », sont encore plus modifiées chimiquement que les huiles

estérifiées. Du point de vue de la peau et de la santé, il n'y a rien à leur reprocher. Elles sont aussi d'origine végétale et nous leur avons appliqué la même règle qu'aux huiles estérifiées : si elles se trouvent en première position, à la place des vraies huiles végétales ou des cires naturelles et pures, la différence sera clairement marquée par la notation (« Bien » au lieu de « Très bien »).

La notation

Les notes concernant les ingrédients se basent sur le « Lexique des composants » du livre *La vérité sur les cosmétiques* de Rita Stiens (Leduc.s Editions).

☺☺☺	**très bien**	☻	**passable**
☺☺	**bien**	☻☻	**insuffisant**
☹	**satisfaisant**	☻☻☻	**déconseillé**

CERTAINES DÉCLARATIONS INCI PRÉSENTENT « UN VICE DE FORME »

On trouve dans la liste INCI de certains produits français des ingrédients « mixtes », c'est à dire composés de plusieurs substances reliées par « (and) » ou « et » (« Myristyl Alcohol & Myristyl Glucoside », par exemple). De telles pratiques attirent l'attention sur le fait que des matières premières sont utilisées sous forme, si l'on peut dire, de « mélanges tout préparés ». La chose en soi n'est pas problématique, sinon que cette forme de déclaration n'est pas conforme à la législation !

Mêmes combinées, les matières premières doivent être mentionnées séparément car la réglementation pour les déclarations INCI prévoit que les ingrédients soient présentés dans l'ordre décroissant en fonction de leur importance proportionnelle dans le produit. Le composant présent dans la quantité la plus importante, et plus on descend, plus le pourcentage diminue. Si différents composants sont « mis dans le même sac » par un « (and) », certains peuvent apparaître plusieurs fois dans la même liste et l'ordre de classification ne correspond plus à la réglementation puisqu'on ne tient pas compte de la quantité présente dans le mélange.

DIFFÉRENCES CONCERNANT LA DÉCLARATION INCI

La probabilité que la liste des ingrédients d'un produit ne corresponde pas exactement à la liste indiquée dans ce livre est grande. Mais les différences ont généralement très peu d'importance, car elle ne change pratiquement pas la « facture » de chaque fabricant, par exemple en matière de choix de la base et des conservateurs (voir introduction des fiches-produits).

Que des listes d'ingrédients diffèrent peut avoir de nombreuses raisons. Citons-en quelques-unes : il n'y a pas une formule cosmétique qui reste très longtemps inchangée. De tels changements peuvent avoir diverses raisons et venir par exemple du fait que certains des ingrédients ou mélanges tout prêts soient achetés chez un nouveau fournisseur. Dans les magasins se trouvent des produits provenant de lots totalement différents et qui n'ont pas été fabriqués à la même période. Il y a par exemple dans le commerce des produits dont les parfums doivent aujourd'hui être déclarées, ce qui n'était pas encore le cas à l'époque de leur fabrication. Il y a parfois aussi des différences entre les échantillons gratuits que les magasins nous offrent et les produits que nous achetons.

Les fiches-produits de ce livre ont été effectuées à partir de données collectées en 2005 et 2006.

Comment s'y retrouver dans les fiches-produits des pages suivantes :

Produits de soin du visage

1 Sanoflore : Crème de jour Néroli & Argan*

INCI

☺☺☺ Citrus Aurantium Amara Flower Distillate*, B, A.A.
☺☺☺ Argania Spinosa Oil*, A.A.
☺☺☺ Œnothera Biennis Oil*, A.A.
☺☺☺ Prunus Amygdalus Dulcis Oil*, A.A.
☺☺☺ Myristyl Alcohol, B (and)
☺☺☺ Myristyl Glucoside, B
☺☺☺ Alcohol, A
☺☺☺ Cera*, B
☺☺☺ Cetearyl Alcohol, B (and)
☺☺☺ Cetearyl Glucoside, B
☺☺☺ Aloe Barbadensis Extract*, A.A.
☺☺☺ Citrus Aurantium Dulcis Oil*, P
☺☺☺ Citrus Nobilis Oil*, P
☺☺☺ Citrus Aurantium Amara Oil*, P
☺☺☺ Citrus Aurantium Amara Flower Oil*, P
☺☺☺ Cananga Odorata Oil*, P
☺☺☺ Salvia Sclarea Oil*, A.A., P
☺☺☺ Helianthus Annuus Seed Oil, A.A.
☺☺☺ Rosmarinus Officinalis Extract, A.A.
☺☺☺ Tocopherol, A
☺☺☺ Glyceryl Stearate Citrate, B
☺☺☺ Hydrogenated Phosphatidylcholine, B
☺☺☺ Stearyl Alcohol, B
☺☺☺ Chondrus Chrispus, B
☺☺☺ Xanthan Gum, B
☺☺ Potassium Sorbate, C
☺☺ Benzyl Alcohol, C
☺☺☺ Dehydroacetic Acid, C
☺☺ Benzyl Benzoate, P
☺☺ Limonene, P
☺☺ Linalool, P

* Ingrédients issus de l'agriculture biologique.

☺☺☺ Base/Agents actifs

Au lieu de l'eau habituelle, ce produit contient une eau florale d'orange amère, complétée par d'autres ingrédients de base : précieuses huiles végétales comme l'huile d'argan, l'huile d'onagre et l'huile d'amande. Très appréciables aussi, les extraits de plantes (romarin, aloès) et les émulsifiants issus du sucre.

Remarque : sur le plan formel, la liste INCI ne correspond pas à la réglementation de la déclaration des composants (voir page 239).

☺☺☺ Additifs

Exclusivement le tocophérol (vitamine E) comme antioxydant.

☺☺ Conservation

Un mélange d'alcool benzylique, d'acide déhydro-acétique et de sorbate de potassium.

2 La Roche-Posay : Crème Hydrophase XL

INCI

Aqua, B
☺☺ C12-15 Alkyl Benzoate, B
☺☺☺ Glycerin, B, A.A.
☹ Cyclopentasiloxane, B
Note écologique : ☻☻
☹ Octocrylene, A.A. (FPS)
☹ Diisopropyl Sebacate, A.A.
☺☺☺ Aluminum Starch Octenylsuccinate, A
☻ Butyl Methoxydibenzoylmethane, A.A. (FPS)
☺☺☺ Butyrospermum Parkii, A.A.
☹ Dimethicone, B
Note écologique : ☻☻
☹ Terephthalylidene Dicamphor Sulfonic Acid, A.A. (FPS)
☻ Drometrizole Trisiloxane, A.A. (FPS)
☺☺ Potassium Cetyl Phosphate, B
☺☺☺ Zea Mays, B
☺☺☺ Prunus Armeniaca, B, A.A.
☺☺☺ Passiflora Edulis, A.A.
☺☺☺ Oryza Sativa, B
☻☻ Triethanolamine, A
☻☻ PEG-100 Stearate, B
☺☺☺ Glyceryl Stearate, B
☺☺☺ Cetyl Alcohol, B
☺☺☺ Stearic Acid, B
☺☺☺ Tocopheryl Acetate, A.A.
☹ Dimethiconol, B
Note écologique : ☻☻
☺☺☺ Xanthan Gum, B
☹ Acrylates/C10-30 Alkyl Acrylate Crosspolymer, B
Note écologique : ☻☻
☻☻ Disodium EDTA, A
☹ Acrylates Copolymer, B
Note écologique : ☻☻
☺☺☺ Palmitic Acid, B
☺☺☺ Myristic Acid, B
☺☺ Sodium Hydroxide, A
☺☺☺ Sodium Hyaluronate, A.A.
☹ Isobutane, A
☺☺☺ Tocopherol, A
☺☺☺ Ascorbyl Palmitate, A.A.
☺☺☺ Citric Acid, A
☻☻☻ BHT, A
☻☻ Phenoxyethanol, C
☻ Methylparaben, C
☻ Ethylparaben, C
☻ Propylparaben, C
☻ Butylparaben, C
☻ Isobutylparaben, C
Parfum

☻☻ Base/Agents actifs

La base est principalement composée de corps gras synthétiques et de diverses silicones. La glycérine, le beurre de karité (plus loin dans la liste INCI) ainsi que les huiles végétales ne changent pas grand-chose à la nature du produit, ces dernières (placées très bas dans la liste) étant présentes en quantité si minime qu'elles ne jouent pas un rôle important. Même les 4 (!) filtres solaires chimiques sont placés plus haut que les huiles végétales.

☹☹ Additifs
Non seulement les additifs problématiques comme l'EDTA et le BHT, mais aussi la triéthanolamine.

☹ Conservation
Phénoxyéthanol et parabènes.

*3 Florame : Crème nutritive nuit visage**

INCI
☺☺☺ Lavandula Angustifolia Aqua/Lavander Floral Water*, A.A.
☺☺☺ Sesamum Indicum (Sesame) Oil*, A.A.
☺☺ Hydrogenated Caprylyl Olive Ester, B
☺☺ Decyl Olive Esters, B (and)
☺☺ Squalene, A.A.
☺☺☺ Behenic Acid, B
☺☺☺ Prunus Dulcis (Sweed Almond) Oil*, A.A.
☺☺ Biosaccharide Gum-1, A.A.
☺☺ Cocoglyceride, B
☺☺☺ Arachidyl Alcohol, B (and)
☺☺☺ Behenyl Alcohol B (and)
☺☺☺ Arachidyl Glucoside, B
☺☺☺ Glycerin, B, A.A.
☺☺☺ Hydroxystearic/Oleic/Linoleic/Polyglycerides, B
☺ Octyldodecanol, B
☺☺☺ Hypophae Rhamnoides Fruit Extract, A.A.
☺☺☺ Root Sedum Rosae Extract, A.A.
☺☺☺ Glycerin G, A.A./Water, B
☺☺☺ Dehydroacetic Acid, C (and)
☺☺ Benzyl Alcohol, C
☺☺ Cocoglycerides, B
☺☺☺ Glyceryl Stearate, B
☺☺☺ Polyglyceryl-6 Polyricinoleate, B
☺☺☺ Aniba rosaeodera (Rosewood) Oil*, A.A.
☺☺ Linalool, P
☺☺☺ Pelargonium Aspergum (Bourbon Geranium) Oil*, P
☺☺ Limonene, P
☺☺☺ Cananga Odorata (Ylang Ylang) Oil*, P
☺☺☺ Citrus Limonum (Lemon) Oil, P
☺☺☺ Citrus Nobilis (Mandarin) Oil*, P
☺☺☺ Litsea Cubeba (Yunnan Verbana) Oil*, P
☺☺ Citral, P
☺☺☺ Pistacia Lentiscus (Mastic Tree) Oil*, P
☺☺ Citronellol, P
☺☺☺ Pogastemon Cablin (Patchouly) Oil*, P
☺☺☺ Vetiveria Zizanioides (Vetiver) Oil*, P
☺☺ Benzyl Benzoate, P
☺☺☺ Rosa Damascena (Rose) Oil, P
☺☺ Geraniol, P
☺☺ Benzyl Salicylate, P
☺☺ Farnesol, P
☺☺ Eugenol, P
☺☺ Sodium Hydroxide, A
☺☺☺ Butyrospermun Parkii (Shea Butter), A.A.
☺☺☺ Tocopherol, A
☺☺☺ Glycine Soja, B
☺☺☺ Sorbic Acid, C
☺☺☺ Citric Acid, A
☺☺☺ CI 77491, A
* Ingrédients issus de l'agriculture biologique.

☺☺☺ Base/Agents actifs
Les principaux composants de la base : un hydrolat de lavande, de l'huile de sésame et des huiles estérifiées (voir page 243). D'autres vraies huiles végétales apparaissent plus bas dans la liste INCI. Points positifs : les divers extraits de plantes et émulsifiants issus du sucre. Mais pour ce produit aussi, on reconnaît la tendance à aller vers les huiles estérifiées, même si une vraie huile végétale, l'huile de sésame, se trouve en deuxième position.

☺☺☺ Additifs
La solution de soude et l'acide citrique pour réguler le pH, un oxyde de fer en tant que colorant.

☺☺ Conservation
Acide déhydroacétique, alcool benzylique et acide sorbique.
Remarques : la déclaration INCI est incorrecte (voir page 239). L'énumération des 17 substances parfumantes est elle aussi inhabituelle. On aurait pu les regrouper sous le terme INCI : « parfums ».

*4 Logona : Âge Protection, crème de jour « grand confort »**

INCI
Aqua (Water), B
☺☺☺ Alcohol*, A
☺☺☺ Brassica Oleracea Italica (Broccoli) Seed Oil, A.A.
☺☺☺ Glycine Soja (Soybean) Oil*, B
☺☺☺ Simmondsia Chinensis (Jojoba) Seed Oil*, A.A.
☺☺☺ Glycerin, B, A.A.
☺☺ Squalane, A.A.
☺☺☺ Palmitic Acid, B
☺☺☺ Stearic Acid, B
☺☺☺ Butyrospermum Parkii (Shea Butter) Fruit*, A.A.
☺☺☺ Cetearyl Alcohol, B
☺☺☺ Argania Spinosa Kernel Oil*, A.A.
☺☺☺ Tocopheryl Acetate, A.A.
☺☺☺ Cetyl Alcohol, B
☺☺☺ Sodium PCA, A.A.
☺☺☺ Xanthan Gum, B
☺☺☺ Hydrogenated Lecithin, B
☺☺☺ Camellia Sinensis Leaf Extract, A.A.
☺☺☺ Glycine Soja (Soybean) Germ Extract, A.A.
☺☺☺ Aloe Barbadensis Leaf Extract*, A.A.
☺☺☺ Crithmum Maritimum Extract, A.A.
Parfum (Essential Oil), P
☺☺☺ Tocopherol, A
☺☺☺ Hydrogenated Vegetable Oil, B

☺☺☺ Caprylic/Capric Triglyceride, B
☺☺ Sodium Hydroxide, A
☺☺ Limonene, P
☺☺ Linalool, P
☺☺ Citral, P
☺☺ Geraniol, P

☺☺☺ **Base/Agents actifs**
Une émulsion comprenant un taux élevé de bonnes huiles végétales comme celles de graines de brocoli, de soja et de jojoba. L'huile de graines de brocoli, très onéreuse et jusqu'alors rarement employée pour les soins du visage, possède un taux très élevé d'acides gras insaturés (plus de 95 %). Elle représente également une avancée pour les fabricants de cosmétiques naturels soucieux d'optimiser la sensation que leurs produits procurent sur la peau. Contrairement aux producteurs qui misent sur les huiles estérifiées, on emploie ici une véritable huile végétale qui donne une consistance crémeuse et douce. Les autres agents actifs végétaux : par exemple les extraits de thè et d'aloès ainsi que l'huile d'argan, le squalane et le beurre de karité.

☺☺☺ **Additifs**
La vitamine E comme antioxydant et la solution de soude pour réguler le pH.

☺☺☺ **Conservation**
L'alcool étant nommé en seconde position, on peut penser qu'un conservateur supplémentaire n'est plus nécessaire.

PRIVILÉGIER LA SENSATION SUR LA PEAU AU DÉTRIMENT DES HUILES VÉGÉTALES ?
PLAIDOYER POUR LES HUILES VÉGÉTALES PURES

Le choix entre les huiles estérifiées (voir page 166) et les véritables huiles végétales fait l'objet de débats passionnés dans le milieu des fabricants de cosmétiques naturels. Les partisans des huiles estérifiées avancent que pour les crèmes, elles seules permettent d'obtenir une consistance laissant sur la peau une sensation très proche de celle que procurent les produits conventionnels. Certains consommateurs se plaignent des crèmes contenant la proportion habituelle de véritables huiles végétales parce qu'elles sont moins douces, crémeuses ou légères.
Quels sont les arguments contre les huiles estérifiées?
D'une part, les huiles végétales ont toujours été un pilier des cosmétiques naturels en tant que principal ingrédient de la base. Et pour cause : chaque vraie huile végétale constitue en soi un mélange d'agents actifs complexe et spécifique.
D'autre part, si les huiles estérifiées sont naturelles, ce ne sont pas pour autant d'authentiques « produits de la nature ». Pourquoi les consommateurs qui accordent de l'importance à une huile de table de toute première qualité mettent-ils le prix et choisissent-ils une huile d'olive vierge ? Parce que seule une huile véritable peut agir sur la santé. De même, pour bénéficier de toutes les vertus d'une pomme, il faut croquer la pomme entière. Un fruit décomposé et associé à d'autres ingrédients ne serait plus la pomme d'origine. Il en va de même des huiles estérifiées.
Dans le domaine des cosmétiques naturels, il doit bien exister d'autres moyens que l'utilisation des huiles estérifiées pour essayer d'améliorer la sensation que produisent les crèmes sur la peau. On pourrait par exemple varier la combinaison des huiles (jojoba, huile de noyau, huile de graines) ou en tester d'autres. La propension à se tourner vers les huiles estérifiées et à les utiliser comme élément principal de la base des cosmétiques naturels signifie par conséquent que l'on renonce à une qualité naturelle qui jusqu'ici était justement l'apanage des seuls cosmétiques naturels sur le marché.

*5 Bio Excellia/Melvita : Crème Riche Hydra Protectrice**

INCI
Aqua (Water), B
☺☺☺ Glycerin, B, A.A.
☺☺ Octyldodecanol, B
☺☺ Dicaprylyl Ether, B
☺☺☺ Cetyl Palmitate, B
☺☺☺ Cetearyl Alcohol, B
☺☺☺ Glyceryl Oleate, B
☺☺☺ Glyceryl Stearate, B
☺☺☺ Olivoyl Hydrolyzed Wheat Protein, B, A.A.
☺☺ Caprylic/Capric Triglyceride, B
☺☺☺ Cetyl Alcohol, B
☺☺☺ Borago Officinalis (Borago Officinalis Seed Oil)*, A.A.
☺☺☺ Œnothera Biennis (Evening Primrose) Oil*, A.A.
☺☺☺ Prunus Dulcis (Prunus Amygdalus Dulcis Sweet Almond Oil*, A.A.
☺☺☺ Butyrospermun Parkii (beurre de karité) Fruit*, A.A.
☺☺ Sodium Benzoate, C
☺☺☺ Levulinic Acid, A
☺☺ Potassium Sorbate, C
☺☺☺ Citric Acid, A

☺☺☺ Xanthan Gum, B
☺☺☺ Cellulose, B
☺☺☺ Hectorite, B
☺☺ Potassium Hydroxide, A
☺☺ Linalool, P
☺☺☺ Tocopherol, A
☺☺☺ Hordeum Vulgare Extract*, A.A. (extrait d'orge)
☺☺ Limonene, P
☺☺☺ Aniba Rosaodora (Rosewood) Wood Oil, P
☺☺ Geraniol, P
Parfum (Fragrance)
☺☺ Benzyl Benzoate, P
*Ingrédients issus de l'agriculture biologique.

☺☺☺/☺☺ **Base/Agents actifs**
La base est formée par de l'eau, du glycérol et des corps gras à base végétale (voir les huiles estérifiées page 243). Les vraies huiles végétales se trouvent malheureusement plus bas dans la liste INCI (huile de bourrache, d'onagre et d'amande, ainsi que le beurre de karité). Ce produit serait de meilleure qualité encore si les principaux composants de la base huileuse étaient de vraies huiles végétales, et non des huiles estérifiées.

☺☺☺ **Additifs**
Lessive de potasse et acide citrique pour réguler le pH, et tocophérol comme antioxydant pour stabiliser le produit.

☺☺ **Conservation**
Benzoate de sodium et sorbate de potassium.

6 The Body Shop : Crème protectrice pour le visage

INCI
Aqua, B
☺☺☺ Glycerin, B, A.A.
☺☺☺ Cannabis Sativa, A.A.
☺☺ Isonanyl Isononanoate, B
☺☺☺ Cetearyl Alcohol, B
☺☺☺ Myristyl Myristate, B
☺☺☺ Glyceryl Stearate, B
☹ Dimethicone, B
Note écologique : ☹☹
☹☹ PEG-100 Stearate, B
☺☺☺ Butyrospermum Parkii, A.A.
☺☺☺ Cera Alba, B
☺☺☺ Lanolin, B, A.A.
☺☺☺ Panthenol, A.A.
☺☺☺ Tocopheryl Acetate, A.A.
☹☹ Phenoxyethanol, C
☺☺ Benzyl Alcohol, C
☹ Methylparaben, C
☹ Propylparaben, C
☺☺☺ Xanthan Gum, B
☹☹ Disodium EDTA, A
Parfum
☺☺☺ Talc, B
☺☺ CI 77288, A
☺☺☺ CI 77492, A
☺☺☺ CI 77491, A
☺☺☺ CI 77499, A

☹ **Base/Agents actifs**
Les agents actifs sont en majorité d'origine végétale et à conseiller (huile de chènevis, beurre de karité, vitamine E acétate, panthénol, etc.). Mais la base contient malheureusement une partie non négligeable de chimie synthétique comme par exemple un corps huileux synthétique et du PEG.

☹ **Additifs**
Des colorants naturels mais malheureusement aussi l'EDTA.

☹ Conservation
Phénoxyéthanol et parabènes.

7 Phyt's : Crème Absolue Régénérer – Anti-âge

INCI
Aqua, B
☺☺☺ Coryllus Avellana*, A.A.
☺☺☺ Elaeis Guineesis*, B
☺☺☺ Cetearyl Alcohol, B
☺☺☺ Cetearyl Glucoside, B
☺☺☺ Helianthus Annuus*, A.A.
☺☺☺ Calendula Officinalis*, A.A.
☺☺☺ Triticum Vulgare, A.A.
☺☺☺ Tocopherol, A
☺☺☺ Lavandula Hybrida*, P
☺☺☺ Lavandula Latifolia*, P
☺☺☺ Citrus Amara*, P
☺☺☺ Cupressus Sempervirens*, P
☺☺☺ Rosmarinus Officinalis*, P
☺☺☺ Thymus Vulgaris*, P
☺☺☺ Origanum Majorana*, P
☺☺☺ Citrus Limonum*, P
☺☺☺ Artemisia Dracunculus, P
☺☺☺ Achillea Millefolium, P
☺☺☺ Cananga Odorata*, P
☺☺☺ Myristica Fragrans*, P
☺☺☺ Salvia Officinalis*, P
☺☺☺ Eugenia Caryophylus* P
☺☺ Linalool, P
R-p-mentha-1,8-Diène (probablement P, mais non identifiable sous cette forme selon INCI)
☺☺ Geraniol, P
☺☺ Eugenol, P
*Ingrédients issus de l'agriculture biologique.

☺☺☺ **Base/Agents actifs**
Dans cette base, l'eau est liée aux huiles de noisette et de noyau de palmier à l'aide d'un tensioactif de sucre. Le produit contient aussi d'autres bonnes huiles végétales, comme celles de tournesol et de germe de blé. Ce qui saute aux yeux, c'est que parmi les 27 composants on trouve non moins de 14 huiles essentielles et 4 autres substances odorantes utilisées respectivement comme substances actives et parfums. Ces 18 substances représentent probablement 0,5 à 1 % du produit, voire 1 à 2 %.en cas de fort dosage.

☺☺☺ **Additifs**
La vitamine E comme antioxydant.

☺☺☺ **Conservation**
Pas de conservateur identifiable.

8 Yves Rocher : Sérum Végétal

INCI
Aqua, B
☺☺☺ Lentinus Edodes, A.A.
☹ Dimethicone, B
Note écologique : 😞😞
☺☺ Butylene Glycol, B
☺☺☺ Vitis Vinifera, B
☺☺ Ethylhexyl Cocoate, B
☺☺☺ Cetyl Alcohol, B
☹ Propylene Glycol, B
☺☺☺ Urea, A.A.
☺☺☺ Glycerin, B, A.A.
☹ Sodium Mannuronate Methylsilanol, B
Note écologique : 😞😞
☺☺ Methyl Glucose Sesquistearate, B
☺☺☺ Dicaprylyl Maleate, B
😞😞 PEG-100 Stearate, B
☺☺☺ Talc, B
☹ Sodium Lactate Methylsilanol, B
Note écologique : 😞😞
☹ Petrolatum, B
Note de soin pour la peau : 😞😞
☺☺☺ Butyrospermum Parkii, A.A.
☺☺☺ Acacia Senegal, A.A.
☹ Cyclopentasiloxane, B
Note écologique : 😞😞
Parfum
☺☺☺ Glyceryl Stearate, B
☺☺☺ Ethyl Linoleate, B
😞 Methylparaben, C
☺☺☺ Lecithin, B, A.A.
☹ Dimethiconol, B
Note écologique : 😞😞
☹ Carbomer, B
Note écologique : 😞😞
☺☺☺ Xanthan Gum, B
☺☺☺ Tocopheryl Acetate, A.A.
☺☺☺ Sorbic Acid, C
☺☺☺ Retinyl Palmitate, A.A.
☺☺☺ Allantoin, A.A.
😞 Ethylparaben, C
😞😞😞 BHT, A
😞 Propylparaben, C
☺☺ Sodium Hydroxide, A
😞 Butylparaben, C
😞😞 Tetrasodium EDTA, A
😞 CI 17200, A

😞 **Base/Agents actifs**
Bien que cette marque se vante d'être « le N° 1 de la cosmétique végétale », 15 de ses 38 composants sont issus de la chimie synthétique. Parmi eux, certains sont nocifs pour l'environnement ou douteux pour la santé ! La base : corps gras synthétiques, silicones, huile de paraffine. Parmi les points positifs : l'extrait de shiitake, un champignon (dans la liste INCI directement après l'eau) ; l'huile de pépins de raisin ; la vitamine E-acétate, le beurre de karité et l'émulsifiant provenant du sucre. Mais il y a en plus un émulsifiant PEG.

😞😞 **Additifs**
Le colorant azoïque, le BHT et l'EDTA sont les points négatifs.

😞 **Conservation**
Quatre parabènes.

9 Yves Rocher : Pure Calmille Hydra Douceur

INCI
Aqua, B
☺☺ Coco-Caprylate/Caprate, B
☺☺ Butylene Glycol, B
☹ Dimethicone, B
Note écologique : 😞😞
☺☺☺ Urea, B
☹ Propylene Glycol, B
☺☺☺ Glycerin, B, A.A.
😞😞 PEG-100 Stearate, B
☺☺☺ Vitis Vinifera, B
☺☺☺ Stearyl Alcohol, B
☹ Paraffinum Liquidum, B
Note de soin pour la peau : 😞😞
☺☺☺ Glyceryl Stearate, B
☹ Cyclopentasiloxane, B
Note écologique : 😞😞
Parfum, P
😞 Methylparaben, C
☺☺☺ Xanthan Gum, B
☹ Dimethiconol, B
Note écologique : 😞😞
☺☺☺ Tocopheryl Acetate, A.A.
☺☺☺ Allantoin, A.A.
☺☺☺ Retinyl Palmitate, A.A.
😞 Propylparaben, C
😞 Ethylparaben, C
😞 Butylparaben, C
☹ Acrylates/C10-30 Alkyl Acrylate Crosspolymer, B
Note écologique : 😞😞
☺☺☺ Ethyl Linoleate, A.A.
☺☺ Linaool, P
☹ Hydroxyisohexyl -3-Cyclohexene Carboxaldehyde, P
😞😞 Tetrasodium EDTA, A
☺☺☺ Chamomilla Recutita, A.A.
☺☺ Limonene, P
☺☺ Citronellol, P
☺☺ Sodium Hydroxide, A
☺☺☺ CI 77891, A

☹ Base/Agents actifs

La base est composée d'eau, d'une huile estérifiée (voir page 243), de butylène glycol en tant que substance hydratante synthétique, et d'une silicone, tous liés entre autres par un émulsifiant éthoxylé (PEG). Outre l'huile de pépins de raisin, ce produit contient aussi une huile de paraffine (huile minérale) ainsi que d'autres silicones. Les agents actifs sont des esters de vitamines E et A. L'agent actif central est une « essence active de camomille ». Bien que la camomille apparaisse seulement tout en bas de la liste INCI, son extrait est hautement concentré, donc efficace même en petites quantités. Les quelques bons principes actifs sont noyés dans une base clairement synthétique.

☹ Additifs

La solution de soude pour réguler le pH, et l'EDTA, problématique.

☹ Conservation

Quatre parabènes.

En résumé : des composants synthétiques nocifs pour l'environnement (comme les silicones), un hydratant synthétique, de l'huile estérifiée, une autre minérale, des parabènes pour la conservation, et de l'EDTA. On constate que ce produit, de par sa formulation, est lui aussi en nette contradiction avec l'image « verte » et végétale du fabricant.

10 Decléor: Aroma Pureté, Fluide matifiant peau de pêche

INCI

Water (Aqua), B
☹ Cyclopentasiloxane, B
Note écologique **☹☹**
☹ Dimethicone/Vinyl Dimethicone Crosspolymer, B
Note écologique **☹☹**
☹ Cyclohexasiloxane, B
Note écologique **☹☹**
☹ Polyethylene, B
Note écologique **☹☹**
☹ Butylene Glycol, B
☺☺ Glycol Palmitate, B
☹ Methyl Methacrylate Crosspolymer, B
Note écologique **☹☹**
☺☺ Cetearyl Isononanoate, B
☹ Pentylene Glycol, B
☺☺☺ Glycerin, B, A.A.
☹ Propylene Glycol, B
☺☺☺ Panthenol, A.A.
☹☹ PEG-32, B
☹☹ PEG-6, B
☺☺☺ Cananga Odorata Flower Oil, P
☺☺☺ Nelumbium Specinosum Flower Extract, A.A.
☺☺☺ Salix Alba (Willow) Bark Extract, A.A.
☺☺☺ Epilobium Angustifolium Extract, A.A.
☺☺☺ Alteromonas Ferment Extract, A.A.
☺☺☺ Myristyl PCA, A.A.
☹☹ Steareth-10, B
☹☹ C12-14 Pareth-12, B
☹ Dimethicone Crosspolymer, B
Note écologique **☹☹**
☹☹ Triethanolamine, A
Fragrance (Parfum)
☹☹ PEG-60 Almond Glycerides, B
☺☺ Caprylyl Glycol, B
☺☺☺ Sorbitol, B
☹ Acrylates/C10-30 Alkyl Acrylates Crosspolymer, B
Note écologique **☹☹**
☹ Carbomer, B
Note écologique **☹☹**
☺☺☺ Hyrolyzed Wheat Protein, A.A.
☹☹ Tetrasodium EDTA, A
☺☺ Linalool, P
☺☺ Benzyl Benzoate, P
☺☺☺ Sodium Stearate, B
☺☺ Zinc Gluconate, A.A.
☹☹ Nordihydroguaiaretic Acid, A
☺☺☺ Oleanolic Acid, A.A.
☺☺☺ Sodium Chloride, A
☹☹ Phenoxyethanol, C
☹ Methylparaben, C
☹ Butylparaben, C
☹ Ethylparaben, C
☹ Isobutylparaben, C
☹ Propylparaben, C

☹ Base / agents actifs

C'est la chimie conventionnelle des cosmétiques qui domine : diverses silicones et PEG, plusieurs acrylates et des humectants de synthèse. Eléments positifs : quatre extraits de plantes et le panthénol.

☹☹ Additifs

Du sel de table mais malheureusement de la triéthanolamine, de l'EDTA et de l'acide Nordihydroguaiaretic comme antioxydant.

☹ Conservation

Phénoxyéthanol et parabènes.

11 Dr. Hauschka : Crème de jour au coing*

INCI

Aqua, B
☺☺☺ Prunus Armeniaca, B, A.A.
☺☺☺ Anthyllis Vulneraria, A.A.
☺☺☺ Pyrus Cydonia, A.A.
☺☺☺ Alcohol, A
☺☺☺ Daucus Carota, A.A.
☺☺☺ Glycerin, B, A.A.
☺☺☺ Butyrospermum Parkii, A.A.
☺☺☺ Prunus Dulcis, B, A.A.
☺☺☺ Olea Europaea, B, A.A.
☺☺☺ Cetearyl Alcohol, B
☺☺☺ Persea Gratissima, A.A.
☺☺☺ Althaea Officinalis, A.A.

☺☺☺ Simmondsia Chinensis (Buxus Chinensis), A.A.
☺☺☺ Cera Flava, B
☺☺☺ Lecithin, B, A.A.
☺☺☺ Bentonite, B
☺☺☺ Hamamelis Virginiana, A.A.
Parfum
☺☺ Citral*, P
☺☺ Citronellol*, P
☺☺ Geraniol*, P
☺☺ Limonene*, P
☺☺ Linalool*, P
☺☺ Eugenol*, P
☺☺ Benzyl Benzoate*, P
☺☺☺ Xanthan Gum, B
* Composants d'huiles essentielles naturelles

☺☺☺ **Base/Agents actifs**
La base, riche en agents actifs, est constituée d'huiles et de cires végétales. Elle contient par exemple beaucoup d'huile de noyau d'abricot (dans la liste INCI directement après l'eau), les huiles de jojoba et de carotte, complétées par du beurre de karité et divers extraits de plantes (coing, anthyllide vulnéraire, hamamélis et guimauve). Comme émulsifant, on trouve la lécithine en combinaison avec de l'alcool d'acide gras.

☺☺☺ **Additifs**
Uniquement de l'alcool végétal (éthanol). Celui-ci étant positionné très haut dans la liste INCI, on peut penser qu'il sert aussi de conservateur du produit.

☺☺☺ **Conservation**
Voir additifs.

12 Nature & Découvertes: Masque Visage thé vert*

INCI
Aqua (Water), B
☺☺☺ Melissa Officinalis Destillata*, B, A.A.
☺☺☺ Bentonite, B
☺☺☺ Glyceryl Stearate, B (and)
☺☺☺ Cetearyl Alcohol, B (and)
☺☺☺ Cetyl Palmitate, B (and)
☺☺☺ Cocoglycerides, B
☺☺☺ Sesamum Indicum (Sesame) Oil*, A.A.
☺☺☺ Kaolin, B
☺☺☺ Titanium Oxyde, A
☺☺☺ Arachidyl Alcohol, B (and)
☺☺☺ Behenyl Alcohol, B (and)
☺☺☺ Aracidyl Glucoside, B
☺☺☺ Carrageenan, B
☺☺☺ Buxus Chinensis (Jojoba) Oil, A.A.
☺☺☺ Dehydroacetic Acid, C (and)
☺☺☺ Benzyl Alcohol, C
☺☺☺ Thea Sinensis Extract, A.A.
☺☺☺ Nupha Luteum Extract, A.A. (and)
☺☺☺ Centella Asiatica Extract, A.A. (and)
☺☺☺ Panax Ginseng Extract, A.A. (and)
☺☺☺ Oryza Sative (Rice) Extract, A.A. (and)
☺☺☺ Bambusa Arundinacea Extract, A.A.
☺☺☺ Curcubita Pepo (Pumpkin) Oil*, A.A.
Parfum (Essential Oils)
☺☺☺ CI 75810, A
☺☺☺ Sorbic Acid, C
☺☺☺ Citric Acid, A
☺☺☺ Tocopherol, A
☺☺ Limonene, P
☺☺ Linalool, P
☺☺ Citral, P
* Ingrédients issus de l'agriculture biologique

☺☺☺ **Base / agents actifs**
Une bonne base pour cosmétiques naturels : extraits de plantes, distillats et huiles végétales de grande qualité. Les émulsifiants : émulsifiants issus du sucre, et comme co-émulsifiants des esters à base végétale. Pour stabiliser l'émulsion, du kaolin minéral et de la bentonite. En ce qui concerne les agents actifs, on mise seulement sur les plantes.

☺☺☺ **Additifs**
Tous non préoccupants : colorant naturel, vitamine E et acide citrique.

☺☺ **Conservation**
Acide déhydro-acétique, alcool benzylique et acide sorbique

Remarque : La liste INCI ne correspond pas à la réglementation (voir encadré page xx).

13 L'Oréal : RevitaLift

INCI
Aqua/Water, B
☺☺☺ Glycerin, B, A.A.
☹ Cyclopentasiloxane, B
Note écologique : ☻☻
☺☺/☹ Alcohol denat., A
☺☺ Isocetyl Stearate, B
☺☺ Butylene Glycol, B
☺☺☺ Lithium Magnesium Sodium Silicate, B
☺☺ Ethylhexyl Methoxycinnamate, A.A. (FPS)
☻ Drometrizole Trisiloxane, A.A. (FPS)
☻☻ PEG-100 Stearate, B
☺☺ Cera Alba/Beeswax, B
☺☺ Glyceryl Stearate, B
☻☻ PEG-20 Stearate, B
☺☺☺ Stearyl Alcohol, B
☺☺☺ Cetyl Alcohol, B
☹ Acrylamide/Sodium Acryloyldimetyltaurate Copolymer, B
Note écologique : ☻☻
☺☺☺ Stearic Acid, B
☹ Isohexadecane, B
Note de soin pour la peau : ☻☻
☻☻ Triethanolamine, A
☺☺☺ Ascorbyl Glucoside, A.A.
☻☻☻ Acetyltrifluoromethylphenyl Valylglycine, B

☺☺☺ Retinyl Palmitate, A.A.
☹☹ Polysorbate 80, B
☺☺☺ Sodium Citrate, A
☹☹ Disodium EDTA, A
☹ Polycaprolactone, A
Note écologique : ☹☹
☹ Methylparaben, C
☹☹ Diazolidinyl Urea, C
☹ Butylparaben, C
☹☹ Chlorphenesin, C
☺☺ CI 47005/Acid Yellow 3, A
☹☹ CI 17200/Red 33, A
Parfum/Fragrance
☺☺ Linalool, P
☺☺ Benzyl Salicylate, P
☺☺ Citronellol, P
☺☺ Alpha-Isomethyl Ionone, P
☺☺ Geraniol, P
☺☺ Limonene, P
☺☺ Coumarin, P
☹ Hydroxyisohexyl 3-Cycolhexene Carboxaldehyde, P
☹ Butylphenyl Methylpropional, P
(FIL B1071/13/1)

☹/☹ Base/Agents actifs
La base contient beaucoup de matières premières de synthèse : des silicones, de composants éthoxylés (PEG) et des composés d'acryl, en plus d'une paraffine (Isohexadecane). Quelques bons agents actifs : le Retinyl Palmitate (vitamine A) et l'Ascorbyl Glucoside (un composé de vitamine C). À noter positivement aussi, le taux élevé de glycérol (dans la liste INCI directement après l'eau).

☹ Additifs
L'alcool se trouvant placé relativement haut dans la liste INCI, on peut penser qu'il sert aussi pour la conservation. La plupart des additifs ne sont pas problématiques, mais il y a malheureusement aussi de l'EDTA.

☹☹ Conservation
Des conservateurs controversés comme la chlorphénésine et Diazolidinyl Urea, qui peut libérer du formaldéhyde, auxquels s'ajoutent les parabènes. Pourtant, le taux élevé d'alcool pourrait permettre de ne pas faire appel à ces substances.

14 Gamarde : Nutrition intense soin visage

INCI
Gamarde Aqua (Gamarde Water), B
☺☺☺ Helianthus Annuus (Sunflower Seed Oil)*, A.A.
☺☺☺ Glyceryl Linoleate, B
☺☺☺ Argania Spinosa (Kernel Oil)*, A.A.
☺☺☺ Butyrospermum Parkii (Shea Butter)*, A.A.
☺☺☺ Cera Alba (Beeswax), B
☺☺☺ Hydrogenated Castor Oil, B
☺☺☺ Kaolin, B
Parfum naturel (Natural Fragrance), P
☺☺☺ Aniba Rosaeodora (Rosewood Wood Oil)*, P
☺☺☺ Tocopherol vegetal, A
☺☺☺ Lavandula Hybrida (Lavendin Oil)*, P
☺☺ Benzyl Benzoate, P
☺☺ Citral, P
☺☺ Citronellol, P
☺☺ Coumarin, P
☺☺ Geraniol, P
☺☺ Limonene, P
☺☺ Linalool, P
* Ingrédients issus de l'agriculture biologique.

☺☺☺ Base/Agents actifs
De l'eau, de l'huile de tournesol, un linoléate de glycérol comme émulsifiant ; s'y ajoutent de l'huile d'argan, du beurre de karité et de la cire d'abeilles. Le tout forme une bonne base, riche en agents actifs et en véritables huiles végétales.

☺☺☺ Additifs
Seulement de la vitamine E en tant qu'antioxydant.

☺☺☺ Conservation
Pas de conservateurs identifiables.

15 Lavera : Faces soin intensif aux liposomes rose sauvage*

INCI
Water (Aqua), B
☺☺☺ Elaeis Guineensis (Palm) Kernel Oil, B
☺☺ Tricaprylin, B
☺☺☺ Alcohol, A
☺☺☺ Glycerin, B/A.A.
☺☺☺ Butyrospermum Parkii (Shea Butter)*, A.A.
☺☺☺ Prunus Amygdalus Dulcis (Sweet Almond) Oil*, A.A.
☺☺☺ Simmondsia Chinensis (Jojoba) Seed Oil, A.A.
☺☺☺ Hydrogenated Palm Glycerides, B
☺☺☺ Squalane d'huile d'olive, A.A.
☺☺☺ Lanolin, B
☺☺☺ Passiflora Incarnata Seed Oil, A.A.
☺☺☺ Tocopheryl Acetate, A.A.
☺☺ Caprylic Capric Triglyceride, B
☺☺☺ Xanthan Gum, B
☺☺☺ Glyceryl Oleate Citrate, B
☺☺☺ Ribes Nigrum (Black Currant) Seed Oil, A.A.
☺☺☺ Lysolecithin, A.A.
☺☺☺ Rosa Damascena Flower Water*, A.A.
☺☺☺ Rosa Canina Fruit Extract*, A.A.
☺☺☺ Ginkgo Biloba Leaf Extract, A.A.
☺☺☺ Brassica Campestris (Rapeseed) Sterols, B, A.A.
☺☺☺ Hydrogenated Lecithin, B
☺☺☺ Tocopherol, A
☺☺☺ Sodium Hyaluronate, A.A.
☺☺☺ Myrtus Communis Water*, B/A.A.
☺☺☺ Citrus Aurantium Amara (Bitter Orange) Flower Water*, B/A.A.
☺☺☺ Lecithin, B
☺☺☺ Ascorbyl Palmitate, A/A.A.
☺☺☺ Ascorbic Acid, A.A.

Fragrance (Parfum)** P
☺☺ Citral**, P
☺☺ Geraniol**, P
☺☺ Citronellol**, P
☺☺ Limonene**, P
☺☺ Linalool** P
* Ingrédients issus de l'agriculture biologique.
** Huiles essentielles naturelles

☺☺☺ **Base/Agents actifs**
La base de ce produit est constituée d'eau, d'huile de noyau de palmier (huile de palmiste), de tricapryline, d'éthanol et de glycérol. Les émulsifiants employés : différentes lécithines et un émulsifiant alimentaire. Les agents actifs : beurre de karité, huile d'amande et huile de jojoba, ainsi que la squalane, l'huile de nigelle (cumin noir) et divers extraits de plantes. On remarque aussi le rôle important d'une huile estérifiée (Tricaprylin, en 3e position de la liste INCI). On vise probablement là à obtenir une sensation différente sur la peau.

☺☺☺ **Additifs**
Vitamines E et C seulement pour former un système antioxydant.

☺☺☺ **Conservation**
L'alcool se trouvant haut placé dans la liste, il sert probablement de conservateur.

16 Nuxe : Crème Nirvanesque

INCI
Aqua (Water), B
☺☺ Diethylhexyl Carbonate, B
☺☺ Butylene Glycol, B
☺☺☺ Glycerin, B, A.A.
☹ Propylene Glycol Dicaprylate/Dicaprate, B
😞😞 Tribehenin PEG-20 Esters, B
☹ Polymethylsilsequioxane, B
Note écologique : 😞😞
☺☺☺ Yeast Extract, A.A.
☹ Dimethicone, B
Note écologique : 😞😞
☺☺ Octyldodecanol, B
☹ Boron Nitride, A
☹ Propylene Glycol, B
☺☺☺ Imperata Cylindrica Root Extract, A.A.
☺☺☺ Althaea Officinalis Root Extract, A.A.
☺☺☺ Zea Mays (Corn) Kernel Extract, A.A.
☺☺☺ Nymphaea Coerulea Seed Extract, A.A.
☺☺☺ Papaver Rhoeas Seed Extract, A.A.
☺☺☺ Amaranthus Caudatus Seed Extract, A.A.
☺☺☺ Tocopherol, A
☹ Dimethicone Crosspolymer, B
Note écologique : 😞😞
Parfum (Fragrance)
☹ Polyacrylamide, B
Note écologique : 😞😞
☹ Carbomer, B
Note écologique : 😞😞
😞😞 Tromethamine, A
☹ C13-14 Isoparaffin, B
Note de soin pour la peau : 😞😞
😞 Methylparaben, C
😞😞 Laureth-3, B
☺☺ Hydroxyethylethylcellulose, B
☺☺☺ Tristearin, B
😞😞 Tetrasodium EDTA, A
☹ Acetylated Glycol Stearate, B
Note écologique : 😞😞
☺☺☺ Magnesium Aspartate, A.A.
😞😞 PEG-8, B
😞😞 Laureth-7, B
😞 Ethylparaben, C
😞 Butylparaben, C
☺☺☺ Acetyldipeptide-1 Cetyl Ester, A.A.
😞 Propylparaben, C
😞 Isobutylparaben, C
☺☺ Prolinamidoethylimidazole, A.A.
☺☺ Potassium Sorbate, C
😞😞 Disodium EDTA, A
😞 Sodium Methylparaben, C
☹ Hydroxycitronellal, P
☺☺ Benzyl Benzoate, P
☺☺ Hexyl Cinnamal, P
☺☺ Limonene, P
☺☺ Linalool, P
😞😞 Phenoxyethanol, C

😞 **Base/Agents actifs**
La base est formée de corps gras synthétiques et de substances hydratantes synthétiques, comme le butylène glycol et le propylène glycol, auquels s'ajoutent des composants éthoxylés (PEG) et des silicones. Les extraits de plantes, comme la guimauve, une graminée (Imperata Cylindrica) et le coquelicot n'apparaissent que très loin dans la liste INCI. La qualité de base de ce produit est dominée par la chimie synthétique.

😞😞 **Additifs**
Entre autres deux variantes de l'EDTA.

😞 **Conservation**
Des sorbates de potassium, du phénoxyéthanol et des parabènes.

17 Natessance : Lift' Argan/Fluid Argan (Huile)

INCI
☺☺ Triheptanoin, B
☺☺☺ Argania Spinosa (Argan) Kernel Oil, A.A.
☺☺☺ Camelia Sativa Seed Oil, A.A.
☺☺☺ Borago Officinalis (Borage) Seed Oil, A.A.
☺☺☺ Helianthus Annuus (Sunflower) Seed Oil, A.A.
☺☺☺ Bellis Perennis (Daisy) Flower Extract, A.A.
☺☺ Squalane, A.A.
Parfum (Fragrance),
☺☺☺ Tocopherol, A
☺☺☺ Caulophyllum Inophylum Seed Oil, A.A.

☺☺☺/☺☺ **Base/Agents actifs**
Le principal composant de ce produit : un corps gras semi-synthétique (à base de glycérol et d'un acide synthétique). Il est suivi de l'huile végétale d'argan, et d'autres huiles et extraits végétaux de bonne qualité. La formule aurait été encore meilleure si les huiles végétales se trouvaient à la première place au lieu de l'huile estérifiée.

Additifs
Aucun.

Conservation
Ce produit sans eau ne nécessite pas de conservateur.

18 Logona : Crème de jour Rose*

INCI
Aqua (Water), B
☺☺☺ Theobroma Cacao (Cocoa Seed Butter), A.A.
☺☺☺ Glyceryl Stearate SE, B
☺☺☺ Prunus Amygdalus Dulcis (Sweet Almond) Oil*, B, A.A.
☺☺☺ Simmondsia Chinensis (Jojoba Seed Oil)*, A.A.
☺☺☺ Vitis Vinifera (Grape Seed Oil), B
☺☺☺ Glycerin, B, A.A.
☺☺☺ Cera Flava (Beeswax), B
☺☺☺ Lanolin, B, A.A.
☺☺☺ Rosa Canina (Fruit Oil)*, A.A.
Parfum (Essential Oils)
☺☺☺ Rosa Centifolia (Flower Extract), A.A.
☺☺☺ Calendula Officinalis (Flower Extract)*, A.A.
☺☺☺ Olea Europaea (Olive Fruit Oil)*, B, A.A.
☺☺☺ Tocopherol, A
☺☺☺ Xanthan Gum, B, A
☺☺☺ Sodium Citrate, A
☺☺☺ Citric Acid, A
☺☺ Limonene, P
☺☺ Geraniol, P
☺☺ Linalool, P
☺☺ Citronellol, P
☺☺ Citral, P

☺☺☺ **Base/Agents actifs**
Le point positif : le taux élevé en beurre de cacao (tout de suite après l'eau dans la liste INCI) et en huiles d'amandes, de jojoba et d'églantier. Outre ces bonnes huiles et cires végétales, le produit contient d'autres agents actifs bienfaisants comme des extraits de rose et de calendula. Les émulsifiants : stéarates de glycérol d'origine végétale.

☺☺☺ **Additifs**
Pour réguler le pH : des acides (comme l'acide citrique) autorisés également en tant qu'additifs dans les aliments, comme d'ailleurs le gélifiant Xanthan Gum.

☺☺☺ **Conservation**
Pas de conservateur visible.

19 Weleda : Crème hydrante à la rose musquée*

INCI
Water (Aqua), B
☺☺☺ Alcohol, A
☺☺☺ Simmondsia Chinensis (Jojoba) Seed Oil, A.A.
☺☺☺ Prunus Persica (Peach) Kernel Oil, A.A.
☺☺☺ Glycerin, B, A.A.
☺☺☺ Rosa Moschata Seed Oil, A.A.
☺☺☺ Glyceryl Oleate, B
☺☺☺ Copernicia Cerifera (Carnauba) Wax, B
☺☺☺ Beeswax (Cera Flava), B
☺☺☺ Magnesium Aluminum Silicate, B
☺☺☺ Sedum Purpureum Extract, A.A.
Fragrance (Parfum)*
☺☺ Limonene*, P
☺☺ Linalool*, P
☺☺ Citronellol*, P
☺☺ Benzyl Alcohol*, P
☺☺ Geraniol,* P
☺☺ Citral*, P
☺☺ Eugenol*, P
☺☺ Farnesol*, P
☺☺☺ Rosa Centifolia Flower Extract, A.A.
☺☺☺ Equisetum Arvense (Horsetail) Extract, A.A.
☺☺☺ Commiphora Myrrha Extract, A.A.
☺☺☺ Xanthan Gum, B
☺☺☺ Glyceryl Stearate SE, B
☺☺☺ Sodium Beeswax, B
☺☺☺ Chondrus Crispus (Carrageenan), B

☺☺☺ **Base/Agents actifs**
La base est riche en agents actifs puisque le produit contient d'importantes quantités d'huile de jojoba et de noyau de pêche, de glycérol et de rose musquée. On les trouve en positions 3 à 6 de la liste INCI. La formule de base est complétée par de bons extraits de plantes (par ex. rose, prêle des champs, myrrhe). Les émulsifiants sont des stéarates de glycérol d'origine végétale.

☺☺☺ **Additifs**
Un seul additif : l'alcool végétal (éthanol). Comme il se situe très haut dans la liste INCI, on peut penser qu'il contribue à la conservation du produit.

☺☺☺ **Conservation**
Voir les additifs.

20 Vichy : Myokine

INCI
Aqua/Water, B
☹ Cyclopentasiloxane, B
Note écologique : ☹☹
☺☺☺ Butyrospermum Parkii/Shea Butter Fruit, A.A.
☺☺☺ Glycerin, B, A.A.
☹ Isohexadecane, B
Note de soin pour la peau : ☹☹
☺☺☺ Zea Mays/Corn Starch, B

☺☺☺ Silica, B
☺☺ Pentaerythrityl Tetraethylhexanoate, B
☺☺☺ Cera Alba/Beeswax, B
☺☺☺ Stearic Acid, B
☺☺☺ Palmitic Acid, B
☹☹ PEG-100 Stearate, B
☺☺☺ Glyceryl Stearate, B
☹☹ PEG-20 Stearate, B
☹☹ BIS-PEG-18 Methyl Ether Dimethyl Silane, B
Note écologique : ☹☹
☺☺☺ Stearyl Alcohol, B
☺☺☺ Prunus Armeniaca/Apricot Kernel Oil, A.A.
☹☹ PEG-4 Dilaurate, B
☹☹ PEG-4 Laurate, B
☺☺☺ Glycine Soja/Soybean Oil, B
☹ Dimethiconol, B
Note écologique : ☹☹
☺☺ Manganese Sulfate, B
☹ Methylparaben, C
☺☺☺ Arginine PCA, A.A.
☺☺ Adenosine, A.A.
☺☺☺ Magnesium Sulfate, A
☹☹ Disodium EDTA, A
☺☺☺ Tocopherol, A
☺☺☺ Dipotassium Glycyrrhizate, A.A.
☹☹☹ Iodopropynyl Butylcarbamate, C
☺☺ Capryl Glycol/Caprylyl Glycol, B
☺☺☺ Hydrolyzed Algin, B
☹ Acrylamide/Sodium Acryloyldimethyltaurate Copolymer, A
Note écologique : ☹☹
☹ Butylparaben, C
☹☹ Polysorbate 80, B
☹☹ Benzophenone-4, A.A., (FPS)
Parfum/Fragrance
Code F.I.L. B7581/1

☹/☹ Base/Agents actifs

Un mélange inconséquent : beaucoup de composés de silicones et 5 composants éthoxylés (PEG), complétés par quelques huiles végétales et des cires. Mais ces dernières ne suffisent pas à créer une vraie différence de qualité. Les agents actifs végétaux (Dipotassium Glycyrrhizinate et Arginine PCA) sont bons mais malheureusement, on trouve aussi le benzophénone 4 comme agent de protection solaire et ce dernier ne figure pas parmi les meilleurs.

☹ Additifs

Malheureusement aussi de l'EDTA.

☹☹ Conservation

Des parabènes. Il y a aussi un composé organo-halogéné : Iodopropynyl Butylcarbamate.

*21 Melvita : Crème anti-rides Naturalift**

INCI

Aqua (Water), B
☺☺☺ Tilia Cordata Flower Water*, B, A.A.
☺☺ Dicapryl Ether, B
☺☺ Caprylic/Capric Triglyceride, B
☺☺ Octyldodecanol, B
☺☺☺ Glycerin, B, A.A.
☺☺☺ Arachidyl Alcohol, B
☺☺☺ Carthamus Tinctoris (Safflower) Seed Oil*, A.A.
☺☺☺ Behenyl Alcohol, B
☺☺☺ Stearic Acid, B
☺☺☺ Fagus Sylvatica Extract*, A.A.
☺☺☺ Cera Alba (Beeswax), B
☺☺☺ Camelina Sativa Seed Oil*, A.A.
☺☺☺ Dextrin, C
☺☺☺ Hydrolyzed Hibiscus Esculentus Extract, A.A.
☺☺ Sodium Benzoate, C
☺☺☺ Arachidyl Glucoside, B
☺☺☺ Xanthan Gum, B
☺☺☺ Levulinic Acid, A
☺☺ Potassium Sorbate, C
☺☺☺ Pullulan, A.A. (polysaccharide obtenu par enzymes à partir d'amidon)
☺☺☺ Cellulose, B
☺☺☺ Hectorite, B
☺☺☺ Citric Acid, A
☺☺ Limonene, P
☺☺☺ Hordeum Vulgare Extract*, A.A. (extrait d'orge)
Parfum (Fragrance)
☺☺ Geraniol, P
☺☺☺ Buddleja Davidii Extract, A.A.
☺☺☺ Helianthus Annuus (Sunflower) Seed Oil, A.A.
☺☺☺ Algae Extract, A.A.
☺☺ Citronellol, P
☺☺☺ Rosmarinus Officinalis (Rosemary) Leaf Extract, A.A.
☺☺ Linalool, P
☺☺☺ Cyathea Medullaris Extract, A.A. (fougère arborescente néo-zélandaise)
☺☺☺ Castanea Sativa (Chestnut) Extract, A.A.
☺☺ Citral, P

* Ingrédients issus de l'agriculture biologique.

☺☺ Base/Agents actifs

L'eau et l'extrait de fleurs de tilleul ; puis des corps gras à base de plantes et du glycérol. Les vraies huiles végétales, comme celles de carthame et de caméline (lin bâtard), n'apparaissent que plus bas dans la liste. Le produit contient aussi des extraits de plantes comme le hêtre, l'orge et une fougère arborescente. Le produit passe à côté de la note « très bien » à cause d'un taux élevé d'huiles estérifiées (voir page 243).

☺☺☺ Additifs

Uniquement de l'acide citrique et de l'acide lévulinique, dont on peut penser qu'ils aident aussi à la conservation.

☺☺ Conservation

Benzoate de sodium et sorbate de potassium.

22 Lavera : Fluide hydratant peau sensible*

INCI

Water (Aqua), B
☺☺ Caprylic/Capric Triglyceride, B
☺☺☺ Glycine Soja (Soybean) Oil*, B
☺☺☺ Alcohol, A
☺☺☺ Glycerin, B, A.A.
☺☺☺ Hydrogenated Palm Glycerides, B
☺☺ Squalane, A.A.
☺☺☺ Prunus Amygdalus Dulcis (Sweet Almond) Oil*, A.A.
☺☺☺ Shorea Stenoptera Butter, B, A.A.
☺☺☺ Simmondsia Chinensis (Jojoba) Seed Oil*, A.A.
☺☺☺ Aloe Barbadensis Leaf Juice*, A.A.
☺☺☺ Beeswax (Cera Alba)*, B
☺☺☺ Hydrogenated Lecithin, B
☺☺☺ Butyrospermum Parkii (Shea Butter)*, A.A.
☺☺☺ Œnothera Biennis (Evening Primrose) Oil*, A.A.
☺☺☺ Lysolecithin, B
☺☺☺ Tocopheryl Acetate, A.A.
☺☺☺ Glyceryl Oleate Citrate, B
☺☺☺ Xanthan Gum, B
☺☺☺ Glycyrrhiza Glabra (Licorice) Root Extract*, A.A.
☺☺☺ Hippophae Rhamnoides Fruit Extract*, A.A.
☺☺☺ Lecithin, B, A.A.
☺☺☺ Sodium Hyaluronate, A.A.
☺☺☺ Dipotassium Glycyrrhizate, A.A.
☺☺☺ Lavandula Angustifolia (Lavender) Flower Water*, A.A.
☺☺☺ Brassica Campestris (Rapeseed) Sterols, A.A.
☺☺☺ Tocopherol, A
☺☺☺ Ascorbyl Palmitate, A.A.
☺☺☺ Ascorbic Acid, A
Fragrance (Parfum)**
☺☺ Citronellol**, P
☺☺ Geraniol**, P
☺☺ Limonene**, P
☺☺ Linalool**, P

* Ingrédients issus de l'agriculture biologique.
** Huiles essentielles naturelles

☺☺☺/☺☺ **Base/Agents actifs**

La base est constituée d'une huile estérifiée (deuxième place dans la liste INCI) ainsi que de vraies huiles et cires végétales (huile de soja, d'amande, de jojoba, d'onagre) et d'un émulsifiant de lécithine. S'y ajoutent des agents actifs pour le soin de la peau : le squalane, l'aloès, l'acétate de vitamine E, l'acide hyaluronique et différents extraits de plantes comme la racine de réglisse et l'argousier. L'huile estérifiée, seul point faible de cette très bonne recette, a probablement été employée pour obtenir une meilleure sensation sur la peau (voir page 243).

☺☺☺ **Additifs**

Les vitamines E et C comme complexe antioxydant.

☺☺☺ **Conservation**

L'alcool étant placé rélativement haut dans la liste INCI, on peut penser qu'il aide à la conservation.

23 Biotherm : Age fitness

INCI

Aqua/Water, B
☹ Cyclopentasiloxane, B
Note écologique : ☻☻
☺☺/☹ Alcohol denat., A
☺☺ Isononyl Isononanoate, B
☺☺ Octyldodecanol, B
☹ C30-45 Alkyl Dimethicone, B
Note écologique : ☻☻
☺☺☺ Silica, B
☹ Ammonium Polyacryloyldimethyl Taurate, B
Note écologique : ☻☻
☺☺☺ Olea Europaea Fruit Oil, A.A.
☺☺☺ Stearyl Alcohol, B
☺☺☺ Glycerin, B, A.A.
☺☺ Hydrogenated Myristyl Olive Esters, B
☺☺☺ Panthenol, A.A.
☺☺☺ Olea Europaea Leaf Extract, A.A.
☺☺☺ Triticum Vulgare Germ Extract, A.A.
☺☺☺ Tocopheryl Acetate, A.A.
☺☺☺ Ceramide-3, A.A.
☺☺☺ Vitreoscilla Ferment, A.A.
☺☺ Capryloyl Salicylic Acid, A.A., C
☺☺☺ Biosaccharide Gum-1, A.A.
☺☺☺ Guanosine, A.A.
☺☺ Ethyhexyl Methoxycinnamate, A.A. (FPS)
☺☺☺ Tocopherol, A
☺☺☺ Glycine Soja Oil, A.A.
☻☻ PEG-20 Stearate, B
☻☻ PEG-100 Stearate, B
☺☺ Glyceryl Stearate, B
☺☺☺ Polyglyceryl-2 Distearate, B
☻☻ PEG-8 Stearate, B
☺☺☺ Disodium Stearoyl Glutamate, B
☹ Polyacrylamide, B
Note écologique : ☻☻
☹ C13-14 Isoparaffin, B
Note de soin pour la peau : ☻☻
☻☻ Laureth-7, B
☻☻☻ BHT, A
☻☻ Tetrasodium EDTA, A
☻☻ Phenoxyethanol, C
☻ Methylparaben, C
☻ Butylparaben, C
☻ Ethylparaben, C
☻ Propylparaben, C
☻ CI 19140/Yellow 5, A
☺☺ CI 42090/Blue 1, A
Parfum/Fragrance
Code F.I.L. : B5243/1

☻ **Base/Agents actifs**

Des silicones, des corps gras synthétiques et plusieurs PEG noircissent le tableau. Les agents actifs sont bons, sans exception (extraits de plantes, panthénol, tocophérol acétate, biosaccharide gum, céramide-3 etc.), mais la base est malheureusement un « produit artificiel ».

☹☹ Additifs
Entre autres le BHT, l'EDTA et un colorant azoïque.

☹ Conservation
Phénoxyéthanol et parabènes.

*24 Sanoflore : Crème anti-âge**

INCI
☺☺☺ Citrus Aurantium Amara Flower Distillate*, B, A.A.
☺☺☺ Rosa Damascena Distillate*, B, A.A.
☺☺☺ Macadamia Ternifolia Seed Oil*, A.A.
☺☺☺ Borago Officinalis Seed Oil*, A.A.
☺☺☺ Œnothera Biennis Oil*, A.A.
☺☺☺ Rosa Moschata Seed Oil*, A.A.
☺☺ Squalane, A.A.
☺☺☺ Myristyl Alcohol, B (and)
☺☺☺ Myristyl Glucoside, B
☺☺☺ Cetearyl Alcohol, B (and)
☺☺☺ Cetearyl Glucoside, B
☺☺☺ Stearyl Alcohol, B
☺☺☺ Cera*, B
☺☺☺ Citrus Medica Limonum Oil*, P
☺☺☺ Citrus Aurantium Amara Oil*, P
☺☺☺ Citrus Nobilis Oil*, P
☺☺☺ Cananga Odorata Oil*, P
☺☺☺ Michelia Alba Oil, P
☺☺☺ Daucus Carota Oil, A.A.
☺☺☺ Helianthus Annuus Seed Oil A.A. &
☺☺☺ Rosmarinus Officinalis Extract, A.A.
☺☺☺ Tocopherol, A
☺☺☺ Hydrolyzed Wheat Protein, A.A.
☺☺☺ Glyceryl Stearate Citrate, B
☺☺☺ Hydrogenated Phosphatidylcholine, B
☺☺☺ Chondrus Crispus, B
☺☺☺ Xanthan Gum, B
☺☺ Potassium Sorbate, C
☺☺ Benzyl Alcohol, C
☺☺☺ Dehydroacetic Acid, C
☺☺ Benzyl Benzoate, P
☺☺ Benzyl Salicylate, P
☺☺ Citral, P
☺☺ Citronellol, P
☺☺ Limonene, P
☺☺ Farnesol, P
☺☺ Geraniol, P
☺☺ Linalool, P
* Ingrédients issus de l'agriculture biologique.

☺☺☺ Base/Agents actifs
Dans cette formulation, la base est constituée d'hydrolats (de rose et d'orange amère) au lieu d'eau. S'y ajoutent des huiles végétales de grande qualité comme l'huile de Macadamia, de graines de bourrache, d'onagre et de cynorrhodon. Les émulsifiants sont élaborés à partir de sucre. À noter très positivement également, la présence d'agents actifs végétaux.
Remarque : les émulsifiants ne sont pas déclarés de façon correcte (voir page 239).

☺☺☺ Additifs
Seulement du tocophérol (vitamine E) comme antioxydant.

☺☺ Conservation
Alcool benzylique, acide déhydro-acétique et sorbate de potassium.

25 The Body Shop : Vitamin E Protective SPF 15 Moisture Lotion

INCI
Aqua, B
☺☺ Octyl Methoxycinnamate, A.A. (FPS)
☺☺ Butylene Glycol, B
☺☺ Octyl Salicylate, A.A. (FPS)
☺☺☺ Octyl Palmitate, B
☺☺☺ Sorbitan Stearate, B
☺☺☺ Titanium Dioxide, B
☺☺☺ Glycerin, B, A.A.
☹ Dimethicone, B
Note écologique : ☹☹
☺☺☺ Triticum Vulgare, B
☺☺ Sodium Magnesium Silicate, B
☺☺☺ Butyrospermum Parkii, A.A.
☺☺ Benzyl Alcohol, C
☹☹ Ceteareth-20, B
☹☹ Phenoxyethanol, C
☺☺☺ Tocopheryl Acetate, A.A.
☺☺ Alumina, A
☺☺☺ Sucrose Cocoate, B
☺☺☺ Cetyl Alcohol, B
☹ Methylparaben, C
Parfum
☺☺☺ Glyceryl Stearate, B
☹ Propylparaben, C
☺☺☺ Xanthan Gum, B
☹☹ PEG-100 Stearate, B
☺☺☺ Silica, B
☹ Sodium Polyacrylate, B
☹ Tetrasodium Pyrophosphate, A
☹☹ Disodium EDTA, A
☹ Sodium Methylparaben, C
☹ CI 14700, A

☹ Base/Agents actifs
Étant donné la grande proportion de filtres solaires synthétiques qu'il contient, ce produit ne devrait pas être employé comme simple crème de jour mais plutôt comme crème solaire. Le premier filtre apparaît directement après l'eau ! Lorsqu'on travaille à la maison ou au bureau, comme la plupart des gens, on n'a pas besoin d'une crème constituée de tant de filtres solaires. La base est un mélange de silicone, d'huiles synthétiques et d'une huile végétale. L'émulsifiant de sucre est un point positif, mais on trouve aussi des PEG.

☹☹ Additifs
Colorant azoïque, EDTA, pyrophosphate de tétrasodium, et la note insuffisante sans la moindre hésitation.

☹ **Conservation**
Phénoxyéthanol et parabènes.

26 Annemarie Börlind : ZZ Sensitive crème de jour

INCI
Aqua (Water), B
☺☺ Coco-Caprylate/Caprate, B
☺☺ Squalane, A.A.
☺☺☺ Glycerin, B, A.A.
☺☺☺ Sorbitol, B, A.A.
☺☺☺ Triticum Vulgare (Wheat) Germ Oil, A.A.
☺☺☺ Polyglyceryl-3 Oleate, B
☺☺☺ Tribehenin, B
☺☺☺ Polyglyceryl-3 Polyricinoleate, B
☺☺☺ Zinc Oxide, B, A.A.
☺☺☺ Magnesium Sulfate, B
☺☺☺ Tocopheryl Acetate, A.A.
☺☺☺ Alcohol, A
☺☺☺ Cera Alba (Beeswax), B
☺☺☺ Panthenol, A.A.
☺☺☺ Allantoin, A.A.
☺☺☺ Brassica Campestris (Rapeseed) Sterol, A.A.
☺☺☺ Lactic Acid, A
☺☺☺ Achillea Millefolium Extract, A.A.
☺☺☺ Althea Officinalis Root Extract, A.A.
☺☺☺ Chamomilla Recutita (Matricaria) Extract, A.A.
☺☺☺ Equisetum Arvense Extract, A.A.
☺☺☺ Hypericum Perforatum Extract, A.A.
☺☺☺ Melissa Officinalis (Balm Mint) Leaf Extract, A.A.
☺☺☺ Ononis Spinosa Root Extract, A.A.
☺☺☺ Salvia Officinalis (Sage) Leaf Extract, A.A.
☺☺☺ Thymus Serpillum Extract, A.A.
☺☺☺ Triticum Vulgare (Wheat) Germ Extract, A.A.
☺☺☺ Bisabolol, A.A.
☺☺☺ Rosa Centifolia Flower Extract, A.A.
☺☺☺ Ascorbyl Palmitate, A, A.A.
☺☺☺ Hydrogenated Palm Glycerides Citrate, B
☺☺☺ Tocopherol, A
☺☺☺ Lecithin, B, A.A.

☺☺ **Base/Agents actifs**
La base de cette crème est une émulsion d'huile estérifiée (voir page 243) complétée par des émulsifiants polyglycériques (à base végétale).
Autres ingrédients principaux : une huile de germe de blé et du glycérol. Le produit est riche en principes actifs grâce, entre autres, à 11 extraits de plantes (millepertuis, racine de guimauve, camomille, sauge, thym, un extrait de la racine pivotante d'un arbuste, l'arrêt-bœuf, mélisse, prêle...). S'y ajoutent le panthénol, la vitamine E acétate, l'allantoïne et le bisabolol. S'il n'y avait pas une huile estérifiée à la première place des composants, la note « trés bien » aurait pu être attribuée.

☺☺☺ **Additifs**
Le tocophérol et le palmitate d'ascorbyle en tant qu'antioxydants, ainsi que l'alcool et l'acide lactique.

☺☺☺ **Conservation**
Pas de conservateurs identifiables.

27 Biokosma : Active Intensive Night Repair Cream

INCI
Aqua (Water), B
☺☺☺ Bifida Ferment Lysate, A.A.
☺☺☺ Prunus Amygdalus Dulcis (Sweet Almond) Oil, A.A.
☺☺ Methyl Glucose Sesquistearate, B
☺☺☺ Calendula Officinalis Flower Extract, A.A.
☺☺☺ Cetearyl Alcohol, B
☺☺☺ Vitis Vinifera (Grape) Seed Oil, A.A.
☺☺☺ Butyrospermum Parkii (Shea Butter) Oil, A.A.
☺☺ Dicaprylyl Ether, B
☺☺☺ Saccharide Isomerate, A.A.
Parfum
☺☺☺ Helianthus Annuus (Sunflower) Seed Extract, A.A.
☺☺☺ Alcohol, A
☺☺☺ Panthenol, A.A.
☺☺☺ Xanthan Gum, B
☺☺☺ Bisabolol, A.A.
☺☺ Isopropyl Myristate, B
☺☺☺ Glyceryl Stearate, B
☺☺☺ Cetyl Palmitate, B
☺☺☺ Cocoglycerides, B
☺☺ Sodium Cetearyl Sulfate, B
☺☺☺ Alcohol, A
☺☺☺ Lecithin, B, A.A.
☺☺ Potassium Sorbate, C
☺☺ Sodium Hydroxide, A
☺☺☺ Ascorbyl Palmitate, A, A.A.
☺☺ Dodecyl Gallate, A
☺☺☺ Tocopherol, A

☺☺☺ **Base/Agents actifs**
La base : de l'huile d'amande (un classique des soins de la peau) et un agent actif issu de la biotechnologie, le lysat de bifidobactéries (Bifida Ferment Lysate), liés par des émulsifiants à base de sucre. Le Bifida Ferment Lysate, un extrait de bactéries d'acide lactique, est employé pour empêcher un vieillissement précoce de la peau, voire « effacer » les petites rides déjà présentes. On note la présence d'autres bons ingrédients pour soigner la peau : les huiles de pépins de raisin et de tournesol, le beurre de karité, l'extrait de calendula, le panthénol et le bisabolol.

☺☺☺ **Additifs**
Le systhème antioxydant est un mélange de vitamines E et C palmitate et de gallate de dodécyle. S'y ajoutent l'alcool et la solution de soude pour le pH.

☺☺ **Conservation**
Exclusivement du sorbate de potassium, un conservateur alimentaire.

28 Avène : Hydrance crème hydrante

INCI

Avene Aqua, B
☹ Paraffinum Liquidum, B
Note de soin pour la peau : ☹☹
☺☺☺ Glycerin, B, A.A.
☹☹ PPG-15 Stearyl Ether, B
☹ Cyclomethicone, B
Note écologique : ☹☹
☺☺☺ Cetearyl Alcohol, B
☺☺☺ Carthamus Tinctoris, A.A.
☺☺☺ Glyceryl Stearate, B
☹☹ PEG-100 Stearate, B
☺☺☺ Butyrospermum Parkii, A.A.
☺☺☺ Cetearyl Glucoside, B
☺☺ Benzoic Acid, C
☺☺☺ Beta Sitosterol, A.A.
☹☹☹ BHT, A
☹ C13-14 Isoparaffin, B
Note de soin pour la peau : ☹☹
☹☹ Chlorphenesin, C
☹☹ Disodium EDTA, A
Parfum
☺☺☺ Glycine Soja, B
☹☹ Laureth-7, B
☹☹ Phenoxyethanol, C
☹☹ Poloxamer 188, B
☹ Polyacrylamide, B
Note écologique : ☹☹
☺☺☺ Sodium Chondroitin Sulfate, A.A.
☺☺ Sodium Hydroxide, A
Aqua, B
☺☺☺ Xanthan Gum, B

☹ Base/Agents actifs

Les principaux composants de ce produit : l'eau et l'huile minérale (huile de paraffine). À celles-ci s'ajoutent pour la base d'autres ingrédients non naturels comme des émulsifiants éthoxylés (PEG), des silicones synthétiques nocives pour l'environnement et des acrylates. Partant d'une telle base, le glycérol et le beurre de karité ne suffisent pas à améliorer significativement la qualité.

☹ Additifs

Solution de soude pour le pH, et EDTA comme antioxydant.

☹☹ Conservation

Phénoxyéthanol et chlorphénésine.

29 Sante : Soft crème Lotus & White tea*

INCI

Aqua, B
☺☺☺ Simmondsia Chinensis (Jojoba) Seed Oil*, A.A.
☺☺☺ Alcohol*, A
☺☺☺ Glycine Soja (Soybean) Oil*, B
☺☺☺ Glycerin, B, A.A.
☺☺ Squalane, A.A.
☺☺☺ Palmitic Acid, B
☺☺☺ Stearic Acid, B
☺☺☺ Butyrospermum Parkii (Shea Butter) Fruit*, A.A.
☺☺☺ Cetearyl Alcohol, B
☺☺☺ Cetyl Alcohol, B
☺☺☺ Argania Spinosa Kernel Oil*, A.A.
☺☺☺ Nelumbo Nucifera Flower Extract, A.A.
☺☺☺ Camellia Sinensis Leaf Extract, A.A.
Parfum (Essential Oils)
☺☺☺ Xanthan Gum, B
☺☺☺ Tocopherol, A
☺☺ Sodium Hydroxide, H
☺☺ Limonene, P
☺☺ Benzyl Benzoate, P
☺☺ Linalool, P
☺☺ Eugenol, P
☺☺ Benzyl Salicylate, P

☺☺☺ Base/Agents actifs

Une base riche en agents actifs, composée d'huiles et de cires végétales. À la première place après l'eau : l'huile de jojoba, suivie d'importantes quantités d'huile de soja, de glycérol, de squalane végétal, d'huile d'amande et de beurre de cacao. En guise d'émulsifiant : des stéarates de glycérol d'origine végétale.

☺☺☺ Additifs

Solution de soude pour réguler le pH.

☺☺☺ Conservation

Pas de conservation apparente.

30 Labo J. Paltz : Crème tonique à l'huile essentielle de rose*

INCI

☺☺☺ Melaleuca Alternifolia Water*, B, A.A.
☺☺☺ Pelargonium Asperum Water*, B, A.A.
☺☺☺ Corylus Avelana Nut Oil*, A.A.
☺☺☺ Sesamum Indicum Oil*, A.A.
☺☺☺ Buxus Chinensis Oil* (nouvelle appellation INCI : Simmondsia Chinensis), A.A.
☺☺☺ Sunflower Seed Oil*, A.A.
☺☺ Hydrogenated Caprylyl Olive Esters, B
☺☺☺ Oleic/Linoleic/Linolenic Polyglycerides, B
☺☺☺ Arachidyl Alcohol, B (and)
☺☺☺ Behenyl Alcohol, B (and)
☺☺☺ Arachidyl Glucoside, B
☺☺☺ Glycerin, B, A.A.
☺☺ Squalane, A.A.
☺☺☺ Carrageenan, B
☺☺☺ Bentonite, B
☺☺☺ Rosa Moschata Seed Oil *, A.A.
☺☺☺ Dehydroacetic Acid, C (and)
☺☺ Benzyl Alcohol, C
☺☺☺ Xanthan Gum, B
☺☺☺ Rosa Damascena Oil, A.A.
☺☺☺ Tocopheryl Acetate, A.A.
☺☺☺ Tocopherol, A

☺☺☺ Glycine Soja, B
☺☺☺ Sorbic Acid, C
☺☺☺ Aloes Extract , A.A.
☺☺☺ Citrus Grandis Seed Extract, P
☺☺☺ Sodium Hyaluronate, A.A.
☺☺☺ Rosmarinus Officinalis Extract, A.A.
☺☺☺ Phytic Acid, A
☺☺ Citronellol, P

☺☺☺ **Base/Agents actifs**
Dans cette base, l'eau est remplacée par des hydrolats d'arbre à thé et de géranium, auxquels s'ajoutent des huiles végétales (noisette, sésame, jojoba et tournesol). Les émulsifiants sont à base de sucre. Le produit contient également des agents actifs : acétate de tocophéryle (vitamine E), huile de rose musquée et un extrait de romarin. **Remarque :** sur le plan formel, la déclaration INCI ne correspond pas à la réglementation.

☺☺☺ **Additifs**
L'antioxydant tocophérol (vitamine E) et l'acide phytique pour réguler le pH.

☺☺ **Conservation**
Alcool benzylique, acide déhydro-acétique et acide sorbique.

31 Klorane : Lait de toilette sans rinçage hypoallergénique

INCI
Aqua, B
☺☺ C12-15 Alkyl Benzoate, B
☺☺ Caprylic/Capric Triglyceride, B
☺☺☺ Calendula Officinalis, A.A.
☺☺ Squalane, A.A.
☹ Acrylates/C10-30 Alkyl Acrylate Crosspolymer, B
Note écologique : ☹☹
☹ Carbomer, B
Note écologique : ☹☹
☹☹ Disodium EDTA, A
Parfum
☹ Sodium Methylparaben, C
☹ Sodium Propylparaben, C
☺☺☺ Sorbic Acid, C
☹☹ Triethanolamine, A

☹ **Base/Agents actifs**
Dans ce produit, l'eau et les huiles estérifiées (voir page 243) sont liées par des gélifiants pour obtenir ce que l'on appelle une pseudo-émulsion. Les gélifiants utilisés (des acrylates) sont synthétiques et nocifs pour l'environnement. Les agents actifs (extrait de calendula et squalane) ne contribuent pas, étant donné la qualité insuffisante de la base, à une amélioration significative de la qualité du produit.

☹☹ **Additifs**
Triéthanolamine et EDTA.

☹ **Conservation**
Acide sorbique et parabènes.

32 Decléor: Aroma Sun, brume protectrice sublimante, SPF 8

INCI
Active ingredients
☹ Octinoxate (Ethylhexyl Methoxicinnamante): 7,5%
☹☹ Oxybenzone (Benzophenone-3): 5%
Inactive ingredients
Water (Aqua), B
☺☺ C12-15 Alkyl Benzoate, B
☹ Cyclopentasiloxane, B
Note écologique ☹☹
☺☺☺ Glycerin, A.A.
☺☺☺ Caprylic/Capric Triglyceride, B
☹ Cyclohexasiloxane, B
Note écologique ☹☹
☹ Diethylhexyl 2,6-Naphthalate, A.A.
☹☹ Polysorbate 60, B
☹☹ BIS-PEG/PPG 16/16 PEG/PPG-16/16 Dimethicone, B
☺☺☺ Argania Spinosa Kernel Oil, A.A.
☺☺☺ Pelargonium Graveolens Oil, P
☺☺☺ Anthemis Nobilis Flower Oil, P
☺☺☺ Rosa Damascena Flower Oil, P
☺☺☺ Daucus Carota Sativa (Carrot) Root Extract, A.A.
☺☺☺ Jasminum Officinale (Jasmine) Extract, P, A.A.
☺☺☺ Cucumis Melo (Melon) Fruit Extract, A.A.
☺☺☺ Oryza Sativa (Rice) Bran Oil, B
☺☺☺ Corylus Avellana (Hazel) Seed Oil, A.A.
☺☺☺ Helianthus Annuus (Sunflower) Seed Oil, A.A.
☺☺☺ Luffa Cylindrica Seed Oil, A.A.
☺☺☺ Triticum Vulgare (Wheat) Germ Oil, A.A.
☺☺☺ Tocopherol Acetate, A.A.
Fragrance (Parfum)
☺☺☺ Mica, B
☺☺ Oleoyl Tyrosine, A.A.
☹☹ Triethanolamine, A
☹ Acrylates/C10-30 Alkyl Acrylate Crosspolymer,
Note écologique ☹☹
☺☺☺ Oleic Acid, B
☺☺ Benzyl Salicylate, P
☺☺☺ Silica, B
☺☺☺ Xanthan Gum, B
☹☹ Tetrasodium EDTA, A
☺☺ Linalool, P
☺☺ Geraniol, P
☺☺ Citronellol, P
☹ Hydroxyisohexyl 3-Cyclohexene Carboxaldehyde, P
☹ Hydroxycitronellal, P
☺☺ Citral, P
☺☺ D-Limonene, P
☺☺ Eugenol, P
☺☺ Alpha-Isomethyl Ionone, P
☺☺ Coumarin, P
☺☺☺ Titanium Dioxide (CI 77891), A
☹☹ Phenoxyethanol, C
☹☹ Chlorphenesin (0,20%), C
☹ Methylparaben (0,08%), C
☹ Ethylparaben (0,02%), C
☹ Butylparaben, C

☹ Isobutylparaben (0,01%), C
☹ Propylparaben (0,01%), C

☹ /☹ Base / agents actifs
Deux filtres solaires synthétiques, diverses silicones et des PEG sont à déplorer, mais le produit contient aussi de nombreuses huiles naturelles et des extraits de plantes. Cependant, l'un dans l'autre, on se trouve face à un produit cosmétique conventionnel contenant beaucoup d'ingrédients indésirables.

☹☹ Additifs
Outre le dioxyde de titane, il y a aussi de la triéthanolamine et de l'EDTA.

☹☹ Conservation
Phénoxyéthanol, parabènes et le chlorphénésine.

Remarque : la répartition entre ingrédients actifs et inactifs ne correspond pas à la réglementation de l'UE sur la déclaration INCI.

*33 Tautropfen : Anti-Aging Fluid Amea**

INCI
Aqua (Water), B
☺☺☺ Alcohol, A
☺☺☺ Glycerin, B, A.A.
☺☺☺ Glyceryl Palmitate, B
☺☺☺ Persea Gratissima (Avocado) Oil, A.A.
☺☺☺ Prunus Amygdalus Dulcis (Sweet Almond) Oil, A.A.
☺☺☺ Glyceryl Cocoate/Citrate/Lactate, B
☺☺☺ Butyrospermum Parkii (Shea Butter), A.A.
☺☺☺ Euterpe Oleracea Martius Fruit Extract, A.A.
☺☺☺ Passiflora Incarnata (Seed) Oil, A.A.
☺☺☺ Sucrose Palmitate, B
☺☺ Magnesium Aluminium Silicate, B
☺☺☺ Xanthan Gum, B
☺☺☺ Algin, B
☺☺☺ Microcristalline Cellulose, B
Aroma (Fragrance)
☺☺☺ Glycosphingolipids, A.A.
☺☺☺ Camelia Oleifera Leaf Extract, A.A.
☺☺☺ Tocopherol, A
☺☺ Benzyl Salicylate, P
☺☺ Linalool, P
☺☺ Limonene, P

☺☺☺ Base/Agents actifs
Ce fluide est une émulsion légère à base d'eau, d'alcool, de glycérol et d'huiles d'avocat et d'amande. Les liants sont constitués d'émulsifiants alimentaires : le xanthane et l'alginat. Son action est renforcée par d'autres ingrédients naturels comme le beurre de karité, une huile de graines de passiflore, l'extrait d'un palmier du Brésil, des glycosphingolipides (pour le soin de la peau) et un extrait de thé vert.

☺☺☺ Additifs
Uniquement de la vitamine E comme antioxydant.

☺☺☺ Conservation
Grâce au taux élevé d'alcool, il n'est pas nécessaire d'ajouter de conservateurs spécifiques.

Crèmes pour le contour des yeux

*34 Florame : Soin contour des yeux**

INCI
Aqua, B
☺☺ Decyl Olive Esters, B (and)
☺☺ Squalene, A.A.
☺☺☺ Lavendula Angustifolia Aqua/Lavender Floral Water*, B, A.A.
☺☺☺ Adansonia Digitata Pulp Extract, A.A.
☺☺☺ Xanthan Gum, B
☺☺☺ Sesamum Indicum (Sesame) Oil*, A.A.
☺☺☺ Arachidyl Alcohol, B (and)
☺☺☺ Behenyl Alcohol, B (and)
☺☺☺ Arachidyl Glucoside, B
☺☺☺ Behenic Acid, B
☺☺☺ Glycerin, B, A.A.
☺☺☺ Hydroxystearic/Oleic/Linolenic/Polyglycerides, B
☺☺☺ Glyceryl Stearate, B
☺☺☺ Dehydroacetic Acid C (and)
☺☺ Benzyl Alcohol, C
☺☺☺ Prunus Dulcis (Sweed Almind) Oil*, A.A.
☺☺ Dicaprylyl Ether, B (and)
☺☺☺ Lauryl Alcohol, B
☺☺☺ Centaurea Cyanus (cornflower) Extract, A.A. (and)
Aqua, B (and)
☺☺☺ Glycerin, B, A.A.
☺☺☺ Rice Wax, B
☺☺☺ Talc, B
☺☺☺ Polyglyceryl-6 Polyricinoleate, B
☺☺☺ Aniba rosaeodera (Rosewood) Oil*, P
☺☺ Linalool, P
☺☺☺ Pelargonium Aspergum (Bourbon Geranium) Oil*, P
☺☺ Limonene, P
☺☺☺ Cananga Odorata (Ylang Ylang) Oil*, P
☺☺☺ Citrus Limonum (Lemon) Oil, P
☺☺☺ Citrus Nobilis (Mandarin) Oil*, P
☺☺☺ Litsea Cubeba (Yunnan Verbana) Oil*, P
☺☺ Citral, P
☺☺☺ Pistacia Lentiscus (Mastic Tree) Oil*, P
☺☺ Citronellol, P
☺☺☺ Pogastemon Cablin (Patchouly) Oil*, P
☺☺☺ Vetiveria Zizanioides (Vetiver) Oil*, P

☺☺ Benzyl Benzoate, P
☺☺☺ Rosa Damascena (Rose) Oil, P
☺☺ Geraniol, P
☺☺ Benzyl Salicylate, P
☺☺ Farnesol, P
☺☺ Eugenol, P
☺☺☺ Mica-Titanium Dioxide, A
☺☺ Sodium Hydroxide, A
☺☺☺ CI 77491, A
* ingrédients issus de l'agriculture biologique.

☺☺☺/☺☺ **Base/Agents actifs**
La base est constituée d'une huile estérifiée (tirée de l'huile d'olive), d'huile de sésame, d'alcools gras et de glycérol. Éléments positifs : les stéarates de glycérol et la stabilisation grâce à la gomme xanthane. Pour couvrir les petites rides, on a ajouté de la poudre de talc.
Remarque : ce qui apparaît normalement sous le terme générique de « parfum » a été ici énuméré, ce qui donne 19 (!) composants (chacun indiqué par un « P »). Sur le plan formel, la liste INCI ne correspond pas la réglementation, et ce en plusieurs points (voir encadré page 239).

☺☺☺ **Additifs**
Uniquement des additifs naturels comme le mica, le dioxyde de titane et un dioxyde de fer (trois colorants) auxquels s'ajoute l'hydroxide de sodium pour réguler le pH.

☺☺ **Conservation**
Alcool benzylique et acide déhydro-acétique.

*35 Logona : Âge Protection, Crème contour des yeux**

INCI
Aqua (Water), B
☺☺☺ Vitis Vinifera (Grape) Seed Oil, B, A.A.
☺☺☺ Glyceryl Stearate Citrate, B
☺☺☺ Cera Alba (Beeswax), B
☺☺☺ Butyrospermum Parkii (Shea Butter) Fruit*, A.A.
☺☺☺ Glycerin, B, A.A.
☺☺☺ Simmondsia Chinensis (Jojoba) Seed Oil, A.A.
☺☺☺ Glyceryl Citrate/Lactate/Linoleate/Oleate, B
☺☺☺ Behenyl Alcohol, B
Parfum (Essential Oil)
☺☺☺ Prunus Amygdalus Dulcis (Sweet) Almond Oil*, A.A.
☺☺☺ Calendula Officinalis Flower Extract*, A.A.
☺☺☺ Bambusa Arundinacea Stem Powder, A.A.
☺☺☺ Euphrasia Officinalis Extract*, A.A.
☺☺☺ Lupinus Albus Seed Oil, A.A.
☺☺☺ Triticum Vulgare (Wheat Germ Unsaponifiables), A.A.
☺☺☺ Bisabolol, A.A.
☺☺☺ Tocopherol, A
☺☺ Limonene, P
☺☺ Linalool, P

☺☺☺ **Base/Agents actifs**
Ce soin « contour des yeux » est une émulsion constituée d'émulsifiants alimentaires à base de matières premières de qualité comme l'huile de pépins de raisin, la cire d'abeilles et le beurre de karité. S'y ajoutent de riches huiles végétales comme les huiles de jojoba, de lupin et d'amandes, et des substances actives comme les extraits d'euphraise et de calendula.

☺☺☺ **Additifs**
Seulement de la vitamine E comme antioxydant.

☺☺☺ **Conservation**
Il n'y a pas de conservateur apparent.

36 Dior : Crème correction rides – Capture R60/80

INCI
Aqua, B
☺☺ Ethylhexyl Methoxycinnamate, A.A. (FPS)
☺☺ Hydrogenated Polyisobutene, B
☺☺ Butylene Glycol, B
☹ Benzophenone-3, A.A. (FPS)
☹☹ Steareth-21, B
☹ Cyclopentasiloxane, B
Note écologique : ☹☹
☺☺☺ Glycerin, B, A.A.
☺☺☺ Cetyl Palmitate, B
☹☹ Steareth-2, B
☺☺☺ Cetyl Alcohol, B
☺☺☺ Glyceryl Stearate, B
☺☺☺ Stearic Acid, B
☹☹ Phenoxyethanol, C
☹ Acrylates/C10-30 Alkyl Acrylate Crosspolymer, B
Note écologique : ☹☹
☹ Methylparaben, C
☺☺☺ Sorbitol, B
☹ Butylparaben, C
☹ Propylene Glycol, B
☹☹ Chlorphenesin, C
☹ Dimethicone, B
Note écologique : ☹☹
Parfum
☹☹ Tetrasodium EDTA, A
☺☺☺ Tocopheryl Acetate, A.A.
☺☺☺ Algin, A
☺☺☺ Urea, A.A.
☺☺ Glucosamine HCL, A
☺☺☺ Algae Extract, A.A.
☺☺☺ Faex (Yeast Extract), A.A.
☺☺ Sodium Hydroxide, A
☺☺ Polyvinyl Alcohol, B
☹ Ethylparaben, C
☺☺☺ Malva Sylvestris Extract, A.A.
☺☺☺ Ceramide 2, A.A.
☹ Isobutylparaben, C
☹ Propylparaben, C
☺☺☺ Cellulose Gum, B
☹ Carbomer, B
Note écologique : ☹☹
☺☺☺ Sodium Hyaluronate, A.A.
☺☺ Alpha-Isomethyl Ionone, P

☹ Polysorbate-20, B
☹ Butylphenyl Methylpropional, P
☺☺ Linalool, P
☺☺ Citronellol, P
☹ Hydroxyisohexyl 3-Cyclohexene Carboxaldehyde, P
☺☺ Geraniol, P
☺☺ Limonene, P
☹☹☹ BHT, A
☺☺ Coumarin, P
☺☺ Hexyl Cinnamal, P
☺☺☺ Potentilla Erecta Root Extract, A.A.
☺☺ Benzyl Benzoate, P
☺☺☺ Palmitoyl Pentapeptide-3, A.A.

☹☹ Base/Agents actifs
Un filtre solaire synthétique dès la 2e ligne, juste après l'eau, et un second filtre à la quatrième place! Ceci est surprenant. Autre élément frappant : le phénoxyéthanol, dont l'emploi est limité à 1 %, se trouve déjà en 14e position. Ce qui signifie que les extraits de plantes et bons agents actifs placés en-dessous ne sont présents qu'en quantités minimes. La base est dominée par les silicones, les corps gras synthétiques et les composants éthoxylés (PEG).

☹ Additifs
Quelques bons additifs malheureusement accompagnés de l'EDTA.

☹☹ Conservation
Le phénoxyéthanol, des parabènes et la chlorphénésine, un composé organohalogéné.

*37 Sanoflore : Contour des yeux Bleuet & Camomille**

INCI
☺☺☺ Rosa Damascena Distillate*, B, A.A.
☺☺☺ Anthemis Nobilis Distillate*, B, A.A.
☺☺☺ Centaurea Cyanus Distillate*, B, A.A.
☺☺ Squalane, M.A.
☺☺☺ Myristyl Alcohol, B (and)
☺☺☺ Myristyl Glucoside, B
☺☺☺ Borago Officinalis Seed Oil*, A.A.
☺☺☺ Œnothera Biennis Oil*, A.A.
☺☺☺ Simmondsia Chinensis Oil*, A.A.
☺☺☺ Cetearyl Alcohol, B (and)
☺☺☺ Cetearyl Glucoside, B
☺☺☺ Styrax Benzoin Gum, A, C
☺☺☺ Santalum Album Oil, P
☺☺☺ Pelargonium Graveolens Oil*, P
☺☺☺ Aniba Rosaoedora Oil, A, P
☺☺☺ Helianthus Annuus Seed Oil, A.A. (and)
☺☺☺ Rosmarinus Officinalis Extract, A.A.
☺☺☺ Tocopherol, A
☺☺☺ Hydrolyzed Wheat Protein, A.A.
☺☺☺ Chondrus Crispus, B
☺☺☺ Xanthan Gum, B
☺☺ Potassium Sorbate, C
☺☺ Benzyl Alcohol, C
☺☺ Dehydroacetic Acid, C
*Ingrédients issus de l'agriculture biologique.

☺☺☺ Base/Agents actifs
Au lieu de l'eau, la base contient différents hydrolats (voir encadré page 50), auxquels s'ajoutent de bonnes huiles végétales comme celles de graines de bourrache, de jojoba et d'onagre. Les émulsifiants sont à base de sucre.
Remarque : liste INCI incorrecte (voir encadré page 241).

☺☺☺ Additifs
Seulement des additifs non problématiques comme une résine, le benjoin (qui a probablement aussi une fonction de conservation) et le tocophérol (vitamine E) comme antioxydant.

☺☺ Conservation
Un mélange d'alcool benzylique, d'acide déhydro-acétique et de sorbate de potassium.

*38 Tautropfen : Baume contour des yeux**

INCI
☺☺☺ Prunus Dulcis (Sweet Almond) Oil, A.A.
☺☺☺ Cera Alba (Beeswax), B
☺☺☺ Œnothera Biennis (Evening Primrose) Oil, A.A.
☺☺☺ Tilia Vulgaris Flower Extract, A.A.
☺☺☺ Rosa Centifolia (Rose) Flower Extract, A.A.
Aroma
☺☺ Linalool, P
☺☺ Citronellol, P
☺☺ Geraniol, P
☺☺ Limonene, P
☺☺ Citral, P

☺☺☺ Base/Agents actifs
Ce produit est constitué d'un pur mélange naturel de cires et d'huiles, avec de bons ingrédients pour le soin de la peau (les huiles d'amande et d'onagre, la cire d'abeille). Agents actifs supplémentaires : des extraits (tilleul, rose) et des huiles essentielles. Une formule simple dans le bon sens du terme, car efficace. Elle peut se passer en plus de toutes sortes de conservateurs.

Additifs
Aucun.

Conservation
Pas nécessaire pour les formules sans eau.

Soins du corps

Dentifrices

*39 Cattier : Dentargile, dentifrice reminéralisant à l'argile**

INCI

Aqua, B
☺☺☺ Sorbitol, B
☺☺☺ Silica, B
☺☺☺ Anthemis Nobilis*, A.A.
☺☺☺ Kaolin, B
☺☺☺ Glycerin, B, A.A.
☹ Sodium Lauryl Sulfate, B
☺☺☺ Carrageenan, B
☺☺ Benzyl Alcohol, C
☺☺☺ Titanium Dioxide, A
☺☺☺ Sodium Chloride, A
☺☺☺ Citrus Limonum*, P
☺☺☺ Usnea Barbata, A.A., C
☺☺☺ Citric Acid, A

*Ingrédients issus de l'agriculture biologique.

☺☺ **Base/Agents actifs**

Ce produit contient de bons corps nettoyants, la silice et le kaolin (une argile), mais l'agent moussant employé est malheureusement le lauryl sulfate de sodium. Même s'il est naturel d'un point de vue chimique, ce n'est pas un tensioactif doux. Cette formulation aurait été très bien sans l'emploi de ce tensioactif.

☺☺☺ **Additifs**

Dioxyde de titane, sel et acide citrique.

☺☺ **Conservation**

L'alcool benzylique, renforcé par l'acide usnique issu de l'usnée (Usnea Barbata).

*40 Weleda : Gel dentifrice végétal**

INCI

☺☺☺ Glycerin, B, A.A.
Water (Aqua), B
☺☺☺ Hydrated Silica, B
☺☺☺ Chamomilla Recutita (Matricaria) Flower Extract, A.A.
☺☺☺ Krameria Triandra Root Extract, A.A.
☺☺☺ Commiphora Myrrha Extract, A.A.
☺☺☺ Algin, B
☺☺☺ Alcohol, A
☺☺☺ Mentha Viridis (Spearmint) Leaf Oil, P, A.A.
☺☺☺ Mentha Piperita (Peppermint) Oil, Aroma, P, A.A.
☺☺☺ Foeniculum Vulgare (Fennel) Oil, Aroma, P, A.A.
☺☺ Limonene*, P
☺☺☺ Esculin, A.A.

* À partir d'huiles essentielles naturelles

☺☺☺ **Base/Agents actifs**

La base de ce gel-dentifrice est composée de glycérol, d'eau et d'un oxyde silicique hydrogéné jouant le rôle de corps nettoyant. Agents actifs destinés à protéger les gencives et la cavité buccale : des extraits de myrrhe, de camomille et de racine de ratanhia, accompagnés des huiles de fenouil et de menthe.

Additifs

Aucun.

☺☺☺ **Conservation**

La quantité élevée de polyols (glycérol, sorbitol) évite de prévoir un conservateur supplémentaire.

41 Colgate: Total – 12 heures de protection complète

INCI

Aqua, B
☺☺☺ Hydrated Silica, B
☺☺☺ Glycerin, B, A.A.
☺☺☺ Sorbitol, B
☹ PVM/MA Copolymer, B
☹ Sodium Lauryl Sulfate, B
Aroma
☺☺☺ Cellulose Gum, B
☺☺ Sodium Hydroxide, A
☺☺☺ Carrageenan, B
☹ Sodium Fluoride, A.A.
☹☹ Triclosan, A.A.
☺☺☺ Sodium Saccharin, A
☺☺ Limonene, P
☺☺☺ CI 77891, A

☹ **Base/Agents actifs**

Cette base contient un corps nettoyant synthétique et du Sodium Lauryl Sulfate, un tensioactif considéré par certains experts comme agressif pour les muqueuses et la cavité buccale. Le triclosan, « tueur de bactéries », et le fluoride de sodium constituent les deux « armes » employées dans le « combat » contre les problèmes de dents et de gencives.

☺☺☺ **Additifs**

Le saccharinate de sodium comme édulcorant, l'hydroxyde de sodium pour régler le pH, et le colorant dioxyde de titane sont des additifs non préoccupants.

Conservation

La présence du bactéricide triclosan rend inutile l'utilisation d'un conservateur.

Savons

42 Léa Nature : Véritable savon de Marseille

INCI

☺☺☺ Sodium Palmitate, B
☺☺☺ Sodium Palm Kernelate, B
Aqua (Water), B
Parfum (Fragrance)
☺☺☺ Butyrospermum Parkii (Shea Butter) Oil, A.A.
☺☺☺ Prunus Armeniaca (Apricot) Kernel Oil, A.A.
☺☺☺ Sodium Chloride, A
☺☺☺ Glycerin, B, A.A.
☹☹ Tetrasodium EDTA, A
☹☹ Etidronic Acid, A
☺☺ Sodium Hydroxide, A
☺☺☺ CI 77492, A
☺☺ Cinnamal, P
☺☺ Limonene, P
☺☺ Citronellol, P
☺☺ Geraniol, P
☺☺ Linalool, P

☺☺☺ **Base/Agents actifs**
Les huiles de palme et de noyau de palmier constituent la base de ce savon aux huiles végétales auxquelles s'ajoutent d'autres ingrédients comme le beurre de karité et l'huile d'amande d'abricot.

☹☹ **Additifs**
Malheureusement, on trouve entre autres l'EDTA et l'acide étidronique.

Conservation
En règle générale, la présence de conservateurs dans les savons n'est pas nécessaire (absence d'eau).

43 Palmolive: Aquarium, Savon Liquide

INCI

Aqua, B
☹☹ Sodium C12-13 Pareth Sulfate, B
☺☺ Cocamidopropyl Betaine, B
☺☺☺ Lauryl Polyglucose, B
☺☺☺ Sodium Chloride, A
☺☺ Sodium Sulfate, A
☹☹ DMDM Hydantoin, C
Parfum
☹☹ Tetrasodium EDTA, A
☺☺☺ Citric Acid, A
☺☺ Limonene, P
☺☺ Linalool, P
☹ CI 17200, A
☺☺ CI 42090, A

☹ **Base/Agents actifs**
Immédiatement après l'eau, apparaît un tensioactif PEG, puis la cocamidopropyl Bétaïne (un tensioactif relativement doux) ainsi qu'un tensioactif issu du sucre. On ne trouve aucun vrai agent actif naturel et soignant.

☹☹ **Additifs**
Si le sel, le sulfate de sodium et l'acide citrique ne présentent aucun inconvénient, on trouve malheureusement aussi l'EDTA et un colorant azoïque.

☹☹ **Conservation**
DMDM Hydantoin est un conservateur qui peut libérer du formaldéhyde.

44 Weleda : Savon à l'iris *

INCI

☺☺☺ Sodium Palmate, B
☺☺☺ Sodium Cocoate, B
Water (Aqua), B
☺☺☺ Sodium Olivate, B
☺☺☺ Glycerin, B, A.A.
Fragrance (Parfum)*
☺☺☺ Iris Germanica Root Extract, A.A.
☺☺ Linalool*, P
☺☺ Geraniol*, P
☺☺ Coumarin*, P
☺☺☺ Chamomilla Recutita (Matricaria) Extract, A.A.
☺☺☺ Viola Tricolor Extract, A.A.
☺☺☺ Oryza Sativa (Rice) Extract, A.A.
☺☺☺ Malt Extract, A.A.
☺☺☺ Lavandula Angustifolia (Lavender) Oil, P
☺☺☺ Sodium Chloride, A

☺☺☺ **Base/Agents actifs**
Une bonne base constituée d'huiles de palme et de coco auxquelles s'ajoutent du glycérol et des agents actifs soignants comme les extaits d'iris et de camomille.

☺☺☺ **Additifs**
Uniquement du sel.

Conservation
En règle générale, elle n'est pas nécessaire pour les savons.

Crèmes pour les mains

45 Natessance : Lift' Argan – Soin pour les mains

INCI

Aqua (Water), B
☺☺☺ Vitis Vinifera (Grape) Seed Oil, B
☺☺☺ Glycerin, B, A.A.
☺☺☺ Argania Spinosa (Argan) Kernel Oil, A.A.
☺☺☺ Talc, B
☺☺☺ Glycol Palmitate, B

☺☺☺ Cetearyl Glucoside, B
☺☺☺ Cetearyl Alcohol, B
☺☺☺ Titanium Dioxide, A.A. (FPS)
☺☺☺ Mel (Honey), A.A.
☺☺☺ Camelina Sativa Seed Oil, A.A.
☺☺☺ Borago Officinalis (Borage) Seed Oil, A.A.
☺☺☺ Arbutin, A.A.
Parfum (Fragrance)
☹ Sodium Acrylate/Acryloyldimethyl Taurate Copolymer, B
Note écologique : ☻☻
☹ Isohexadecane, B
Note de soin pour la peau : ☻☻
☺☺ Potassium Sorbate, C
☺☺☺ Tocopherol, A
☺☺☺ Cera Alba (Beeswax), B
☻☻ Polysorbate 80, B
☺☺☺ Citric Acid, A
☺☺☺ Calophyllum Inophylum Oil, A.A.

☺☺/☹ **Base/Agents actifs**
De bons composants dans cette émulsion : les huiles de pépins de raisin, d'argan, de graines de caméline et de bourrache, le glycérol, le miel. Mais malheureusement, on a employé (certes en faibles quantités) un composant éthoxylé (PEG), de la paraffine (Isohexadecane) et un acrylate (polluant).

☺☺☺ **Additifs**
La vitamine E (antioxydant) et l'acide citrique pour réguler le pH.

☺☺ **Conservation**
Uniquement le sorbate de potassium.

46 Cattier : Crème Mains*

INCI
Aqua, B
☺☺☺ Centaurea Cyanus Extract*, A.A.
☺☺☺ Cetearyl Alcohol, B
☺☺☺ Cetearyl Glucoside, B
☺☺☺ Buxus Chinensis* (nouvelle appellation INCI : Simmondsia Chinensis), A.A.
☺☺☺ Helianthus Annuus*, A.A.
☺☺☺ Macadamia Alternifolia*, A.A.
☺☺☺ Stearic Acid, B
☺☺☺ Glycerin, B, A.A.
☺☺☺ Kaolin, B
☺☺☺ Bertholescia Escelsa, A.A.
☺☺☺ Œnothera Biennis*, A.A.
☺☺☺ Usnea Barbata, A.A., C
☺☺☺ Mentha Spicata, P
☺☺☺ Citrus Sinensis, P
☺☺☺ Orange Dulcis, P
☺☺☺ Citrus Reticula Blanco, P
☺☺☺ Citrus Paradisi, P
☺☺☺ Citrus Limonum, P
☺☺☺ Citrus Limonum**, P
☺☺☺ Lavendula Angustifolia**, P
☺☺☺ Citric Acid, A
☺☺☺ Tocopherol, A
* Ingrédients issus de l'agriculture biologique.

☺☺☺ **Base/Agents actifs**
Cette base de qualité est constituée d'eau, d'un extrait de bleuet, et d'huiles de jojoba, de tournesol et de noix de Macadamia. Ces ingrédients sont liés par un émulsifiant de sucre. Autres point forts : deux autres huiles végétales (d'onagre et de noix du Brésil) et un autre extrait végétal (d'usnée).

☺☺☺ **Additifs**
Uniquement de l'acide citrique pour réguler le pH et de la vitamine E en tant qu'antioxydant.

☺☺☺ **Conservation**
Pas de conservateur identifiable, mais l'acide usnique contenu dans l'extrait d'usnée contribue probablement à la conservation.

47 Dove : Protective Hand-Balm

INCI
Aqua B
☺☺☺ Glycerin B, A.A.
☺☺☺ Cetyl Alcohol, B
☺☺☺ C14-22 Alcohol, B
☺☺☺ Caprylic/Capric Triglyceride, B
☺☺ Ethylhexyl Cocoate, B
☺☺☺ Myristyl Myristate, B
☺☺ Isopropyl Palmitate, B
☻☻ PPG-17/IPDI/DMPA Copolymer, B
☺☺ Ethylhexyl Methoxycinnamate, A.A. (FPS)
☺☺☺ Prunus Dulcis, A.A.
☹ Dimethicone, B
Note écologique : ☻☻
☺☺☺ C12-20 Alkyl Glucoside, B
☺☺☺ Tocopheryl Acetate, A.A.
☹ Sodium Carbomer, B
Note écologique : ☻☻
☺☺☺ Xanthan Gum, B
☹ Propylene Glycol, B
☹ Hexylene Glycol, B, C
Parfum
☻☻ Phenoxyethanol, C
☻☻ DMDM Hydantoin, C
☻ Methylparaben, C
☻ Propylparaben, C
☺☺ Alpha-Isomethyl Ionone, P
☹ Butylphenyl Methylpropional, P
☺☺ Citronellol, P
☺☺ Geranium, P
☺☺ Hexyl Cinnamal, P
☺☺ Hydroxycitronellal, P
☹ Hydroxyisohexyl 3-Cyclohexene Carboxaldehyde, P
☺☺ Limonene, P
☺☺ Linalool, P

☹ **Base/Agents actifs**
La base contient quelques corps gras d'origine végétale. Mais une huile végétale authentique, comme l'huile d'amande, n'apparaît dans la liste INCI qu'après les substances synthétiques de protection solaire. Un bon point pour le glycérol et l'émulsifiant issu du sucre ; un mauvais point pour le composant éthoxylé (PPG) et une silicone. L'un dans le l'autre, on ne peut qu'attribuer la note passable.

Additifs
Aucun.

☹☹ **Conservation**
Phénoxyéthanol et parabènes, auxquels s'ajoute le DMDM Hydantoin, un conservateur qui peut libérer du formaldéhyde. L'Hexylene Glycol contribue également à la conservation.

48 Lavera : Neutral, Crème pour les mains intensive*

INCI
Water (Aqua), B
☺☺☺ Olea Europaea (Olive) Fruit Oil*, B, A.A.
☺☺☺ Elais Guineensis (Palm) Oil, B
☺☺☺ Polyglyceryl-3 Ricinoleate, B
☺☺☺ Glycerin, B, A.A.
☺☺☺ Tricaprylin, B
☺☺☺ Caprylic Capric Triglyceride, B
☺☺☺ Butyrospermum Parkii (Shea Butter), A.A.
☺☺☺ Shorea Stenoptera Butter, A.A.
☺☺☺ Œnothera Biennis (Evening Primrose) Oil*, A.A.
☺☺☺ Simmondsia Chinensis (Jojoba) Seed Oil*, A.A.
☺☺☺ Magnesium Sulfate, B
☺☺☺ Lysolecithin, B
☺☺☺ Beeswax (Cera Alba), B
☺☺☺ Stearyl Beeswax, B
☺☺☺ Behenyl Beeswax, B
☺☺☺ Hydrogenated Castor Oil, B
☺☺☺ Tocopherol, A
☺☺☺ Ascorbyl Palmitate, A, A.A.
☺☺☺ Ascorbic Acid, A, A.A.
☺☺☺ Alcohol, A
* Ingrédients issus de l'agriculture biologique.

☺☺☺ **Base/Agents actifs**
L'eau et deux bonnes huiles végétales (d'olive et de noyau de palmier) se trouvent en tête de la liste des composants de la base. La liaison est assurée par un émulsifiant polyglycérique. S'y ajoutent des agents actifs comme le glycérol, les beurres de karité et de shoréa, et les huiles d'onagre et de jojoba. Bien qu'on trouve une huile estérifiée (voir page 243) avant le beurre de karité, ce sont les huiles végétales authentiques qui dominent dans cette formulation.

☺☺☺ **Additifs**
L'alcool, et un mélange d'antioxydants composé des vitamines E et C et de palmitate de vitamine C.

☺☺☺ **Conservation**
Pas de conservateur identifiable.

Produits pour la douche

49 Florame : Huile de douche corps*

INCI
☺☺☺ Glycerin, B, A.A.
☺☺☺ Lauryl Glucoside, B
☺☺☺ Lavandula Angustifolia Aqua/Lavender Floral Water*, B, A.A.
☺☺☺ Capryl Caprylyl Glucoside, B
☺☺ Limonene, P
☺☺☺ Citrus Nobilis (Mandarin) Oil*, P
☺☺☺ Citrus Grandis (Grapefruit) Oil*, P
☺☺☺ Pelargonium Asperum (Bourbon Geranium) Oil*, P
☺☺☺ Cananga Odorata (Ylang Ylang) Oil*, P
☺☺☺ Geranium Robertianum (Italian Gernium) Oil, P
☺☺☺ Amyris Balsamifera (Sandalwood) Oil, P
☺☺ Geraniol, P
☺☺☺ Litsea Cubeba (Yunnan Verbana) Oil*, P
☺☺ Citronellol, P
☺☺☺ Elettaria Cardamomum (Cardamom) Oil*, P
☺☺ Citral, P
☺☺ Linalool, P
☺☺ Benzyl Benzoate, P
☺☺☺ Rosa Damascena (Rose) Oil, P
☺☺ Benzyl Salicylate, P
☺☺ Farnesol, P
☺☺ Eugenol, P
☺☺☺ Sodium Cocoyl Glutamate, B
☺☺☺ Apricot Kernel Oil Polygylyceryl-10 Ester, B
☺☺☺ Tocopherol, A (and)
☺☺☺ Glycine Soja, B
☺☺ Citric Acid, A
*ingrédients issus de l'acriculture biologique.

☺☺☺ **Base/Agents actifs**
Une bonne base constituée de glycérol, d'eau de lavande, d'huile de soja et de deux tensioactifs de sucre. Les 17 parfums qui sont en 5e position de la liste auraient pu être rassemblées sous la seule appellation « Parfums ».

☺☺☺ **Additifs**
Uniquement l'acide citrique pour réguler le pH, et la vitamine E (tocophérol) en tant qu'antioxydant.

☺☺☺ **Conservation**
Pas de conservateur identifiable.

50 Lavera : Body Spa gel-douche & bain Orange-Argousier*

INCI
Water (Aqua), B
☺☺☺ Glycerin, B, A.A.
☺☺☺ Coco Glucoside, B
☺☺☺ Caprylyl/Capryl Glucoside, B
☺☺☺ Sodium Lauryl Sulfoacetate, B
☺☺☺ Citrus Aurantium Dulcis (Orange) Flower Water*, P
☺☺☺ Hippophae Rhamnoides Extract, A.A.

☺☺☺ Xanthan Gum, B
☺☺☺ Alcohol, A
☺☺☺ Citrus Aurantium Amara (Bitter Orange) Oil*, P
Fragrance (Parfum)**, P
☺☺ Limonene**, P
* Ingrédients issus de l'agriculture biologique.
** Huiles essentielles naturelles.

☺☺☺ **Base/Agents actifs**
Une formulation permettant d'obtenir un gel-douche doux et protecteur pour la peau, à base de tensioactifs de sucre et d'un co-tensioactif, le laurylsulfoacetate. S'y ajoutent des agents actifs végétaux de qualité comme un hydrolat de fleur d'oranger et un extrait d'argousier.

☺☺☺ **Additifs**
Alcool.

☺☺☺ **Conservation**
Pas de conservateur identifiable, mais le taux élevé de glycérol dispense probablement d'en utiliser.

51 L'Occitane: Gel Douche à l'huile essentielle de Lavande*

INCI
Aqua/Water, B
☺☺☺ Citrus Aurantium Amara (Bitter Orange) Flower Extract, A.A.
☺☺☺ Lauryl Glucoside, B
☺☺ Cocamidopropyl Glucoside, B
☺☺☺ Decyl Glucoside, B
☺☺☺ Lavandula Angustifolia (Lavender) Oil, P, A.A.
☺☺☺ Coco Glucoside, B
☺☺☺ Disodium Cocoyl Glutamate, B
☺☺☺ Glyceryl Oleate, B
☺☺☺ Sodium Cocoyl Glutamate, B
Parfum (Fragrance (huiles essentielles),
☺☺ Linalool, P
☺☺ Limonene, P
* Ingrédients issus de l'agriculture biologique

☺☺☺ **Base / agents actifs**
Les principaux composants sont l'eau, un extrait d'orange amère et un mélange de divers tensioactifs issus du sucre combinés à de la cocamidopropyl bétaïne et à un mélange de tensioactifs particulièrement doux pour la peau (acylglutamate). Ce gel-douche contient de l'huile essentielle de lavande comme agent actif.

☺☺☺ **Additifs**
Aucun.

☺☺☺ **Conservation**
Pas de conservateur identifiable.

52 Nivea : Gel Douche Aroma Feu

INCI
Aqua, B
☹☹ Sodium Laureth Sulfate, B
☺☺ Cocamidopropyl Betaine, B
☺☺☺ Sodium Chloride, A
☹☹ PEG-200 Hydrogenated Glyceryl Palmate, B
☺☺☺ Decyl Glucoside, B
☹☹ PEG-40 Hydrogenated Castor Oil, B
☺☺☺ Citric Acid, A
☺☺ Sodium Benzoate, C
☹☹ Trisodium EDTA, A
☺☺☺ Disodium Cocoyl Glutamate, B
☺☺☺ Sodium Salicylate, C
☺☺☺ Pogostemon Cablin, P
☹☹ Benzophenone-1, A.A. (FPS)
☺☺☺ Aniba Rosaeodora, P
Parfum
☹ CI 16035, A
☹ CI 15985, A

☹ **Base/Agents actifs**
En dépit de sa belle couleur rouge, ce gel-douche n'est pas très convaincant. Le tensioactif utilisé est un lauryl sulfate éthoxylé, qui irrite la peau. Pour l'adoucir, on y associe un co-tensioactif (Cocomidopropyl Betaine), une « giclée » de tensioactif de sucre et un acylglutamate doux qui se retrouve derrière l'additif problématique EDTA, ce qui signifie qu'il n'est présent qu'en très petite quantité. Les huiles essentielles affichées sur l'étiquette (bois de rose et patchouli) sont bien présentes dans le gel, mais sans intérêt pour la qualité. Elles se positionnent avant et après le filtre absorbant solaire synthétique, qui n'a aucune utilité dans un gel-douche. Les deux regraissants sont éthoxylés (PEG).

☹☹ **Additifs**
Malheureusement, on trouve, en plus du sel et de l'acide citrique, deux colorants azoïques et l'EDTA.

☺☺ **Conservation**
Les sels des acides benzoïque et salicylique.

53 Logona : Asia, Gel-douche Fleur de Lotus & Bambou*

INCI
Aqua, B
☺☺☺ Alcohol*, A
☺☺☺ Coco Glucoside, B
☺☺☺ Glycerin, B, A.A.
☺☺☺ Disodium Cocoyl Glutamate, B
☺☺☺ Sodium Cocoyl Glutamate, B
☺☺☺ Xanthan Gum, B
☺☺☺ Glyceryl Oleate, B
☺☺☺ Sodium PCA, A.A.
☺☺☺ Nelumbo Nucifera Flower Extract, A.A.
☺☺☺ Bambusa Vulgaris Extract, A.A.
☺☺☺ Sesamum Indicum (Sesame) Seed Oil*, A.A.

☺☺☺ Glycine Soja (Soybean) Oil*, B
Parfum (Essential Oils)
☺☺☺ Citric Acid, A
☺☺☺ Phytic Acid, A
☺☺☺ Mica, B
☺☺☺ CI 77891, A
☺☺ Limonene, P
☺☺ Linalool, P
☺☺ Citral, P
* Ingrédients issus de l'agriculture biologique.

☺☺☺ **Base/Agents actifs**
Ce gel-douche contient les tensioactifs les plus doux qui existent actuellement sur le marché (un acylglutamate, le Disodium Cocoyl Glutamate et le Sodium Cocoyl Glutamate). On y trouve aussi des extraits de plantes aux propriétés curatives (fleur de lotus, bambou) et de l'huile de soja en guise de regraissant, ce qui est très appréciable.

☺☺☺ **Additifs**
Uniquement des acides naturels comme l'acide citrique (régulation du pH), l'acide phytique (agent de chélation naturel) et l'alcool végétal (éthanol). Celui-ci se trouve placé relativement haut dans la liste INCI et l'on peut penser qu'il participe à la conservation du produit.

☺☺☺ **Conservation**
Voir additifs.

54 Sisley : Eau de Campagne Phytogel douche et bain

INCI
Water (Aqua), B
☹☹ Sodium Laureth Sulfate, B
☹☹ Disodium Laureth Sulfosuccinate, B
☹☹ Cocamide DEA, B
Fragrance/Parfum
☹ Propylene Glycol, B
☺☺☺ Sodium Chloride, A
☺☺ Benzoic Acid, C
☹☹ PEG-40 Hydrogenated Castor Oil, B
☹☹ Octoxynol-13, B
☹☹ Phenoxyethanol, C
☺☺☺ Citric Acid, A
☹☹ Tetrasodium EDTA, A
☺☺☺ Hedera Helix (Ivy) Extract, A.A.
☺☺☺ Fucus Vesiculosus Extract, A.A.
☺☺☺ Equisetum Arvense Extract, A.A.
☹ Methylparaben, C
☹ Butylparaben, C
☹ Ethylparaben, C
☹ Propylparaben, C
☹ Yellow 5 (CI 19140), A
☺☺ Blue 1 (CI 42090), A
(cont.
☹ Evernia Prunastri Extract, P
☺☺ Linalool, P
☺☺ Limonene, P
☹ Hydroxycitronellal, P
☺☺ Hexyl Cinnamal, P
☺☺ Geraniol, P
☺☺ Eugenol, P
☺☺ Citral, P
☺☺ Benzyl Salicylate, P
☺☺ Amyl Cinnamal, P

☹ Base/Agents actifs
La base de ce produit est un lauryl sulfate éthoxylé, trés irritant pour la peau mais dont l'action est atténuée par des co-tensioactifs. Sont aussi employés des regraissants et agents moussants synthétiques (éthoxylés). Les agents actifs végétaux (extraits de lierre, de fucus vésiculeux et de prêle) se trouvent en fin de liste INCI, juste avant les conservateurs. Même le phénoxyéthanol et l'EDTA sont placés plus haut. L'un des parfums, la mousse de chêne, possède un potentiel allergène assez important.

☹ Additifs
Le sel et l'acide citrique (pour le pH), mais malheureusement aussi l'EDTA et un colorant azoïque.

☹ Conservation
Phénoxyéthanol et parabènes.

55 Roger & Gallet : Gel-douche Doux Nature

INCI
Aqua (Water), B
☹☹ Sodium Laureth Sulfate, B
☺☺ Cocamidopropyl Betaine, B
☹ Propylene Glycol, B
☺☺☺ Hydrogenated Soy Glyceride, B
☹☹ PEG-7 Glyceryl Cocoate, B
☹☹ Cocamide DEA, B
☺☺☺ Hydrogenated Castor Oil, B
Parfum (Fragrance)
☺☺☺ Sesamum Indicum (Sesame) Oil, B
☹☹ Polyquarternium-10, A.A.
☹☹ Phenoxyethanol, C
☺☺☺ Cyamopsis Tetragonoloba (Guar) Gum, B
☺☺☺ Tocopherol, A
☹☹ Tetrasodium EDTA, A
☺☺☺ Butyrospermum Parkii (Shea Butter) Extract, A.A.
☹ Methylparaben, C
☺☺☺ Citric Acid, A
☹ Butylparaben, C
☹ Ethylparaben, C
☹ Propylparaben, C
☺☺☺ Olea Europaea (Olive) Fruit Oil, A.A.
☹☹ PEG-8, B
☹☹ Triethanolamine, A
☹ Acrylates Copolymer, B
Note écologique : **☹☹**

☹ Base/Agents actifs
Le fabricant vante la douceur du produit, mais aucun des tensioactifs vraiment doux ne fait partie des composants

de base. Le mélange de tensioactifs correspond au modèle conventionnel : un lauryl sulfate éthoxylé, irritant pour la peau, et des co-tensioactifs plus doux. Autres composants de synthèse : un regraissant éthoxylé et un quat (Polyquaternium-10). Ce n'est qu'en 9e position de la liste INCI qu'on trouve une véritable huile végétale (huile de sésame). Quant au beurre de karité, il est placé après un additif problématique, l'EDTA.

☹☹ Additifs
En dehors de l'acide citrique, tous les additifs utilisés peuvent être considérés comme problématiques (l'EDTA et la triéthanolamine).

☹ Conservation
Phénoxyéthanol et parabènes.

56 The Body Shop : Gel-douche Vanille

INCI
Aqua, B
☹☹ Sodium Laureth Sulfate, B
☺☺ Cocamidopropyl Betaine, B
☹☹ Cocamide DEA, B
Parfum
☺☺☺ Sodium Chloride, A
☹☹ Phenoxyethanol, C
☺☺ Sodium Benzoate, C
☺☺☺ Coco-Glucoside, B
☺☺☺ Glyceryl Oleate, B
☺☺☺ Citric Acid, A
☺☺☺ Anthemis Nobilis, A.A.
☹☹ Benzophenone-4, A.A. (FPS)
☹☹ Disodium EDTA, A
☺☺☺ Ascorbyl Palmitate, A
☺☺☺ Lecithin, B
☺☺☺ Tocopherol, A
☹ Methylparaben, C
☹ Butylparaben, C
☹ Ethylparaben, C
☹ Isobutylparaben, C
☹ Propylparaben, C
☺☺☺ Caramel, A

☹ Base/Agents actifs
La présence d'un filtre solaire de synthèse dans un produit pour la douche (qui par définition est un produit qui va être rincé) est incompréhensible. Cela mis à part, la base se compose d'un mélange conventionnel composé de lauryl sulfate éthoxylé (irritant) et du tensioactif Cocamidopropyl Betaine pour atténuer l'effet agressif du premier tensioactif. Le tensioactif doux Coco Glucoside n'est présent qu'en dose infime. Le seul agent actif végétal est la camomille.

☹ Additifs
Le sel comme sous-produit de la fabrication des tensioactifs voire comme épaississant, les vitamines E et C en tant qu'antioxydants, mais aussi l'EDTA.

☹ Conservation
Phénoxyéthanol et parabènes.

Shampooings

57 Phyt's : Shampooing traitant*

INCI
Aqua (Water), B
☹ Ammonium Lauryl Sulfate, B
☺☺☺ Lavandula Hybrida* (Lavendin Flower Water)*, B, A.A.
☺☺☺ Xanthan Gum, B
☺☺☺ Ribes Nigrum (Black Currant Fruit Extract)*, A.A.
Parfum naturel
☺☺☺ Lavandula Latifolia (Lavender Oil)*, P
☺☺☺ Citric Acid, A
☺☺☺ Eugenia Caryophyllus (Clove Flower Oil)*, P
☺☺☺ Cupressus Sempervirens (Cypress Oil)*, P
☺☺☺ Citrus Amara (Bitter Orange Leaf Oil)*, P
☺☺☺ Melaleuca Viridiflora (Niaouli Leaf Oil) *, P
☺☺☺ Lavandula Angustifolia (Lavender Oil)*, P
☺☺☺ Juniperus Communis (Juniper Fruit Oil)*, P
☺☺☺ Salvia Officinalis (Sage Oil)*, P
☺☺☺ Pinus Sylvestris (Pine Leaf Oil)*, P
* Ingrédients issus de l'agriculture biologique.

☹ Base/Agents actifs
En dehors de l'eau et de l'hyrolat de lavande, la base contient du lauryl sulfate, tensioactif dont l'action irritante n'est malheureusement pas atténuée par d'autres tensioactifs. Ce shampooing contient un épaississant (xanthane), un extrait de cassis et 9 huiles essentielles.
Le produit est certifié « bio » car le tensioactif Ammonium Lauryl Sulfate est autorisé dans le cahier des charges Ecocert. Cependant, le fabricant aurait pu (par l'emploi de tensioactifs supplémentaires) formuler un produit plus doux pour la peau.

☺☺☺ Additifs
Uniquement de l'acide citrique pour réguler le pH.

☺☺☺ Conservation
Pas de conservateur visible.

58 Labo J. Paltz : Shampooing doux*

INCI
☹ Ammonium Lauryl Sulphate (Sulfate), B
Aqua, B
☺☺☺ Lavandula Angustifolia Aqua*, B, A.A.
☺☺ Cocamidopropyl Betaine, B
☺☺☺ Lauryl Glucoside, B
☺☺☺ Caprylyl Capryl Glucoside, B
☺☺☺ Glycerin, B, A.A.
☺☺☺ Cocoglucoside (and) B
☺☺☺ Glyceryl Oleate, B
☺☺☺ Inulin, B

☺☺☺ Lavandin Burnati Briquet Oil*, P
☺☺ Sodium Benzoate, C
☺☺☺ Hydrolyzed Wheat Gluten (and) A.A.
☺☺☺ Hydrolyzed Wheat Protein, A.A.
☺☺ Benzyl Alcohol, C
☺☺☺ Cananga Odorata Oil*, P
☺☺ Almond Oil Polyglyceryl -6-Ester, B, A.A.
☺☺ Linalool, P
* Ingrédients issus de l'agriculture biologique.

☺☺/☹ **Base/Agents actifs**
Bien que ce shampooing soit présenté comme « doux », cette douceur aurait pu être plus marquée. Avant même l'eau se trouve le lauryl sulfate, un tensioactif qui irrite la peau. Suivent d'autres tensioactifs comme le Cocamidopropyl Betaine et des tensioactifs issus du sucre qui atténuent tous deux le lauryl sulfate. Comme le montre le tableau page 272, on pourrait bien se passer de cet ingrédient dans un shampooing. Éléments positifs : l'emploi d'extraits végétaux comme le gluten et la protéine de blé, ainsi que d'un esther polyglycérique d'huile d'amande (regraissant).
Remarque : la déclaration INCI n'est pas correcte sur le plan formel (voir page 239). Par conséquent, la quantité de lauryl sulfate employé ne peut être estimée qu'approximativement. Il est possible qu'il ait été utilisé sous forme de solution aqueuse, mais dans ce cas les pourcentages d'eau et de lauryl sulfate auraient dû être déclarés séparément.

Additifs
Aucun.

☺☺ **Conservation**
Benzoate de sodium et alcool benzylique.

59 Bioléa : Shampooing dermo-protecteur*

INCI
Aqua (Water), B
☺☺☺ Lauryl Glucoside, B
☺☺☺ Lavandula Angustifolia (Lavender) Flower Destillate*, B, A.A.
☺☺ Cocamidopropyl Betaine, B
☺☺☺ Sodium Lauryl Glucose Carboxylate, B
☺☺☺ Coco Glucoside, B
☺☺☺ Glyceryl Oleate, B
☺☺☺ Inulin, B
☺☺☺ Caprylyl/Capryl Glucoside, B
☺☺ Sodium Cocoamphoacetate, B
☺☺☺ Glyceryl Caprylate, B
☺☺ Potassium Sorbate, C
☺☺☺ Lactic Acid, A, A.A.
☺☺☺ Sweet Almond Oil Polyglyceryl-6 Esters, B
☺☺☺ Lavandin (Lavandula Hybrida) Oil*, P
☺☺☺ Mentha Piperita (Peppermint) Oil*, P
☺☺☺ Ocinum Basilicum (Basil) Oil*, P
☺☺☺ Maltodextrin*, B, A
☺☺☺ Crataegus Monogina Flower Extract*, A.A.
☺☺☺ Melissa Officinalis (Balm Mint) Leaf Extract*, A.A.
☺☺☺ Citrus Sinensis (Orange) Extract*, A.A.
☺☺☺ Caramel, A
☺☺ Linalool, P
☺☺ d-Limonene, P (INCI correcte : Limonene)
*Ingrédients issus de l'agriculure biologique.

☺☺☺ **Base/Agents actifs**
Un bon mélange doux de tensioactifs (issus du sucre et Cocamidopropyl Betaine). L'huile regraissante est une huile d'amande, couplée avec un esther polyglycérique pour être plus facilement hydrosoluble. Des extraits de plantes (aubépine, mélisse, orange) et des huiles essentielles complètent cette formulation.

☺☺☺ **Additifs**
De l'acide lactique pour réguler le pH, et du caramel (colorant).

☺☺ **Conservation**
Sorbate de sodium.

60 Yves Rocher : Shampooing Phytum

INCI
Aqua, B
☻☻ Sodium Laureth Sulfate, B
☺☺ Cocamidopropyl Betaine, B
☺☺ Glycol Stearate, B
☹ Cocamide MIPA, B
☺☺☺ Lauryl Glucoside, B
☻☻ PEG-7 Glyceryl Cocoate, B
Parfum
☹ Styrene/Acrylates Copolymer, B
Note écologique : ☻☻
☻☻ PEG-3 Myristyl Ether, B
☹ Guar Hydroxypropyltrimonium Chloride, A.A.
☻☻ Polyquaternium-10, A.A.
Note écologique : ☻☻
☻☻ Polyquarternium-22, A.A.
Note écologique : ☻☻
☻☻ PEG/PPG-18/18 Dimethicone, B
☺☺ Benzyl Salicylate, P
☺☺☺ Citric Acid, A
☺☺ Coumarin, P
☺☺ Amyl Cinnamal, P
☺☺☺ Simmondsia Chinensis, A.A.
☺☺ Citronellol, P
☹ Propylene Glycol, B
☺☺ Benzyl Alcohol, C ou P
☻ Sodium Lauryl Sulfate, B
☺☺☺ Phospholipids, A.A.
☻☻☻ Methylchloroisothiazolinone, C
☻☻ Methylisothiazolinone, C
☻☻ Triethanolamine, A
☺☺☺ Chondrus Crispus, B
☹ Carbomer, B
Note écologique : ☻☻
☻☻ CI 19140, A
☻☻ CI 15510, A

☹ Base/Agents actifs

Ce produit porte la mention « 100 % végétal » et, juste au-dessus, apparaît le mot « liposomes ». Ces 100 % ne peuvent que faire référence à la toute petite quantité de liposomes car le reste du produit est bourré de chimie de synthèse, nocive pour l'environnement ! La base contient de du lauryl sulfate éthoxylé et un tensioactif (Cocamidopropyl Betaine) pour adoucir son action irritante sur la peau. S'y ajoutent plusieurs ingrédients éthoxylés (PEG, PEG/PPG) ainsi que des acrylates. Quant aux agents actifs capillaires, pour l'amélioration du coiffage par exemple, ils sont synthétiques (Polyquaternium, silicones).

☹☹ Additifs

La note est négative à cause des colorants azoïques et de la triéthanolamine.

☹☹ Conservation

La conservation est assurée par un conservateur organo-halogéné et par le Methylisothiazolinone, potentiellement irritant pour la peau et allergène.

61 Logona : Shampooing normalisant à la mélisse*

INCI

Aqua, B
☺☺☺ Alcohol*, A
☺☺☺ Coco Glucoside, B
☺☺☺ Glycerin, B, A.A.
☺☺☺ Disodium Cocoyl Glutamate, B
☺☺☺ Sodium Cocoyl Glutamate, B
☺☺☺ Sodium PCA, A.A.
☺☺☺ Melissa Officinalis (Balm Mint Extract)*, A.A.
☺☺☺ Hydrolyzed Silk, A.A.
☺☺☺ Betaine, A.A.
☺☺☺ Triticum Vulgare, A.A.
☺☺☺ Xanthan Gum, B
☺☺☺ Glyceryl Oleate, B
Parfum (Fragrance)
☺☺☺ Citric Acid, A
☺☺☺ Phytic Acid, A

* Ingrédients issus de l'agriculture biologique.

☺☺☺ Base/Agents actifs

Il s'agit de l'un des rares shampooings comprenant deux des tensioactifs les plus doux et les plus chers, l'alcylglutamate Disodium Cocoyl Glutamate et le Sodium Cocoyl Glutamate. Le principal tensioactif est à base de sucre. Comme agents actifs soignants d'origine végétale, on a ajouté un extrait de mélisse, de l'huile de germe de blé, de la soie et du glycérol.

☺☺☺ Additifs

Les acides citrique et phytique, ainsi que l'éthanol. Ce dernier étant placé très haut dans la liste INCI, on peut penser qu'il contribue aussi à la conservation.

☺☺☺ Conservation

Voir Additifs.

62 Le Petit Marseillais : Shampooing aux extraits naturels de tilleul et d'Iris bleu

INCI

Aqua, B
☹☹ Sodium Laureth Sulfate, B
☺☺ Cocamidopropyl Betaine, B
☺☺☺ Coco Glucoside, B
☹☹ Climbazole, C
☺☺☺ Bisabolol, A.A.
☺☺☺ Glycerin, B, A.A.
☺☺☺ Iris llorentina Extract, A.A.
☺☺☺ Tilia Cordata Extract, A.A.
☹☹ PEG-12 Dimethicone, B
Note écologique ☹☹
☹☹ PEG-120 Methyl Glucose Dioleate, B
☹☹ Polyquarternium-10, A.A.
☺☺☺ Sodium Lactate, A
☹ Propylene Glycol, B
☺☺/☹ Alcohol denat., A
☺☺☺ Sodium Chloride, A
Parfum
☺☺ Hexyl Cinnamaldehyde, P
☹ 2-(4-tert-butylbenzyl) Propionaldehyde (probablement une fausse déclaration du lilial), P
☺☺ Linalool, P
☺☺ Limonene, P
☹☹ Disodium EDTA, A
☹☹ DMDM Hydantoin,C
☹ Sodium Methylparaben, C
☹ Sodium Propylparaben, C
☺☺ Sodium Hydroxide, A
☺☺☺ Citric Acid, A
☹ CI 17200, A
☺☺ CI 42090, A

☹ Base / agents actifs

Le tensioactif principal est un sulfate de lauryle éthoxylé (PEG) relativement irritant. Il est adouci par la cocamidopropyl bétaïne et par un tensioactif issu du sucre. Les autres composants: divers PEG, un quat (Polyquaternium-10) et deux composants naturels (extraits de plantes). La formule de ce produit est loin de correspondre à celle d'un cosmétique naturel.

☹ Additifs

Non préoccupants comme le sel de table (chlorure de sodium), l'hydroxyde de sodium et l'acide citrique (pour réguler le pH), mais aussi l'EDTA et un colorant azoïque.

☹☹ Conservation

Le Climbazole organohalogéné, des parabènes et le DMDM Hydantoin, un conservateur qui peut libérer du formaldéhyde.

63 Cattier : Shampooing lait capillaire lavant*

INCI

Aqua, B

☺☺☺ Lavandula Angustifolia Extract*, A.A.

☹ Ammonium Lauryl Sulfate, B

☺☺ Sodium Cocoamphoacetate, B

☺☺ Cocamidopropyl Betaine, B

☺☺☺ Phospholipids, A.A. (and)

☺☺☺ Glycolipids, A.A. (and)

☺☺☺ Soybean (Glycine Soja) Oil, B (and)

☺☺☺ Soybean Stearol, B

☺☺☺ Macadamia Alternifolia*, A.A.

☺☺☺ Vinegar, A

☺☺☺ Glycerin, B, A.A.

☺☺☺ Lavandula Angustifolia Extract, A.A.

☺☺☺ Rosmarinus Officinalis Leaf Extract, A.A.

☺☺☺ Salvia Officinalis Leaf Extract, A.A.

☺☺☺ Thymus Vulgaris Extract, A.A.

☺☺☺ Xanthan Gum, B

☺☺☺ Hydrolyzed Wheat Protein, A.A.

☺☺☺ Bambus Vulgaris, A.A.

☺☺ Sodium Benzoate, C

Parfum

☺☺☺ Sodium Chloride, A

☺☺☺ Phytic Acid, A

☺☺☺ Benzyl Alcohol, C

☺☺ Potassium Sorbate, C

☺☺☺ Citrus Sinensis, P

☺☺☺ Orange Dulcis, P

☺☺☺ Citrus Limonum, P

☺☺☺ Lavandula Hybrida, P

☺☺☺ Ocinum Basilicum, P

☺☺☺ Artemisia Dracunculus, P

☺☺☺ Pogostemon Cablin, P

☺☺☺ Salvia Officinalis, P

☺☺☺ Myristica Fragans, P

☺☺☺ Juniperus Virginiana, P

☺☺☺ Lactic Acid, A

☺☺ Limonene, P

* Ingrédients issus de l'agriculture biologique.

☺☺ **Base/Agents actifs**

L'eau et l'extrait de lavande sont suivis d'un mélange de tensioactifs, contenant de l'Ammonium Lauryl Sulfate, relativement irritant pour la peau mais dont l'effet est adouci par des co-tensioactifs (un amphoacétate et Cocamidopropyl Betaine). Le produit est aussi composé d'un nombre relativement élevé de regraissants (huile de soja, phospholipides, glycolipides et stérols), de nombreux extraits de plantes de qualité (romarin, lavande, sauge, thym) et d'huiles essentielles destinées à parfumer.

☺☺☺ **Additifs**

Uniquement de l'acide phytique et du sel. Celui-ci apparaît assez souvent dans des produits à tensioactifs, puisqu'il se forme lors de la production de ces derniers. Et comme il n'est pas indésirable, bien au contraire puisqu'il permet d'augmenter la viscosité, on le laisse généralement dans le produit.

☺☺ **Conservation**

Alcool benzylique, benzoate de sodium et sorbate de potassium.

64 La Roche-Posay : Kerium Shampoo-Creme

INCI

Aqua, B

☹☹ Sodium Laureth Sulfate, B

☺☺ Cocamidopropyl Betaine, B

☹ Cocamide Mipa, B

☺☺☺ Glycerin, B, A.A.

☺☺ Glycol Distearate, B

☺☺☺ Sodium Chloride, A

☺☺ Capryloyl Glycine, B

☹ Hexylene Glycol, B

☺☺☺ Arginine, A.A.

☹ Butylparaben, C

☺☺ Capryloyl Salicylic Acid, A.A., C

☹ Carbomer, B

☺☺ Disodium Cocoamphodiacetate, B

☺☺ Disodium Ricinoleamido MEA-Sulfosuccinate, B

☹ Ethylparaben, C

☺☺☺ Glyceryl Laurate, B

☹☹☹ Iodopropynyl Butylcarbamate, C

☹ Isobutylparaben, C

☹ Methylparaben, C

☹☹ PEG-4 Dilaurate, B

☹☹ PEG-4 Laurate, B

☺☺ Piroctone Olamine, B, C

☹☹ Polyquaternium-10, A.A.

☹ Propylparaben, C

☺☺☺ Salicylic Acid, C

☺☺ Sodium Benzoate, C

Parfum

☹ **Base/Agents actifs**

Le tensioactif principal est un lauryl sulfate éthoxylé (irritant pour la peau), adouci cependant par des co-tensioactifs. On trouve deux agents actifs importants, le glycérol et un acide aminé (arginine). Le troisième agent actif est un quat (Polyquaternium 10, voir page 139) qui mérite un mauvais point comme les deux PEG.

☺☺☺ **Additifs**

Uniquement du sel.

☹☹ **Conservation**

Des parabènes et un conservateur halogéné (Iodopropynyl Butylcarbamate).

65 Dr. Hauschka : Shampooing Macadamia Orange

INCI

Aqua, B

☺☺ Decyl Glucoside, B

☺☺☺ Betaine, A. A.

☺☺☺ Sodium Coco-Glucoside Tartrate, B

☺☺☺ Sorbitol, B

☺☺☺ Glyceryl Caprylate, B
☺☺☺ Sodium, Citrate, A
☺☺☺ Sodium Myristyl Glutamate, B
☺☺☺ Trigonelle Foenum Graecum, A. A.
☺☺☺ Rosmarinus Officinalis, A. A.
☺☺☺ Melia Azadirachta, A. A.
☺☺☺ Sodium Cocoyl Glutamate, B
☺☺☺ Macadamia Ternifolia, A. A.
☺☺☺ Citrus Aurantium Dulcis, P
Parfum
☺☺ Limonene*, P
☺☺ Citral*, P
☺☺☺ Urtica Urens, A. A.
☺☺☺ Hydrolyzed Wheat Protein, A. A.
☺☺☺ Hydrolyzed Milk Protein, A. A.
☺☺☺ Alcohol, A
☺☺☺ Prunus Armeniaca, A. A.
☺☺☺ Chondrus Crispus, B
☺☺☺ Cyamopsis Tetragonoloba, B
☺☺☺ Xanthan Gum, B
☺☺☺ Capsicum Annuum, A. A.
☺☺☺ CI 77491, A
* constituant d'huiles essentielles naturelles

☺☺☺ **Base/Agents actifs**

Ce shampooing se distingue par ses tensioactifs très doux de sucre et d'acides aminés. Autre caractéristique positive : la présence de nombreux extraits végétaux comme par exemple le neem, le romarin, l'ortie, l'avoine, la pomme et le fenugrec (trigonelle). Et aussi, des protéines de lait et de blé.

☺☺☺ **Additifs**

Un oxyde de fer en tant que colorant naturel, le sel sodique de l'acide citrique pour la régulation du pH et un peu d'alcool provenant probablement des extraits de plantes.

☺☺☺ **Conservation**

Pas de conservateur identifiable.

66 Origins : Shampooing pour cheveux flagadas

INCI

Aqueous infusions, B
☺☺☺ Hamamelis Virginiana (Winterboom), B, A.A.
☺☺☺ Rosmarinus Officinalis (Rosemary) Leaf, B, A.A.
☹☹ Sodium Laureth Sulfate, B
☺☺ Lauramidopropyl Betaine, B
☺☺☺ Panthenol, A.A.
🙁 Cocamide MEA, B
Essential Oils
☺☺☺ Citrus Paradisi (Grapefruit), P
☺☺ Limonene, P (and)
☺☺☺ Mentha Piperita (Pepermint), P
☺☺ Disodium Cocoamphodiacetate, B
☺☺☺ Menthol, A.A., P
☺☺☺ Hydrolyzed Wheat Protein, A.A.
☹☹ PEG-12 Dimethicone, B

Note écologique : ☹☹

☹☹ Polyquaternium-7, A.A.
☺☺ Butylene Glycol, B
☺☺☺ Sodium PCA, A.A.
☺☺☺ Glycerin, B, A.A.
☺☺☺ Sodium Cocoate, B
☹☹ Oleth-10, B
☹☹ PPG-5-Ceteth-20, B
☹☹ PEG-150 Distearate, B
☺☺☺ Citric Acid, A
☹☹ Trisodium HEDTA, A
☹☹☹ Methychloroisothiazolinone, C
☹☹ Methylisothiazolinone, C
☹ Methylparaben, C

☹ **Base/Agents actifs**

L'eau est ici remplacée par des hydrolats d'hamamélis et de romarin. Le mélange de tensioactifs est composé de lauryl sulfate éthoxylé (irritant pour la peau) et d'un tensioactif issu du sucre (adoucissant). De bons agents actifs : le panthénol et un hydrolysat de blé. Pas de problèmes donc si ce n'est que la base contient aussi pas mal de chimie synthétique, comme par exemple plusieurs composants éthoxylés (PEG), des silicones problématiques pour l'environnement et un quat.

☹ **Additifs**

De l'acide citrique et malheureusement aussi de l'HEDTA.

☹☹ **Conservation**

Deux conservateurs halogénés et un parabène. L'entreprise affirme qu'à l'avenir les produits Origins ne contiendront plus de parabènes. Attendons pour savoir comment leur nouveau système de conservation va se présenter. Mais ce sont les deux conservateurs halogénés, et non le parabène, qui posent vraiment problème dans ce produit.

67 Clairol : Herbal Essences Shampooing douceur & brillance

INCI

Aqua, B
☹☹ Sodium Laureth Sulfate, B
☹ Sodium Lauryl Sufate, B
☺☺ Cocamidopropyl Betaine, B
☺☺☺ Citric Acid, A
☺☺☺ Sodium Citrate, A
☺☺☺ Sodium Chloride, A
☹ Sodium Xylenesulfonate, B
Parfum
🙁 Cocamide MEA, B
☹☹ Tetrasodium EDTA, A
☹☹ DMDM Hydantoin, C
☹☹ PEG-60 Almond Glycerides, B
🙁 Guar Hydroxypropyltrimonium Chloride, A.A.
🙁 Propylene Glycol, B
☹ Linoleamidopropyl PG-Dimonium Chloride Phosphate, A.A.
☺☺ Benzyl Alcohol, C

☹ Butylphenyl Methylpropional, P
☺☺ Hexyl Cinnamal, P
☺☺ Dipentene (Limonene), P
😞😞 Sodium Diethylenetriamine Pentamethylene Phosphate, A
☺☺ Sodium Benzoate, C
😞😞 Etidronic Acid, A
☹ Hydroxyisohexyl 3-Cyclohexane Carboxaldehyde, P
☺☺ Citronellol, P
☺☺☺ Rosa Canina, A.A., P
☺☺☺ Simmondsia Chinensis, A.A.
☺☺☺ Tocopherol, A
☺☺☺ Glycerin, B, A.A.
😞😞 Polysorbate-20, B
😞😞😞 Methylchloroisothiazolinone, C
😞😞 Phenoxyethanol, C
😞😞 Methylisothiazolinone, C
😞 Methylparaben, C
😞 CI 17200, A
😞 CI 15510, A
😞 Butylparaben, C
😞 Ethylparaben, C
☺☺ CI 60730, A
😞 Propylparaben, C
☹ CI 42053, A

😞😞 Base/Agents actifs
Le nom « Herbal Essences », illustré sur l'emballage par des images de plantes, est en contradiction frappante avec la véritable nature de ce produit qui contient surtout des ingrédients chimiques. À lui seul, le mélange de tensioactifs est déjà potentiollement irritant : lauryl sulfate, laureth sulfate, Cocamidopropyl Betaine et xylène sulfonate. S'y ajoutent deux substances de synthèse : un regraissant éthoxylé et un quat. On n'y trouve que deux composants végétaux (jojoba et rose), mais tellement loin dans la liste qu'ils ne sont même pas dignes d'être mentionnés.
Le fabricant se vante, sur les échantillons de ce produit présenté comme « nouveau », qu'il contient de la vitamine E. Mais dans la liste INCI, seul le terme « Tocophérol » apparaît, ce qui semble indiquer que la vitamine E n'est employée que pour stabiliser le produit et non comme agent actif. En Allemagne, ce genre d'abus est sanctionné et le fabricant passible d'une amende substantielle

😞😞 Additifs
Entre autres, l'EDTA, l'acide étidronique et un colorant azoïque.

😞😞😞 Conservation
Ce produit contient une quantité inexplicable de conservateurs différents et problématiques. On trouve un mélange de 10 (!) substances : benzoate de sodium, alcool benzylique, phénoxyéthanol et quatre parabènes, en plus du Methylchloroisothiazolinone chloré, du Methylisothiazolinone et du DMDM Hydantoin, un conservateur qui peut libérer du formaldéhyde.

68 Annemarie Börlind : Shampooing à l'Ortie

INCI
Aqua (Water), B
☺☺☺ Lauryl Glucoside, B
☺☺☺ Sodium Lauryl Sulfoacetate, B
☺☺ Sodium Cocoamphoacetate, B
☺☺ Capryl/Capramidopropyl Betaine, B
☺☺☺ Sodium Chloride, A
☺☺☺ Sodium Methyl Cocoyl Taurate, B
☺☺☺ Glycerin, B
😞 Cocodimonium Hydroxypropyl Hydrolized Wheat Protein, A.A.
☹ Hydroxypropyl Trimonium Honey,A.A.
☺☺ Piroctone Olamine, B, C
☺☺☺ Alcohol, A
☺☺☺ Citric Acid, A
☺☺ Potassium Sorbate, C
Aroma (Fragrance)
☺☺☺ Hydrolized Wheat Protein, A.A.
☺☺☺ Panthenol, A.A.
☺☺☺ Urtica Dioica, (Nettle) Extract, A.A.
☺☺ Linalool, P
☺☺ Limonene, P
☺☺ Benzyl Salicylate, P
☺☺ Hexyl Cinnamal, P
☺☺☺ Biotin, A.A.
☺☺☺ Chlorophyllin-Copper Complex, A (déclaration incorrecte, correspond au CI 75810)

☺☺☺ /☺☺ Base/Agents actifs
Plusieurs tensioactifs doux pour la peau (Sodium Lauryl Sulfoacetate et Sodium Cocoamphoacetate) et d'un émulsifiant issu du sucre. Deux des agents actifs ne sont malheureusement pas très naturels : une protéine de blé quaternisée (voir passage sur les quats page 135) et un miel modifié chimiquement (pour le rendre hydrosoluble). À noter positivement : la protéine de blé et le panthénol.

☺☺☺ Additifs
Alcool, acide citrique et sel.

☺☺ Conservation
Sorbate de potassium et le piroctone olamine, un agent antipelliculaire.

69 Biokosma : Shampooing Pomme/Propolis

INCI
Aqua (Water), B
☺☺☺ Glycerin, B, A.A.
☺☺ Disodium Cocoamphodiacetate, B
☺☺☺ Disodium Lauroamphodiacetate, B
😞😞 Sodium Myreth Sulfate, B
☺☺☺ Pyrus Malus (Apple) Fruit Extract, A.A.
☺☺☺ Decyl Glucoside, B
😞😞 Laurdimonium Hydroxypropyl Hydrolyzed Wheat Protein, A.A.

☺☺☺ Lactic Acid, A
☹☹ Cocamide DEA, B
Parfum
☹☹ Laureth-2, B
☺☺☺ Alcohol, A
☺☺☺ Propolis Cera, A.A.
☺☺☺ Bixa Orellana Extract, A.A.
☺☺ Amyl Cinnamal, P
☺☺ Citronellol, P
☺☺ Eugenol, P
☺☺ Hydroxycitronellal, P

☹ Base/Agents actifs
De l'eau, du glycérol et des ampho-acétates doux, et un peu plus loin, un tensioactif issu du sucre : la formulation commence bien. Mais arrive ensuite un tensioactif éthoxylé, le myreth sulfate, peu agréable pour la peau. L'extrait de pomme est un bon agent actif naturel qui soigne les cheveux, la protéine de blé a été employée en revanche sous sa forme quaternisée (voir page 135). Le PEG (Laureth-2) ne va pas non plus de pair avec le préfixe « Bio », du nom de la marque.

☺☺☺ Additifs
Acide lactique et alcool.

☺☺☺ Conservation
Pas de conservation apparente.

TENSIOACTIFS POUR GEL-DOUCHE ET SHAMPOOINGS : QUEL MÉLANGE EST LE PLUS DOUX ?

Peut-on être sûr que le gel-douche ou le shampooing sont de bons produits pour la peau ? On ne peut répondre par un oui franc et massif que si ces produits contiennent exclusivement des tensioactifs qualifiés de « doux pour la peau » par le test RBC (red blood cell test, test sur des globules rouges). Or, ceux-ci sont rares. Dans le cas contraire, quand tous les tensioactifs utilisés sont irritants pour la peau (en caractères gras dans le tableau synoptique ci-dessous), nous estimons que les produits ne seront pas bons pour la peau. Dans certains mélanges de tensioactifs (où les plus irritants sont adoucis par des co-tensioactifs), le jugement est plus mitigé et le potentiel irritant dépend des proportions du mélange. Les produits des fabricants nommés ci-après sont présentés en détails pages 263 à 272. La répartition en trois catégories que l'on trouve ci-dessous repose sur une évaluation du mélange de tensioactifs de chacun des produits.

Marque	☺☺☺	☹	☹☹
GELS-DOUCHE			
Florame	Lauryl Glucoside Capryl Caprylyl Glucoside Sodium Cocoyl Glutamate		
Lavera	Coco Glucoside Caprylyl/Capryl Glucoside Sodium Lauryl Sulfoacetate		
Logona	Coco Glucoside Disodium Cocoyl Glutamate Sodium Cocoyl Glutamate		
Marque	☺☺☺	☹	☹☹
Nivea		Sodium Laureth Sulfate Cocamidopropyl Betaine Decyl Glucoside Disodium Cocoyl Glutamate	
Roger&Gallet		Sodium Laureth Sulfate Cocamidopropyl Betaine	
Sisley		Sodium Laureth Sulfate DisodiumLaureth Sulfosuccinate	

Marque	☺☺☺	☹	☹☹
The Body Shop		Sodium Laureth Sulfate Cocamidopropyl Betaine Coco Glucoside	
L'Occitane	Lauryl Glucoside Cocamidopropyl Glucoside Decyl Glucoside Coco Glucoside Disodium Cocoyl Glutamate Sodium Cocoyl Glutamate		
SHAMPOOINGS			
Biokosma		Disodium Cocoamphodiacetate Disodium Lauroamphodiacetate Sodium Myreth Sulfate Decyl Glucoside	
Bioléa	Lauryl Glucoside Cocamidopropyl Betaine Sodium Lauryl Glucose Carboxylate Coco Glucoside Caprylyl/Capryl Glucoside Sodium Cocoamphoacetate		
Annemarie Börlind	Lauryl Glucoside Sodium Lauryl Sulfoacetate Sodium Cocoamphoacetate Capryl/Capramidopropyl Betaine Sodium Methyl Cocoyl Taurate		
Cattier		Ammonium Lauryl Sulfate Sodium Cocoamphoacetate Cocamidopropyl Betaine	
Clairol			Sodium Laureth Sulfate Sodium Lauryl Sulfate Cocamidopropyl Betaine Sodium Xylenesulfonate
Dr. Hauschka	Decyl Glucoside Sodium Coco-Glucoside Tartrate Sodium Myristyl Glutamate Sodium Cocoyl Glutamate		
La Roche-Posay		Sodium Laureth Sulfate Cocamidopropyl Betaine Disodium Cocoamphodiacetate Disodium Ricinoleamido MEA-Sulfosuccinate	
Labo J. Paltz		Ammonium Lauryl Sulfate, Cocamidopropyl Betaine Lauryl Glucoside Caprylyl Capryl Glucoside Cocoglucoside (and)	
Logona	Coco Glucoside Disodium Cocoyl Glutamate Sodium Cocoyl Glutamate		

Marque	☺☺☺	☹	☹☹
Origins		Sodium Laureth Sulfate Lauramidopropyl Betaine Disodium Cocoamphodiace-tate	
Phy's			Ammonium Lauryl Sulfate
Le Petit Marseillais		Sodium Laureth Sulfate Cocamidopropyl Betaine Coco Glucoside	
Yves Rocher		Sodium Laureth Sulfate Cocamidopropyl Betaine Lauryl Glucoside	

Produits déodorants

*70 Phyt's : Déophyt's **

INCI

Aqua (Water), B
☺☺☺ Nitrogen, B, A
☺☺☺ Alcohol*, A
☺☺☺ Glycerin Vegetal, B, A.A.
☺☺☺ Lavandula Hybrida (Lavendin Oil)*, P
☺☺☺ Citrus Medica Limonum (Lemon Peel Oil)*, P
☺☺☺ Caprylyl Capryl Glucoside, B
☺☺☺ Citrus Amara (Bitter Orange Leaf Oil)*, P
Ingrédients naturellement présents dans les huiles essentielles :
☺☺ Coumarin, P
☺☺ Geraniol, P
☺☺ Limonene, P
☺☺ Linalool, P
☺☺ Citral, P
* Ingrédients issus de l'agriculture biologique.

☺☺☺ **Base/Agents actifs**

Une formulation minimaliste mais assez bonne, à base d'eau, de glycérol, d'alcool et d'une huile estérifiée probablement employée comme excipient pour les huiles parfumantes. L'action déodorante est obtenue grâce à l'alcool et aux huiles essentielles.

☺☺☺ **Additifs**

Uniquement l'alcool et l'azote (nitrogène) comme gaz propulseur.

☺☺☺ **Conservation**

En raison du taux élevé d'alcool, il n'est pas nécessaire d'introduire d'autres conservateurs.

71 La Roche-Posay : Tolériane Déodorant

INCI

☹ Cyclopentasiloxane, B
Note écologique : ☹☹
☺☺☺ Stearyl Alcohol, B
☺☺☺ Sodium Bicarbonate, A, A.A.
☹☹ PPG-14 Butyl Ether, B
☺☺ Isopropyl Palmitate, B
☹ Cyclohexasiloxane, B
Note écologique : ☹☹
☺☺☺ Talc, B
☺☺☺ Hydrogenated Castor Oil, B
☺☺☺ Glyceryl Stearate, B

☹/☹ **Base/Agents actifs**

Un produit sans eau et sans alcool, dont la base est constituée de silicones volatiles (nocives pour l'environnement), d'un composant éthoxylé et d'une très faible quantité d'huile de ricin. L'efficacité est censée reposer sur le bicarbonate de sodium, employé probablement pour lier les substances odorantes.

☺☺☺ **Additifs**

Uniquement de la soude.

Conservation

Inutile dans un produit sans eau.

*72 Logona : Tropic, Déodorant Roll-on Ananas & Papaye**

INCI

Aqua (Water), B
☺☺☺ Alcohol*, A
☺☺☺ Glycerin, B, A.A.
☺☺☺ Triethyl Citrate, A.A.
☺☺☺ Cetyl Alcohol, B
☺☺☺ Cetearyl Alcohol, B
☺☺☺ Cetearyl Glucoside, B
☺☺☺ Xanthan Gum, B
Parfum (Essential Oils)
☺☺☺ Cocos Nucifera (Coconut) Extract*, A.A.
☺☺☺ Ananas Sativus (Pineapple) Fruit Extract, A.A.
☺☺☺ Carica Papaya (Papaya) Fruit Extract, A.A.
☺☺☺ Lauryl Lactate, B
☺☺☺ Lactic Acid, A
☺☺ Limonene, P
☺☺ Linalool, P
☺☺ Geraniol, P
* Ingrédients issus de l'agriculture biologique.

☺☺☺ **Base/Agents actifs**
Ce déodorant est à base d'eau, d'alcool, de glycérol (action soignante sur la peau) et de citrate de triéthyl, un ester d'acide citrique au pouvoir déodorant. Des tensioactifs de sucre doux et la gomme de xanthane permettent d'obtenir une émulsion. Autres substances actives : les extraits de noix de coco, d'ananas et de papaye.

☺☺☺ **Additifs**
De l'acide lactique pour une régulation douce du pH.

☺☺☺ **Conservation**
Grâce au taux élevé d'alcool, un mode de conservation supplémentaire est inutile.

73 Nivea : Deo Dry Stick

INCI
☹ Cyclomethicone, B
Note écologique : ☹☹
☺☺☺ Stearyl Alcohol, B
☹☹ Aluminum Zirconium Tetrachlorohydrex Gly, A.A.
☹☹ PPG-14 Butyl Ether, B
☺☺☺ Talc, B
☺☺☺ Hydrogenated Castor Oil, B
☺☺☺ Glyceryl Stearate, B
☺☺☺ Persea Gratissima, A.A.
☺☺ Octyldodecanol, B
☹ Hydroxyisohexyl 3-Cyclohexene Carboxaldehyde, P
☺☺ Citronellol, P
☺☺ Geraniol, P
☺☺ Hexyl Cinnamal, P
☺☺ Limonene, P
☺☺ Benzyl Salicylate, P
Parfum

☹ **Base/Agents actifs**
Des silicones, le PEG et l'aluminium chlorhydrate comme substance active : il y a mieux en matière de formulation pour déodorants ! Le produit contient aussi de l'avocat (Persea Gratissima), mais compte tenu de sa place (vers la fin de la liste INCI), cette huile végétale ne peut être prise en compte positivement.

Additifs
Aucun.

Conservation
Étant donné « l'efficacité » de l'aluminium chlorhydrate, un mode de conservation supplémentaire n'est pas nécessaire.

74 Melvita: Déodorant Bille Purifiant*

INCI
Aqua, B
☺☺☺ Aloe Barbadensis Leaf Extract*, A.A.
☺☺ Dicaprylyl Ether, B
☺☺ Caprylic/Capric Triglyceride, B
☺☺ Octyldodecanol, B
☺☺☺ Glycerin, B, A.A.
☺☺☺ Arachidyl Alcohol, B
☺☺☺ Undecylenoyl Glycine, A.A., C
☺☺ Capryloyl Glycine, B, C
☺☺☺ Behenyl Alcohol, B
☺☺ Hydroxypropyl Starch Phosphate, B
☺☺ Benzyl Alcohol, C
☺☺☺ Candida Bombicola/Glucose/MethylRapeseedate Ferment, A.A., C
☺☺☺ Macadamia Ternifolia Seed Oil*, A.A.
☺☺☺ Triticum Vulgare (Wheat) Starch*, A.A.
☺☺☺ Arachidyl Glucoside, B
☺☺ Sodium Hydroxide, A
☺☺ Limonene, P
☺☺☺ Dehydroacetic Acid, C
☺☺☺ Xanthan Gum, B
☺☺☺ Santalum Austrocaledonicum Oil, P
Parfum
☺☺☺ Tocopherol, A
☺☺☺ Maltrodextrin, A
☺☺ Citral, P
☺☺ Linalool, P
☺☺☺ Camelia Sinensis Leaf Extract, A.A.
*Ingrédients issus de l'agriculture biologique

☺☺☺/☺☺ **Base / agents actifs**
La base est constituée d'eau, d'un extrait d'aloès, de glycérol et de corps gras végétaux. Le produit contient quelques agents actifs anti-microbiens comme par exemple : Capryloyl Glycine, Undecylenoyl Glycine et Candida Bombicola / Glucose / Methyl Rapeseedate Ferment.

☺☺☺ **Additifs**
Uniquement la maltodextrine, la solution de soude, l'acide citrique pour régler le pH, et la vitamine E comme antioxydant.

☺☺ **Conservation**
L'alcool benzylique et l'acide déhydro acétique.

75 Labo J. Paltz : Déodorant régulateur de transpiration*

INCI
☺☺☺ Melaleuca Alternifolia Water*, B, A.A.
☺☺☺ Caprylyl Capryl Glucoside, B
☺☺☺ Hamamelis Virgiania Extract, A.A.
☺☺☺ Glycerin, B, A.A.
Aqua, B
☺☺☺ Citrus Grandis, P
☺☺ Potassium Sorbate, C
☺☺☺ Pinus Sylvestris Oil*, P
☺☺☺ Aloe Barbadensis Extract, A.A.
☺☺☺ Calendula Officinalis Extract, A.A.
☺☺☺ Cupressus Sempervirens Oil*, P
☺☺☺ Salvia Sclarea Oil, P
☺☺☺ Lavandula Hybrida Oil*, P

☺☺☺ Mentha Piperata Oil*, P
☺☺☺ Cymbopogon Martinii Oil *, P
☺☺ Limonene, P
☺☺ Linalool, P
* Ingrédients issus de l'agriculture biologique.

☺☺☺ **Base/Agents actifs**
La liste débute avec un hydrolat d'arbre à thé, et un tensioactif issu du sucre servant probablement d'agent solubilisant pour les huiles essentielles. Suivent d'autres agents actifs de qualité comme l'extrait d'hamamélis et le glycérol (qui soigne la peau). La composition est complétée par des huiles essentielles et d'autres extraits de plantes (aloès et calendula). Pour l'action déodorante, le fabricant mise sur l'hydrolat d'arbre à thé et les huiles essentielles.

Additifs
Aucun.

☺☺☺ **Conservation**
Le sel potassique de l'acide sorbique.

Produits de soins pour le corps

*76 Sanoflore : Lait hydratant Corps**

INCI
☺☺☺ Lavendula Angustifolia Distillate*, B, A.A.
☺☺☺ Corylus Avellana Nut Oil*, A.A.
☺☺☺ Glycerin, B, A.A.
☺☺☺ Simmondsia Chinensis Oil*, A.A.
☺☺☺ Prunus Amaygdalus Dulcis Oil*, A.A.
☺☺☺ Alcohol*, A
☺☺☺ Myristyl Alcohol, B (and)
☺☺☺ Myristyl Glucoside, B
☺☺☺ Cetearyl Alcohol, B (and)
☺☺☺ Cetearyl Glucoside, B
☺☺☺ Aloe Barbadensis Extract*, A.A.
☺☺☺ Lavandula Angustifolia Oil*, A.A.
☺☺☺ Aniba Rosaeodora Oil, A.A.
☺☺☺ Helianthus Annuus Seed Oil (and) A.A.
☺☺☺ Rosmarinus Officinalis Extract, A.A.
☺☺☺ Tocopherol, A
☺☺☺ Stearyl Alcohol, B
☺☺☺ Chondrus Crispus, B
☺☺☺ Xanthan Gum, B
☺☺ Potassium Sorbate, C
☺☺ Benzyl Alcohol, C
☺☺☺ Dehydroacetic Acid, C
* Ingrédients issus de l'agriculture biologique.

☺☺☺ **Base/Agents actifs**
Une très bonne recette de cosmétique naturel à base d'hydrolat de lavande, et d'huiles de noisette, de jojoba et d'amande. Les phases aqueuse et huileuse sont liées par des émulsifiants issus du sucre. À ce mélange soignant et riche en agents actifs s'ajoutent d'autres huiles (bois de rosier, tournesol), ainsi que des extraits végétaux comme l'aloès et le romarin.

☺☺☺ **Additifs**
La vitamine E comme antioxydant.

☺☺☺ **Conservation**
Le sorbate de potassium, l'alcool benzylique et l'acide déhydro-acétique.
Remarque : l'ordre de la liste INCI est incorrect (voir page 239).

*77 Melvita : Bio-Excellia Lait Velours pour le corps**

INCI
Aqua (Water), B
☺☺ Dicaprylyl Ether, B
☺☺ Octyldodecanol, B
☺☺☺ Glycerin, B, A.A.
☺☺☺ Caprylic/Capric Triglyceride, B
☺☺ Squalane, A.A.
☺☺☺ Arachidyl Alcohol, B
☺☺ Hydroxypropyl Starch Phosphate, B
☺☺☺ Borago Officinalis Seed Oil*, A.A.
☺☺☺ Corylus Avellana (Hazel) Seed Oil*, A.A.
☺☺☺ Œnothera Biennis (Evening Primrose) Oil*, A.A.
☺☺☺ Behenyl Alcohol, B
☺☺☺ Arachidyl Glucoside, B
☺☺ Sodium Benzoate, C
☺☺☺ Levulinic Acid, A, C
☺☺ Potassium Sorbate, C
☺☺☺ Xanthan Gum, B
☺☺ Linalool, Parfum
☺☺☺ Cera Alba (Beeswax), B
☺☺☺ Cetearyl Alcohol, B
☺☺☺ Helianthus Annuus (Sunflower) Seed Oil, A.A.
☺☺☺ Citric Acid, A
☺☺☺ Hordeum Vulgare Extract*, A.A.
☺☺☺ Rosmarinus Officinalis (Rosemary) Leaf Extract, A.A.
☺☺ Limonene, P
☺☺☺ Aniba Rosaeodora (Rosewood) Wood Oil, P
☺☺ Geraniol, P
Parfum (Fragrance)
☺☺ Benzyl Benzoate, P
*Ingrédients issus de l'agriculture biologique

☺☺ **Base/Agents actifs**
Les principaux composants : l'eau, trois corps gras sur base végétale (huiles estérifiées) et le glycérol. Les véritables huiles végétales (de graines de bourrache, de noisette et d'onagre) sont employées en quantité significativement moindre que les huiles estérifiées (voir page 243). À noter positivement et sans restriction aucune, les agents actifs (glycérol, extraits d'orge et de romarin, huile de tournesol) et le complexe d'émulsifiants dont un issu du sucre. La formulation aurait été encore meilleure si les vraies huiles étaient les principaux composants de la phase huileuse.

☺☺☺ **Additifs**
Uniquement de l'acide citrique et de l'acide lévulinique, ce dernier renforçant probablement aussi la conservation.

☺☺ **Conservation**
Benzoate de sodium et sorbate de potassium.

78 Florame : Lait Velours Corps*

INCI

Aqua, B
☺☺ Decyl Olive Esters, B (and)
☺☺ Squalene, A.A.
☺☺☺ Sesamum Indicum (Sesame) Oil*, A.A.
☺☺☺ Olea Europaea*, B, A.A.
☺☺☺ Glycerin, B, A.A.
☺☺☺ Sucrose Palmitate, B
☺☺☺ Arachidyl Alcohol, B (and)
☺☺☺ Behenyl Alcohol, B (and)
☺☺☺ Arachidyl Alcohol, B
☺☺☺ Hydrogenated Caprylyl Olive Esters, B
☺☺☺ Prunus Dulcis (Sweet Almond) Oil*, A.A.
☺☺☺ Hydrogenated Vegetable Oil, B
☺☺☺ Polyglyceryl-6 Polyricinoleate, B
☺☺ Squalane, A.A.
☺☺☺ Lavandula Angustifolia Aqua/Lavender Floral Water, A.A.
☺☺☺ Limonene, P
☺☺☺ Dehydroacetic Acid, C (and)
☺☺ Benzyl Alcohol, C
☺☺☺ Oleic/Linoleic/Linolenic Polyglycerides, B
☺☺☺ Citrus Nobilis (Mandarin) Oil*, P
☺☺☺ Citrus Grandis (Grapefruit) Oil*, P
☺☺☺ Pelargonium Aspergum (Bourbon Geranium) Oil*, P
☺☺☺ Cananga Odorata (Ylang Ylang) Oil*, P
☺☺☺ Geranium Robertianum (Italian Gernium) Oil, P
☺☺☺ Amyris Balsamifera (Sandalwood) Oil, P
☺☺ Geraniol, P
☺☺☺ Litsea Cubeba (Yunnan Verbana) Oil*, P
☺☺ Citronellol, P
☺☺☺ Elettaria Cardamomum (Cardamom) Oil*, P
☺☺ Citral, P
☺☺ Linalool, P
☺☺ Benzyl Benzoate, P
☺☺☺ Rosa Damascene (Rose) Oil, P
☺☺☺ Rice Wax, B
☺☺☺ Talc, B
☺☺☺ Tocopherol, A (and)
☺☺☺ Glycine Soja, B
☺☺☺ Xanthan Gum, B
☺☺☺ Rosa Moschata (Musk Rose) Oil, A.A.
☺☺☺ Rubus Idaeus (Raspberry) Oil, A.A.
☺☺☺ Sorbic Acid, C
☺☺☺ CI 77491, A
☺☺ Benzyl Salicylate, P
☺☺ Farnesol, P
☺☺ Eugenol, P

* Ingrédients issus de l'agriculture biologique.

☺☺☺/☺☺ **Base/Agents actifs**
La base est constituée d'huiles végétales, d'alcools gras, de squalane, de squalène et d'un émulsifiant polyglycérique naturel. Le petit « hic » est qu'en première position après l'eau se trouve une huile estérifiée. En revanche, des huiles végétales très efficaces comme les huiles de sésame, d'olive et d'amande sont présentes en quantités satisfaisantes. La liste INCI est très longue car toutes les huiles essentielles constituant le parfum sont énumérées une par une, à partir de Citrus Nobilis (Mandarine) Oil.

☺☺☺ **Additifs**
Uniquement un colorant minéral (oxyde de fer).

☺☺ **Conservation**
Acide déhydro-acétique, acide sorbique et alcool benzylique.
Remarque : liste INCI incorrecte (voir page 239).

79 Avène : Akérat Crème corporelle

INCI

Avene Thermal Spring Water (Avene Aqua), B
☹ Mineral Oil (Paraffinum Liquidum), B
Note de soin pour la peau : ☻☻
☹ Propylene Glycol, B
☺☺☺ Urea, A.A.
☻☻ Triethanolamine, A
☺☺ Methyl Glucose Sesquistearate, B
☻☻ PEG-20 Methyl Glucose Sesquistearate, B
☺☺☺ Prunus Amagdyllus Dulcis (Sweet Almond) Oil (Prunus Dulcis), A.A.
☺☺☺ Salicylic Acid, C
☹ Carbomer, B
Note écologique : ☻☻
☺☺☺ Lactic Acid, A
☻☻ Phenoxyethanol, C
☻☻ Ethylene Brassylate, B
☺☺☺ Tocopheryl Acetate, A.A.

☻☻ **Base/Agents actifs**
De l'eau, une huile de paraffine bon marché et un émulsifiant éthoxylé (PEG) : ceci est tout le contraire d'une base de grande qualité. L'huile d'amandes n'est présente qu'en infime quantité. Le seul point positif est l'agent actif Urea (urée), un hydratant assez bien placé en haut de la liste INCI.

☻☻ **Additifs**
L'acide lactique pour réguler le pH, mais malheureusement aussi la triéthanolamine.

☻ **Conservation**
Acide salicylique et phénoxyéthanol.

L'EMBALLAGE : VERS TOUJOURS PLUS DE LUXE

Depuis longtemps, les produits cosmétiques naturels ne sont plus vendus dans les emballages sobres et écologiques d'autrefois. Le design comme les matériaux ont changé. Car finalement, de nos jours, le consommateur n'accorde pas seulement de l'importance à la qualité du contenu, mais aussi à l'aspect extérieur du contenant qu'il va vouloir exposer dans sa salle de bains ou sortir de son sac. Qu'il s'agisse des tubes de crème, des flacons, des rouges à lèvres ou des boîtes de poudre, le look est ce qui donne au produit un je-ne-sais-quoi de plus.

En ce qui concerne les huiles de bains par exemple, les jolies petites bouteilles en verre sont à la fois chics et pratiques. Mais le verre peut se casser, ce qui est un bon argument pour se tourner vers d'autres matériaux. L'aspect écologique a encore son importance mais certains fabricants ne répondent plus aux exigences que la profession s'était fixées à ses débuts en matière de respect de l'environnement. Cependant, le PVC reste un matériau tabou. En revanche, on utilise des plastiques purs pouvant être triés puis recyclés.

80 Nuxe : Lait nourrissant corps Spa tonific

INCI

Aqua, B
☺☺ Octyldodecanol, B
☺☺☺ Hydrogenated Coconut Oil, B
☺☺ Butylene Glycol, B
☺☺☺ C12-C16 Alcohol, B
☺☺☺ Glycerin B, A.A.
☹ Polymethyl Methacrylate, B
Note écologique : **☹☹**
☹ Neopenytyl Glycol Diheptanoate, B
Parfum (Fragrance)
☹☹ Ceteareth-20, B
☺☺☺ Ethylhexyl Palmitate, B
☺☺☺ Sucrose, B
☹ Sodium Acrylate/Acryloyldimethyl Taurate Copolymer, B
Note écologique : **☹☹**
☺☺☺ Hydrogenated Lecithin, B
☺☺☺ Palmitic Acid, B
☺☺☺ Bertholletia Excelsa (Bertholletia Excelsa Nut Oil), A.A.
☺☺☺ Tocopherol, A
☹ Dimethicone, B
Note écologique : **☹☹**
☹ Isohexadecane, B
Note de soin pour la peau : **☹☹**
☹☹ Phenoxyethanol, C
☺☺☺ Serine, A.A.
☺☺☺ Arginine, A.A.
☺☺☺ PCA, A.A.
☹ Ethylparaben, C
☺☺☺ Xanthan Gum, B
☹☹ Polysorbate 80, B
☺☺☺ Alanine, A.A.
☹ Carbomer, B
Note écologique : **☹☹**
☹☹ Tromethamine, A
☹☹ Tetrasodium EDTA, A
☹☹ Chlorphenesin, C
☺☺☺ Luffa Cylindrica (Luffa Cylindrica Seed Oil), A.A.
☺☺☺ Threonine, A.A.
☺☺☺ Hibiscus Esculentus (Hibiscus Esculentus Seed Extract), A.A.
☹ Propylene Glycol Dicaprylate/Dicaprate, B
☺☺☺ Maltodextrin, A
☺☺☺ Bambusa Vulgaris (Bambusa Vulgaris Extract), A.A.
☺☺ Glycogen, B
☺☺☺ Stryphnodendron Adstringens Bark Extract, A.A.
☺☺☺ Mourera Fluviatilis (Mourera Fluviatius Extract), A.A.
☹ Ethylparaben, C
☹ Butylparaben, C
☹ Propylparaben, C
☹ Isobutylparaben, C
☺☺ Citral, P
☹ Hydroxyisohexyl 3-Cyclohexene Carboxaldehyde, P
☺☺ Citronellol, P
☹ Butylphenyl Methylpropional, P
☺☺ Limonene, P
Linalool, P

☹/☹ Base/Agents actifs

La base est une « création artificielle » : deux PEG, des corps gras et des hydratants synthétiques, des acrylates et des silicones. Côté agents actifs, c'est mieux : entre autres le glycérol, la lécithine, l'huile de noix du Brésil, les aminoacides et les extraits de plantes. Mais l'un dans l'autre, la composition de base n'est pas satisfaisante. Surtout pas pour un fabricant voulant donner une image naturelle.

☹☹ Additifs

Si la maltodextrine (excipient des agents actifs) donne satisfaction, ce n'est pas le cas de la trométhamine et de l'EDTA.

☹☹ Conservation

Phénoxyéthanol et différents parabènes, sans compter la chlorphénésine (composé organohalogéné).

81 Cattier : Émulsion Hydratante pour le Corps

INCI

Aqua, B
☺☺☺ Helianthus Annuus Oil*, A.A.
☺☺ Caprylic/Capric Triglyceride, B
☺☺☺ Lauryl Glucoside, B (and)
☺☺☺ Polyglyceryl-2 Dipolyhydroxystearate, B (and)
☺☺☺ Glycerin, B, A.A.
☺☺☺ Glycerin, B, A.A.
☺☺☺ Citrus Aurantium Amara Flower*, P
☺☺☺ Buxus Chinensis (nouvelle appellation : Simmondsia Chinensis), A.A.
Parfum
☺☺☺ Stearic Acid, B
☺☺☺ Cocos Nucifera, B
☺☺ Sodium Benzoate, C
☺☺☺ Xanthan Gum, B
* Ingrédients issus de l'agriculture biologique.

☺☺☺ **Base/Agents actifs**
Une base sans chichis, faite d'eau, d'huile de tournesol et d'une huile estérifiée (voir page 243). Le mélange doux d'émulsifiants est constitué d'un tensioactif issu du sucre et d'un émulsifiant polyglycérique. Autre agent actif s'ajoutant à l'huile de tournesol et au glycérol : l'huile de jojoba. L'huile estérifiée dépareille un peu. Cependant, la liste INCI ne permet pas d'en déterminer les proportions et il est possible que la quantité d'huile de tournesol soit beaucoup plus importante que celle de l'huile estérifiée, mais comment le savoir ?
Remarque : l'ordre de la liste INCI est incorrect (voir page 239).

Additifs
Aucun.

☺☺ **Conservation**
Uniquement du benzoate de sodium.

82 Weleda : Lait Dynamisant à l'argousier*

INCI

Water (Aqua), B
☺☺☺ Sesamum Indicum (Sesame) Seed Oil, A.A.
☺☺☺ Alcohol, A
☺☺☺ Hippophae Rhamnoides Oil, A.A.
☺☺☺ Glyceryl Stearate SE, B
Fragrance (Parfum)*
☺☺ Limonene*, P
☺☺ Linalool*, P
☺☺ Benzyl Benzoate*, P
☺☺ Benzyl Salicylate*, P
☺☺ Geraniol*, P
☺☺ Citral*, P
☺☺ Farnesol* P,
☺☺☺ Xanthan Gum, B
☺☺☺ Tapioca Starch, B
* Issu d'huiles essentielles naturelles.

☺☺☺ **Base/Agents actifs**
Ce produit porte bien son nom : le composant central de la phase huileuse de l'émulsion est l'huile d'argousier à laquelle s'ajoutent l'huile de sésame, et de la stéarate glycérique comme émulsifiant. A part cela, on ne trouve que de l'amidon de tapioca, de l'huile essentielle et de l'alcool.

☺☺☺ **Additifs**
Uniquement de l'alcool.

☺☺☺ **Conservation**
Grâce à l'alcool placé en deuxième position de la liste INCI, il n'y a pas besoin de conservateur supplémentaire.

83 The Body Shop : Body Butter Noix du Brésil

INCI

Aqua, B
☺☺☺ Bertholletia Excelsa (Brazil) Nut Oil, A.A.
☹ Cyclomethicone, B
Note écologique : ☻☻
☺☺☺ Butyrospermum Parkii (Shea Butter), A.A.
☺☺☺ Theobroma Cacao (Cocoa) Butter, B, A.A.
☺☺☺ Glycerin, B, A.A.
☺☺☺ Glyceryl Stearate, B
☻☻ PEG-100 Stearate, B
☺☺☺ Cetearyl Alcohol, B
☺☺☺ Lanolin Alcohol, B
☻☻ Phenoxyethanol, C
☻ Methylparaben, C.
☻ Propylparaben, C
☺☺☺ Xanthan Gum, B
☺☺ Benzyl Alcohol, C
Fragrance (Parfum)
☻☻ Disodium EDTA, A
☺☺☺ Caramel, A

☺☺/☹ **Base/Agents actifs**
Immédiatement après l'eau se trouve une huile végétale (huile de noix du Brésil) : l'entrée en matière est bonne. Mais tout de suite après arrive la chimie de synthèse : une silicone polluante. On trouve aussi un acide stéarique éthoxylé à côté des émulsifiants végétaux. En revanche, le produit contient aussi une bonne quantité de beurres de karité et de cacao.

☻ **Additifs**
Le caramel en tant que colorant, mais aussi l'EDTA.

☻ **Conservation**
Phénoxyéthanol et parabènes.

84 Nivea : Nivea Body

INCI

Aqua, B
☺☺☺ Glycerin, B, A.A.
☺☺ Caprylic/Capric Triglyceride, B
☺☺☺ Myristyl Myristate, B
☺☺☺/☺☺ Alcohol Denat., A
☺☺☺ Glyceryl Stearate Citrate, B
☹ Dimethicone, B

Note écologique : **☹☹**
☺☺ Octyldodecanol, B
☺☺☺ Cetearyl Alcohol, B
☺☺☺ Sorbitan Stearate, B
☺☺☺ Tocopheryl Acetate, A.A.
☺☺ Taurine, A.A.
☺☺☺ Maris Sal, A, A.A.
☺☺☺ Xanthan Gum, B
☹ Sodium Carbomer, B
☹☹ Phenoxyethanol, C
☹ Methylparaben, C
☹ Ethylparaben, C
☹ Propylparaben, C
☹ Butylparaben, C
☹ Isobutylparaben, C
Parfum
☺☺ Linalool, P
☺☺ Citronellol, P
☺☺ Limonene, P
☺☺ Alpha-Isomethyl Ionone, P
☹ Hydroxyisohexyl 3-Cyclohexene Carboxaldehyde, P
☺☺ Benzyl Salicylate, P
☺☺ Coumarin, P
☺☺ Citral, P

☺☺/☹ **Base/Agents actifs**
Des points positifs en ce qui concerne les émulsifiants (à base de sucre et d'acide citrique-glycérique), mais la base huileuse est principalement constituée d'huiles estérifiées et d'une huile de silicone (Dimethicone). Les véritables huiles végétales sont totalement absentes. À noter un élément positif : le taux élevé de glycérol. La moitié des ingrédients (14 des 28, à partir de Phenoxyethanol) sont destinés à la conservation ou à parfumer le produit.

☺☺☺ **Additifs**
Sel de mer et alcool.

☹ Conservation
Parabènes et phénoxyéthanol.

85 Dr. Hauschka : Huile Corporelle Moor-Lavande*

INCI
☺☺☺ Olea Europaea, A.A.
Aqua, B
☺☺☺ Butyrospermum Parkii, A.A.
☺☺☺ Lavandula Augustifolia, A.A.
☺☺☺ Sphagnum Ssp. (Moor Extract), A.A.
☺☺☺ Sucrose Distearate, B
☺☺☺ Buxus Chinensis (Simmondsia Chinensis), A.A.
Parfum
☺☺ Linalol*, P
☺☺ Citronellol*, P
☺☺ Limonene*, P
☺☺ Coumarin*, P
☺☺ Citral*, P
☺☺ Farnesol*, P
☺☺ Eugenol*, P
☺☺☺ Aesculus Hippocastanum, A.A.
☺☺☺ Equisetum Arvense, A.A.
☺☺☺ Alcohol, A
* Composants d'huiles essentielles naturelles.

☺☺☺ **Base/Agents actifs**
Les composants de base de cette bonne huile corporelle sont des huiles végétales riches en substances actives, comme celles de jojoba et d'olive. S'y ajoutent le beurre de karité, l'extrait de boue de tourbe et d'autres extraits comme la prêle. L'émulsifiant est issu du sucre.

☺☺☺ **Additifs**
Uniquement de l'alcool.

Conservation
Pas nécessaire pour les huiles.

86 Yves Rocher : Aloe Vera Lait hydratant corps

INCI
Aqua, B
☺☺☺ Urea, A.A.
☹ Cyclopentasiloxane, B
Note écologique : **☹☹**
☺☺☺ Talc, B
☹ Isododecane, B
Note de soin pour la peau : **☹☹**
☹ Cyclohexasiloxane, B
Note écologique : **☹☹**
☺☺ Butylene Glycol, B
☹ Propylene Glycol, B
☺☺☺ Glycerin, B, A.A.
☺☺☺ Vitis Vinifera, B
☹☹ PEG-100 Stearate, B
☺☺☺ Glyceryl Stearate SE, B
☺☺ Isononyl Isononanoate, B
☺☺☺ Cetyl Alcohol, B
Parfum
☺☺☺ Stearyl Alcohol, B
☹ Methylparaben, C
☹ Acrylates/C10-30 Alkyl Acrylate Crosspolymer, B
Note écologique : **☹☹**
☺☺☺ Tocopheryl Acetate, A.A.
☺☺☺ Aloe Barbadensis, A.A.
☺☺☺ Allantoin, A.A.
☹ Ethylparaben, C
☺☺☺ Scutellaria Baicalensis, A.A.
☺☺☺ Salicylic Acid, C
☹ Propylparaben, C
☹ Butylparaben, C
☹☹ Tetrasodium EDTA, A
☺☺ Sodium Hydroxide, A

☹ **Base/Agents actifs**
En première position après l'eau : l'urée (Urea), ça commence bien. C'est inhabituel, mais l'urée est un excellent agent actif de soin pour la peau, très hydratant. Malheureusement, les ingrédients qui suivent ne sont pas compatibles avec l'image de produits écologiques que veut se donner la marque : des silicones polluantes, un acrylate, un composant éthoxylé (PEG) et un hydra-

tant à base d'huile minérale. Dès la 4e place après l'eau, on trouve une huile minérale. Les éléments positifs : l'huile de pépins de raisin, et les agents actifs : vitamine E acétate, l'extrait d'aloès, l'allantoïne et l'extrait d'une plante chinoise (Scutellaria Baicalensis).

☹ **Additifs**
La soude pour réguler le pH, mais aussi l'EDTA.

☹ **Conservation**
Parabènes et acide salicylique.

LES ANTIOXYDANTS : ILS PROTÈGENT LE PRODUIT ET LA PEAU

Les antioxydants comme le tocophérol (vitamine E), le palmitate d'ascorbyle (vitamine C) et l'extrait de romarin empêchent une substance de s'oxyder et de rancir. Ces propriétés sont exploitées dans les produits cosmétiques. Dans ce cas, les antioxydants sont à considérer comme des additifs. Certains comme le tocophéryl acétate sont employés également comme agents actifs car ils neutralisent les radicaux libres. Ces derniers endommagent les cellules de la peau et accélèrent son vieillissement. Dans les cosmétiques conventionnels, deux antioxydants apparaissent souvent : les BHT et BHA, préoccupants sur le plan toxicologique.

*87 Lavera : Body Spa, Lait corps, pêche-abricot**

INCI
Water (Aqua), B
☺☺☺ Glycine Soja (Soybean) Oil*, B
☺☺☺ Alcohol, A
☺☺ Caprylic/Capric Triglyceride, B
☺☺☺ Glycerin, B, A.A.
☺☺☺ Hydrogenated Palm Glycerides, B
☺☺☺ Prunus Amygdalus Dulcis (Sweet Almond) Oil*, A.A.
☺☺☺ Butyrospermum Parkii, A.A.
☺☺☺ Glyceryl Stearate, B
☺☺☺ Hydrogenated Lecithin, B
☺☺☺ Prunus Persica (Peach) Kernel Oil, A.A.
☺☺☺ Prunus Armeniaca (Apricot) Kernel Oil*, A.A.
☺☺☺ Xanthan Gum, B
☺☺☺ Tocopheryl Acetate, A.A.
☺☺☺ Prunus Persica (Peach) Fruit Extract*, A.A.
☺☺☺ Prunus Armeniaca (Apricot) Fruit Extract*, A.A.
☺☺☺ Lysolecithin, B
☺☺☺ Brassica Campestris (Rapeseed) Sterols, B
☺☺☺ Tocopherol, A
☺☺☺ Lecithin, B, A.A.
☺☺☺ Ascorbyl Palmitate, A, A.A.
☺☺☺ Ascorbic Acid, A, A.A.
Fragrance (Parfum)**
☺☺ Limonene**, P
☺☺ Linalool** P

* Ingrédients issus de l'agriculture biologique.
** Huiles essentielles naturelles

☺☺☺ **Base/Agents actifs**
La base de ce produit est constituée d'eau, d'huile de soja, d'alcool, d'une huile estérifiée et de glycérol. Le liant est un mélange d'émulsifiants composé de stéarate glycérique et de lécithines. L'huile estérifiée (voir page 243) représente une « faute de goût ». L'huile d'amande, le beurre de karité et (en quantité plus faible) les huiles de noyaux de pêche et d'abricot viennent compléter cette composition de base.

☺☺☺ **Additifs**
Un mélange d'antioxydants comprenant les vitamines E et C et la vitamine C palmitate.

☺☺☺ **Conservation**
L'alcool étant très haut placé dans la liste INCI, la conservation est assurée.

*88 L'Occitane: Lait Corps à l'huile essentielle de Lavande**

INCI
Aqua/Water, B
☺☺ Caprylic/Capric Trigylceride, B
☺☺☺ Lippia Citriodora Flower Extract*, A.A.
☺☺☺ Glycerin, B, A.A.
☺☺☺ Citrus Aurantium Amara (Bitter Orange) Flower Extract, A.A.
☺☺☺ Cetearyl Alcohol, B
☺☺☺ Macadamia Ternifolia Seed Oil*, A.A.
☺☺☺ Lavandula Angustifolia (Lavender) Oil, P
☺☺☺ Rosmarinus Officinalis (Rosemary) Leaf Extract, A.A.
☺☺☺ Helianthus Annuus (Sunflower) Seed Oil, A.A.
☺☺☺ Hydrogenated Vegetable Oil, B
☺☺☺ Tocopherol, A
☺☺☺ Xanthan Gum, B
Parfum (Fragrance (huiles essentielles),
☺☺☺ Cetearyl Glucoside, B
☺☺ Potassium Sorbate, C
☺☺☺ Dehydroacetic Acid, C
☺☺☺ Benzyl Alcohol, C
☺☺ Linalool, P
☺☺ Limonene, P

* Ingrédients issus de l'agriculture biologique

☺☺☺/☺☺ **Base / agents actifs**
A la première place, une huile estérifiée suivie d'extraits de plantes et de glycérine. L'émulsifiant est issu du sucre. De bons agents actifs comme l'huile de macadamia, l'huile de tournesol et l'huile essentielle de lavande. Le produit n'obtient pas la note « très bien » pour la seule raison que la principale huile est une huile estérifiée (voir page 243).

☺☺☺ **Additifs**
Uniquement la vitamine E comme antioxydant.

☺☺ **Conservation**
Sorbate de potassium, acide déhydro-acétique et alcool benzylique.

Soins du corps : produits spécifiques

*89 Sanoflore : Crème Soin Minceur**

INCI

☺☺☺ Mentha Piperita Destillate*, B, A.A.
☺☺ Caprylic Capric Triglyceride, B
☺☺☺ Cetearyl Alcohol, B (and)
☺☺☺ Cetearyl Glucoside, B
☺☺☺ Corylus Avellana Nut Oil*, A.A.
☺☺☺ Prunus Amygdalus Dulcis Oil*, A.A.
☺☺☺ Sucrose Cocoate, B
☺☺☺ Glycerin, B, A.A.
☺☺☺ Myristyl Alcohol, B (and)
☺☺☺ Myristyl Glucoside, B
☺☺☺ Coffea Arabica Extract, A.A.
☺☺☺ Camelia Sinensis Leaf Extract, A.A.
☺☺☺ Gaultheria Procumbens Leaf Extract, A.A.
☺☺☺ Aesculus Hippocastanum Seed Extract, A.A.
☺☺☺ Serine, A.A.
☺☺☺ Proline , A.A.
☺☺☺ Centella Asiatica Extract, A.A.
☺☺☺ Citrus Nobilis Oil*, P
☺☺☺ Citrus Grandis Oil*, P
☺☺☺ Mentha Arvensis Oil*, P
☺☺☺ Cedrus Atlantica Oil*, P
☺☺☺ Satureia Montana Oil (sarriette des montagnes), A.A., P
☺☺☺ Arginine, A.A.
☺☺☺ Helianthus Annuus Seed Oil (and)
☺☺☺ Rosmarinus Officinalis Extract, A.A.
☺☺☺ Tocopherol, A
☺☺☺ Stearyl Alcohol,
☺☺☺ Chondrus Crispus, B
☺☺☺ Xanthan Gum, B
☺☺ Potassium Sorbate, C
☺☺ Benzyl Alcohol, C
☺☺☺ Dehydroacetic Acid, C

* Ingrédients issus de l'agriculture biologique.

☺☺☺/☺☺ **Base/Agents actifs**
À la place de l'eau, la base contient un hydrolat de menthe poivrée auquel s'ajoutent une huile estérifiée (voir page 243), de véritables huiles végétales (noisette et amande) et des alcools gras. Cette base soignante a été enrichie d'agents actifs raffermissant la peau et stimulant la circulation du sang. Ces agents actifs sont des extraits de café, de thé vert, de marronnier, de gaulthérie couchée (wintergreen) et de romarin, ainsi que des extraits de centella (herbe du tigre originaire d'Asie).

☺☺☺ **Additifs**
Uniquement le tocophérol (vitamine E) en tant qu'antioxydant.

☺☺ **Conservation**
Alcool benzylique, acide déhydro-acétique et sorbate de potassium.

*90 Logona : Age Protection, Huile de massage anti-cellulite**

☺☺☺ Glycine Soja (Soybean) Oil*, B
☺☺☺ Olea Europaea (Olive) Fruit Oil*, B, A.A.
☺☺☺ Simmondsia Chinensis (Jojoba) Seed Oil*, A.A.
☺☺☺ Salvia Triloba Leaf Extract*, A.A.
☺☺☺ Argania Spinosa Kernel Oil*, A.A.
☺☺☺ Actinidia Chinensis Seed Extract, A.A.
☺☺☺ Helianthus Annuus (Sunflower) Seed Oil, A.A.
☺☺☺ Rosmarinus Officinalis (Rosemary) Leaf Extract*, A.A.
☺☺☺ Arnica Montana Flower Extract, A.A.
Parfum (Essential Oils)
☺☺ Limonene, P
☺☺ Linalool, P
☺☺ Citral, P
☺☺ Geraniol, P

* Ingrédients issus de l'agriculture biologique.

☺☺☺ **Base/Agents actifs**
Ce produit est basé sur de très bonnes huiles végétales (soja, olive, argan). De plus, il contient une quantité significative d'huile de graines de kiwi de grande valeur. Ce mélange soignant et affinant pour la peau est enrichi d'agents actifs comme les extraits de sauge, de romarin et d'arnica. Ils ont pour but d'améliorer l'aspect d'une peau endommagée par la cellulite.

Additifs
Aucun.

Conservation
Non nécessaire pour les formulations sans eau.

*91 Phyt's : Minceur Nuit**

INCI

Aqua (Water), B
☺☺☺ Helianthus Annus* (Sunflower Seed Oil), A.A.
☺☺☺ Cetearyl Alcohol, B
☺☺☺ Cetearyl Glucoside, B

☺☺☺ Cinnamonum Zeylanicum*(Cinnamon Bark Oil), A.A., P
☺☺☺ Cupressus Sempervirens* (Cypress Oil), A.A., P
☺☺☺ Cedrus Atlantica* (Cedarwood Bark Oil), P
☺☺☺ Myrtus Communis* (Myrtle Oil), A.A., P
☺☺☺ Lavandula hybrida* (Lavendin Oil), A.A., P
☺☺☺ Capsicum Frutescans, A.A., P
et des ingrédients naturellement présents dans les huiles essentielles :
☺☺ Limonene, P
☺☺ Linalool, P
☺☺ Geraniol, P
☺☺ Eugenol, P
☺☺ Coumarine, P
☺☺ Cinnamal, P
☺☺ Benzyl Benzoate, P
* Ingrédients issus de l'agriculture biologique.

☺☺☺ **Base/Agents actifs**
La base de cette émulsion est constituée d'eau, d'huile de tournesol et d'un tensioactif de sucre. Pour le reste, ce sont uniquement des huiles essentielles, qui par définition sont toutes des agents actifs. Elles forment un mélange spécial (cannelle, cyprès, cèdre, myrte, lavande et piment de Cayenne) ayant la propriété de raffermir la peau et d'améliorer la circulation du sang.

Additifs
Aucun.

☺☺☺ **Conservation**
Pas de conservation visible.

*92 Weleda : Huile de Massage Minceur**

☺☺☺ Prunus Armeniaca (Apricot) Kernel Oil, A.A.
☺☺☺ Simmondsia Chinensis (Jojoba) Seed Oil, A.A.
☺☺☺ Triticum Vulgare (Wheat) Germ Oil, A.A.
Fragrance (Parfum)*
☺☺☺ Betula Alba Leaf Extract, A.A.
☺☺☺ Ruscus Aculeatus Root Extract, A.A.
☺☺☺ Rosmarinus Officinalis (Rosemary) Leaf Extract, A.A.
☺☺ Limonene*, P
☺☺ Linalool*, P
☺☺ Geraniol*, P
☺☺ Citral*, P
* Provenant d'huiles essentielles naturelles.

☺☺☺ **Base/Agents actifs**
La base est formée de précieuses huiles végétales comme les huiles de noyau d'abricot, de jojoba et de germe de blé. Ce produit vient en complément du traitement des problèmes de cellulite. Il contient des huiles essentielles et des agents actifs stimulant la circulation et raffermissants (extraits de bouleau, de romarin et de racine du fragon piquant).

Additifs
Aucun.

Conservation
Un conservateur n'est pas nécessaire pour les formulations sans eau.

*93 Melvita : Gel Crème pour le Buste**

INCI
Aqua (Water), B
☺☺☺ Glycerin, B, A.A.
☺☺ Hydroxypropyl Starch Phosphate, B, A.A.
☺☺☺ Alcohol, A
☺☺☺ Xanthan Gum, B
☺☺ Dicaprylyl Ether, B
☺☺☺ Helianthus Annuus (Sunflower) Seed Oil*. A.A.
☺☺☺ Maris Aqua (Sea Water), B
☺☺☺ Simmondsia Chinensis (Jojoba) Seed Oil*, A.A.
☺☺ Potassium Sorbate, C
☺☺ Limonene, P
☺☺ Sodium Benzoate, P, C
☺☺☺ Hydrolyzed Wheat Protein, A.A.
☺☺☺ Sodium Salicylate, C
☺☺☺ Citrus Aurantium Dulcis (Orange) Peel Extract*, P
☺☺☺ Bellis Perennis (Daisy) Flower Extract*, P
☺☺☺ Tocopherol, A,
☺☺☺ Helianthus Annuus (Sunflower) Seed Oil, A.A.
☺☺☺ Citric Acid, A
☺☺☺ Rosmarinus Officinalis (Rosemary) Leaf Extract, A.A.
☺☺☺ Kigelia Africana Fruit Extract, A.A.
☺☺☺ Hordeum Vulgare Extract*, A.A.
☺☺☺ Citrus Aurantium Dulcis (Orange) Oil*, P
☺☺ Citronellol, P
☺☺☺ Pelargonium Graveolens Flower Oil*, P
☺☺ Geraniol, P
☺☺ Linalool, P
*Ingrédients issus de l'agriculture biologique.

☺☺☺/☺☺ **Base/Agents actifs**
Un gel sur une base de glycérol, d'alcool et d'eau avec de la gomme xanthane comme gélifiant et un amidon modifié chimiquement. Celui-ci (Hydroxypropyl Starch Phosphate) peut aussi avoir un effet raffermissant. Appliqué sous forme de poudre, il contracte un peu la peau. Autres agents actifs du produit : les extraits végétaux (de romarin, de pâquerette et d'orge, par exemple).

☺☺☺ **Additifs**
Le tocophérol comme antioxydant et l'acide citrique pour réguler le pH.

☺☺ **Conservation**
Les sels des acides sorbique et salicylique, et probablement aussi le sel d'acide benzoïque.

*94 Florame : Huile de massage finesse des jambes**

INCI
☺☺☺ Olea Europaea (Olive) Oil, B, A.A.
☺☺☺ Caulophyllum Inophyllum Oil, A.A.
☺☺☺ Prunus Armeniaca (Apricot) Kernel Oil, A.A.

☺☺☺ Œnothera Biennis (Evening Primerose) Oil, A.A.
☺☺☺ Borago Officinalis (Borage) Oil, A.A.
☺☺☺ Pinus Sylvestris (Scots Pine) Oil, P
☺☺☺ Cedrus Atlantica (Cedarwood) Oil, P
☺☺☺ Mentha Piperita (Peppermint) Oil, P
☺☺☺ Cymbopogon Nardus (Citronella) Oil, P
☺☺ Citral, P
☺☺☺ Salvia Sclarea (Clary Sage) Oil, P
☺☺ Citronellol, P
☺☺ Geraniol, P
☺☺ p-mentha-1,8-diene (Limonene), P
☺☺ Linalool, P
☺☺ Eugenol, P

☺☺☺ **Base/Agents actifs**
Une huile de massage formulée de façon claire et contenant des ingrédients de qualité : des huiles (d'olive, de graines de l'arbre de Tamanu, de noyau d'abricot, d'onagre et de graines de bourrache) et diverses huiles essentielles.

Additifs
Aucun.

Conservation
Les conservateurs ne sont pas nécessaires dans les formulations sans eau.

95 Nature & Découvertes : Gel Décongestionnant à l'Aloe vera Pour apaiser les jambes fatiguées*

INCI
☺☺☺ Melisse Officinalis Destillata*, B, A.A.
☺☺☺ Alcohol*, A
☺☺☺ Glycerin, B, A.A.
☺☺☺ Citrus Medica Limonum Oil*, P
☺☺☺ Aniba Rosaeodora Oil*, P
☺☺☺ Pelargonium Graveolens Oil, P, A.A.
☺☺☺ Mentha Piperita Oil*, P
☺☺☺ Cupressus Sempervirens Oil*, P
☺☺☺ Aloe Barbadensis Gel*, A.A.
☺☺☺ Xanthan Gum, B
☺☺☺ Chondrus Crispus, B
☺☺☺ Benzyl Alcohol/Dehydracetic Acid, C
☺☺☺ Arginine, A.A.
☺☺ Benzyl Benzoate, P
☺☺ Citral, P
☺☺ Citronellol, P
☺☺ Geraniol, P
☺☺ Limonene, P
☺☺ Linalool, P
* Ingrédients issu de l'agriculture biologique

☺☺☺ **Base / agents actifs**
La base de ce produit est un gel cosmétique naturel composé de distillat de mélisse et de gélifiants gomme: le xanthane, le gel d'aloès et le carragène. Les agents actifs sont diverses huiles essentielles comme les huiles de menthe, citron, cyprès et bois de rose.

☺☺☺ **Additifs**
Aucun.

☺☺ **Conservation**
Alcool benzylique et acide déhydro-acétique renforcés par l'alcool.

Soins bébé

*96 Euphia: Baume bébé**

INCI
Aqua, B
☺☺ Caprylic/Capric Tryglyceride, B
☺☺☺ Butyrospermum Parkii Extract *, B
☺☺ Sodium Hydroxide, A
☺☺☺ Glycerin, B, A.A.
☺☺☺ Cinnamomum Camphora L *, A.A.
☺☺☺ Sucrose Palmitate, B (and)
☺☺☺ Glyceryl Stearate, B (and)
☺☺☺ Glyceryl Stearate Citrate, B (and)
☺☺☺ Sucrose, B (and)
☺☺☺ Mannan, B, A.A. (and)
☺☺☺ Xanthan Gum, B
☺☺ Capryloyl Glycine, B
☺☺☺ Cetyl Alcohol, B
☺☺ Potassium Sorbate, C
☺☺☺ Tocopherol Acetate, A.A.
☺☺☺ Melaleuca Viridiflora Solander ex Gaërtner *, P
☺☺☺ Cinnamomum Camphora CT Cinéole *, P
☺☺☺ Cinnamosma Fragrans, P
☺☺☺ Eucalyptus Smithii Baker *, P
☺☺☺ Pinus Sylvestris, P
☺☺☺ Abies Balsamea (L) Miller * , P
☺☺☺ Myrtus Communis Cinéole *, P
☺☺ Eugenol, P
☺☺ Linalool, P
☺☺ Geraniol, P
☺☺ Citronnellol, P
* Ingrédients issus de l'agriculture biologique

☺☺☺/☺☺ **Base/Agents actifs**
Pour cette base de cosmétique naturel, on lie l'eau avec l'huile à l'aide de doux émulsifiants alimentaires et de sucre. Un petit défaut : l'huile principale est une huile estérifiée (voir page 243). En troisième position de la liste INCI, le beurre de karité. Des huiles essentielles très spécifiques comme le Ravintsara (Cinnamon Camphora L.) sont utilisées comme agents actifs. Cette huile fait partie des huiles particulièrement efficaces en cas de

faiblesse du système de défense physiologique et mental. Le produit contient aussi des huiles essentielles d'eucalyptus, d'arbre de niaouli (Melaleuca Viridiflora), de pin sylvestre et de sapin baumier.
Euphia (www.euphia.com) s'est spécialisée dans les produits cosmétiques naturels pour bébés (distribués en pharmacie). Ils sont certifiés selon Ecocert/Charte Cosmébio et le cahier des charges du BDIH. Pour la composition des produits, les connaissances en aromathérapie jouent un rôle important. Dans les produits pour bébés, ces huiles essentielles sont employées en très petites quantités. Du fait de leur très grande efficacité, elles développent malgré tout leur action protectrice et soignante.

☺☺☺ **Additifs**
Uniquement de l'hydroxyde de sodium pour réguler le pH.

☺☺ **Conservation**
Exclusivement le sorbate de potassium.

Remarque: sur le plan formel, la déclaration INCI ne correspond pas à la réglementation (voir page 239).

97 Tautropfen : Baume pour bébé*

INCI
☺☺☺ Helianthus Annuus (Sunflower) Seed Oil, A.A.
☺☺☺ Cera Alba (Beeswax), B
☺☺☺ Calendula Officinalis Flower Extract, A.A.
☺☺☺ Chamomilla Recutita (Matricaria) Flower Extract, A.A.
Aroma

☺☺☺ **Base/Agents actifs**
Ce baume bébé est un mélange pur et naturel d'huiles de tournesol et de cire d'abeilles. Y ont été inclus des extraits de calendula et de camomille. Cette formulation, bien que minimaliste, est efficace et soigne bien.

Additifs
Aucun.

Conservation
Inutile pour les produits sans eau.

98 L'Occitane : Baume Maman Bébé

☺☺☺ Cocos Nuciferia (Coconut) Oil, B
☺☺☺ Butyrospermum Parkii (Shea Butter), A.A.
☺☺☺ Vitis Vinifera (Grape) Seed Oil, A.A.
☺☺☺ Hydrogenated Vegetable Oil, B
☺☺☺ Avena Sativa (Oat) Kernel Flower, A.A.
☺☺☺ Helianthus Annuus (Sundflower) Seed Oil, A.A.
☺☺☺ Butyrospermum Parkii (Shea Butter) Extract, A.A.
☺☺☺ Tocopherol, A
☺☺☺ Rosmarinus Officinalis (Rosemary) Leaf Extract, A.A.
☺☺☺ Calendula Officinalis Flower Extract, A.A.

☺☺☺ **Base/Agents actifs**
Une formulation composée uniquement de cires et d'huiles. Les composants végétaux utilisés ont un bon pouvoir soignant sur la peau : huiles de coco et de pépins de raisin, beurre de karité.

☺☺☺ **Additifs**
Seulement le tocophérol comme antioxydant.

Conservation
Un mode de conservation n'est pas nécessaire pour les formulations sans eau.

99 Weleda : Crème Bébé au calendula*

INCI
Water (Aqua), B
☺☺☺ Arachis Hypogaea (Peanut) Oil, A.A.
☺☺☺ Zinc Oxide, A.A.
☺☺☺ Beeswax (Cera Flava), B
☺☺☺ Lanolin, B
☺☺☺ Glyceryl Linoleate, B
☺☺☺ Hectorite, B
☺☺☺ Calendula Officinalis Flower Extract, A.A.
☺☺☺ Chamomilla Recutita (Matricaria) Flower Extract, A.A.
Fragrance (Parfum)*
☺☺ Limonene*, P
☺☺ Linalool*, P
☺☺ Benzyl Benzoate*, P
☺☺ Benzyl Salicylate*, P
☺☺ Geraniol*, P
* Issus d'huiles essentielles naturelles.

☺☺☺ **Base/Agents actifs**
Une crème de soins qui protège la peau grâce à une base élaborée avec de l'eau, de l'huile d'arachide et de l'oxyde de zinc. L'émulsifiant : la lanoline combinée à la cire d'abeille et au Glyceryl Linoleate. Il s'agit donc d'une « cold cream » dont l'utilisation est devenue assez rare. Les agents actifs végétaux sont l'extrait de calendula, l'extrait de camomille et des huiles essentielles.

Additifs
Aucun.

☺☺☺ **Conservation**
Pas de conservation identifiable.

100 Mixa bébé : Lait de toilette très doux

INCI
Aqua/Water, B
☹ Paraffinum Liquidum/Mineral Oil, B
Note de soin pour la peau : ☹☹
☺☺☺ Glycerin, B, A.A.
☹☹ PEG-100 Stearate, B
☺☺☺ Glyceryl Stearate, B
☺☺☺ Prunus Dulcis/Sweet Almond Oil, A.A.

☹ Sodium Carbomer, B
Note écologique : ☹☹
☹ Dimethicone, B
Note écologique : ☹☹
☹☹ Disodium EDTA, A
☺☺☺ Glycine Soja/Soybean Oil, B
☹☹ Imidazolidinyl Urea, C
☹ Methylparaben, C
☹ Propylparaben, C
☺☺☺ Stearyl Alcohol, B
☺☺☺ Tocopherol, A
☺☺☺ Xanthan Gum, B
Parfum/Fragrance

☹☹ Base/Agents actifs
Les composants de base : l'eau et une huile minérale (huile de paraffine), liés par un émulsifiant éthoxylé (PEG). Les autres composants sont : des silicones, du glycérol et un peu d'huile d'amandes. Cette recette n'est certainement pas la meilleure à conseiller pour les soins des bébés.

☹ Additifs
La vitamine E, mais aussi l'EDTA.

☹☹ Conservation
Des parabènes et Imidazolidinyl Urea, un conservateur qui peut libérer du formaldéhyde.

*101 Natessance Bébé Bio : Lait de massage corps**

INCI
Aqua (Water), B
☺☺ Caprylic/Capric Triglycerides, B
☺☺☺ Melissa Officinalis Distillate*, B, A.A.
☺☺☺ Sesamum Indicum (Sesame) Seed Oil*, A.A.
☺☺☺ Glyceryl Stearate Citrate, B
☺☺☺ Behenyl Alcohol, B
☺☺☺ Prunus Amygdalus Dulcis (Sweet Almond) Oil*, A.A.
☺☺ Squalane, A.A.
☺☺☺ Glycerin, B, A.A.
☺☺ Benzyl Alcohol, C
☺☺ Sodium Benzoate, P
☺☺☺ Citrus Aurantium Amara Flower Distillate*, P
☺☺ Potassium Sorbate, C
Parfum (Fragrance)
☺☺☺ Xanthan Gum, B
☺☺☺ Mel (honey)*, A.A.
☺☺☺ Tocopherol, A
☺☺ Benzyl Salicylate, P
☺☺ Citronellol, P
☺☺ Geraniol, P
☺☺ Linalool, P
* Ingrédients issus de l'agriculture biologique.

☺☺ Base/Agents actifs
La base de l'émulsion est constituée d'eau, d'une huile estérifiée, d'un distillat de mélisse et d'un émulsifiant alimentaire. En ce qui concerne les agents actifs, ce produit contient de vraies huiles végétales (sésame et amande). Cette formule aurait été bien meilleure avec une vraie huile à la première place au lieu d'une huile estérifiée (voir page 243).

☺☺☺ Additifs
Uniquement la vitamine E comme antioxydant.

☺☺ Conservation
Alcool benzylique et sorbate de potassium.

*102 Logona Bébé : Huile nettoyante au calendula**

INCI
☺☺☺ Glycine Soja (Soybean) Oil*, B
☺☺☺ Prunus Amygdalus Dulcis (Sweet Almond) Oil*, A.A.
☺☺☺ Olea Europaea (Olive) Fruit Oil*, B, A.A.
☺☺☺ Chamomilla Recutita (Matricaria) Extract*, A.A.
☺☺☺ Simmondsia Chinensis (Jojoba) Seed Oil*, A.A.
☺☺☺ Calendula Officinalis Flower Extract*, A.A.
Parfum (Essential Oils)
☺☺ Tocopherol, A
☺☺ Limonene, P
☺☺ Linalool, P
☺☺ Citronellol, P
* Ingrédients issus de l'agriculture biologique.

☺☺☺ Base/Agents actifs
La base est constituée d'huiles végétales riches en agents actifs bénéfiques pour la peau (huile de soja, d'amande et d'olive) auxquels s'ajoutent des extraits de camomille et de calendula solubles dans l'huile.

☺☺☺ Additifs
Uniquement la vitamine E comme antioxydant.

Conservation
Les conservateurs ne sont pas nécessaires dans les formulations sans eau.

Maquillage et colorants pour cheveux

Fonds de teint

*103 Couleur Caramel : Fond de Teint**

INCI

Aqua (Water), B
☺☺☺ Glycerin, B, A.A.
☺☺ Caprylic/Capric Triglycerides, B
☺☺ Decyl Olivate, B
☺☺ Squalene, A.A.
☺☺☺ Glyceryl Stearate Citrate, B
☺☺☺ Simmondsia Chinensis (Jojoba) Seed Oil*, A.A.
☺☺☺ Glyceryl Oleate Citrate, B
☺☺☺ Prunus Amygdalis Dulcis (Sweet Almond) Oil*, A.A.
☺☺☺ Cetyl Alcohol, B
☺☺☺ Babassua (Orbignya Oleifera) Oil, A.A.
☺☺☺ Decyl Oleate, B
☺☺☺ Microcrystalline Cellulose, B
☺☺☺ Cellulose Gum, B
☺☺☺ Citrillus Lanatus (Watermelon) Seed Oil, A.A.
☺☺ Squalane, A.A.
☺☺☺ Sea Aqua, B
☺☺☺ Equisetum Arvense (Horsetail) Extract*, A.A.
☺☺☺ Xanthan Gum, B
☺☺☺ Hectorite, B
☺☺☺ Cellulose, B
☺☺ Benzyl Alcohol, C
☺☺☺ Tocopherol, A
☺☺ Sodium Benzoate, C
☺☺☺ Phytic Acid, A
☺☺ Potassium Sorbate, C
Parfum (Fragrance)
(+/-may contain)
☺☺☺ CI 77891 (Titanium Dioxide), A
☺☺☺ CI 77491 (Iron Oxide), A
☺☺☺ CI 77492 (Iron Oxide), A
☺☺☺ CI 77499 (Iron Oxide), A

* Ingrédients issus de l'agriculture biologique.

☺☺☺/☺☺ **Base/Agents actifs**

Une émulsion à base d'eau, de glycérol et d'huiles végétales estérifées, auxquels s'ajoutent deux émulsifiants alimentaires. Des agents actifs bénéfiques pour la peau : huiles de jojoba, d'amandes et de babassu, ainsi que l'extrait de prêle. Le petit défaut : les huiles estérifiées ont été employées en plus grande quantité que les véritables huiles végétales. Mais puisque le fond de teint est en principe appliqué sur la crème de jour, ceci est moins gênant que s'il s'agissait d'un produit de soin de base (une crème pour le visage par exemple).

☺☺☺ **Additifs**

Uniquement des additifs à considérer comme positifs comme le tocophérol (antioxydant), l'acide phytique et des colorants comme le dioxyde de titane et divers oxydes de fer.

☺☺ **Conservation**

Alcool benzylique, benzoate de sodium et sorbate de potassium.

104 Maybelline Jade : Ever Fresh Makeup

INCI

Aqua/Water, B
☹ Cyclopentasiloxane, B
Note écologique : ☻☻
☺☺☺ Glycerin, B, A.A.
☹ Isododecane, B
Note soin de peau : ☻☻
☺☺/☹ Alcohol denat., A
☺☺☺ Polyglyceryl-4 Isostearate, B
☺☺☺ Aluminium Starch Octenylsuccinate, B
☻☻ Cetyl PEG/PPG-10/1 Dimethicone, B
Note écologique : ☻☻
☺☺☺ Hexyl Laurate, B
☻☻ Disteardimonium Hectorite, B
☹ Ethylhexyl Methoxicinnamate, A.A. (FPS)
☻☻ Phenoxyethanol, C
☺☺☺ Magnesium Sulfate, B
☹ Diphenyl Dimethicone, B
Note écologique : ☻☻
☺☺☺ Cellulose Gum, B
☺☺☺ Hydroxystearic Acid, B
☹ Acetylated Glycol Stearate, B
Note écologique : ☻☻
☹ Acrylates Copolymer, B
Note écologique : ☻☻
☺☺☺ Disodium Stearoyl Glutamate, B
☻ Methylparaben, C
☹ Propylene Glycol, B
☺☺☺ Vitis Vinifera/Grape Fruit Extract, A.A.
☻ Butylparaben, C
☺☺☺ Tocopherol, A
☺☺ Aluminium Hydroxide, B
☺☺☺ Ascorbyl Palmitate, A
☺☺☺ Cucumis Sativus/Cucumber Fruit Extract, A.A.
☺☺☺ Chamomilla Recutia/Matricaria Extract, A.A.
☺☺☺ (+/- may contain CI 77891/Titanium Dioxide, CI 77499, CI 77492, CI 77491/Iron Oxides, CI 77007/Ultramarines), A

☻ **Base/Agents actifs**

La base est constituée de plusieurs silicones nocives pour l'environnement comme le Cyclopentasiloxane (situé immédiatement après l'eau), auxquelles s'ajoutent une forme particulière d'huile minérale/paraffine (l'Isododecane), des PEG et des amidons modifiés. Quelques agents actifs végétaux apparaissent en infime quantité, tout à la fin de la liste INCI (raisin, concombre, camomille). Le glycérol hydratant est positif mais ne compense pas le pourcentage élevé de composants de synthèse.

☺☺☺ **Additifs**
Les additifs sont bons : vitamines E et C, oxydes de fer et autres colorants naturels.

☹ **Conservation**
Phénoxyéthanol et parabènes.

*105 Logona : Fond de teint fluide**

INCI
Aqua (Water), B
☺☺☺ Elaeis Guineensis (Palm) Oil*, B
☺☺☺ Glycine Soja (Soybean) Oil*, B
☺☺☺ Talc, B
☺☺☺ Glyceryl Oleate Citrate, B
☺☺☺ Simmondsia Chinensis (Jojoba) Seed Oil*, A.A.
☺☺☺ Palmitic Acid, B
☺☺☺ Stearic Acid, B
☺☺☺ Glycerin, B, A.A.
☺☺☺ Cetearyl Alcohol, B
☺☺☺ Theobroma Cacao (Cocoa) Seed Butter, A.A.
☺☺☺ Caprylic/Capric Triglyceride, B
☺☺☺ Magnesium Aluminium Silicate, B
☺☺☺ Xanthan Gum, B
☺☺☺ Prunus Amygdalus Dulcis (Sweet) Almond) Oil*, A.A.
☺☺☺ Calendula Officinalis Flower Extract*, A.A.
☺☺☺ Hydrolyzed Silk, A.A.
Parfum (Essential Oils)
☺☺☺ Sodium Citrate, A
☺☺☺ Citric Acid, A
☺☺☺ Tocopherol, A
☺☺ Limonene, P
☺☺ Linalool, P
☺☺☺ [+/-CI 77891, CI 77491, CI 77492, CI 77499], A
* Ingrédients issus de l'agriculture biologique.

☺☺☺ **Base/Agents actifs**
La base de ce fond de teint est constituée d'huiles naturelles bénéfiques pour la peau comme celles de noyau de palmier, de soja, de jojoba et d'amandes ainsi que de talc. En guise d'agents actifs, ce produit contient du beurre de cacao et de l'extrait de calendula. Pour obtenir l'émulsion, on a utilisé un émulsifiant alimentaire doux (ester de glycérol).

☺☺☺ **Additifs**
La vitamine E comme antioxydant, des colorants naturels, ainsi que l'acide citrique et ses sels pour réguler le pH.

☺☺☺ **Conservation**
Pas de conservation visible.

106 La Roche-Posay : Unifiance fond de teint

INCI
Aqua, B
☹ Cyclohexasiloxane, B
Note écologique : ☹☹
☺☺☺ Glycerin, B, A.A.
☹ Dimethicone, B
Note écologique : ☹☹
☺☺☺ Talc, B
☺☺☺ Silica, B
☹☹ Cetyl PEG/PPG-10/1 Dimethicone, B
Note écologique : ☹☹
☺☺☺ Butyrospermum Parkii, A.A.
☹ Cyclopentasiloxane, B
Note écologique : ☹☹
☺☺☺ Magnesium Sulfate, A
☺☺☺ Polyglyceryl-4 Isostearate, B
☺☺ Acetylated Glycol Stearate, B
☺☺☺ Tristearin, B
☹ Silica Dimethyl Silylate, B
Note écologique : ☹☹
☹ Diphenyl Dimethicone, B
Note écologique : ☹☹
☺☺☺ Disodium Stearoyl Glutamate, B
☹☹ Phenoxyethanol, C
☹☹ Chlorhexidine Digluconate, C
☹ Methylparaben, C
☹ Butylparaben, C
☺☺ Aluminum Hydroxide, A
(+/-may contain, CI 77891/Titanium Dioxide, CI 77499, CI 77492, CI 77491/Iron Oxides), A

☹/☹ **Base/Agents actifs**
Une base de fond de teint particulièrement « artificielle » avec 6 silicones différentes dont l'une est liée à du PEG. À noter positivement : le glycérol pour l'hydratation et un peu d'huile de jojoba. Mais ce sont les silicones nocives pour l'environnement qui donnent le ton à ce produit.

☺☺☺ **Additifs**
Sulfate de magnésium, hydroxyde d'aluminium, et comme colorants des oxydes de fer et du dioxyde de titane.

☹☹ **Conservation**
Du phénoxyéthanol et des parabènes, plus un conservateur halogéné (Chlorhexidine Digluconate).

*107 Lavera : Trend maquillage fluide, « Naturel » n° 1/2**

INCI
Water (Aqua), B
☺☺☺ Olea Europaea (Olive) Fruit Oil*, B, A.A.
☺☺☺ Glycerin, B, A.A.
☺☺☺ Tricaprylin, B
☺☺☺ Alcohol, A
☺☺ Squalane, A.A.
☺☺☺ Caprylic/Capric Triglyceride, B

☺☺☺ Glyceryl Stearate Citrate, B
☺☺☺ Hydrogenated Palm Glycerides, B
☺☺☺ Lecithin, B, A.A.
☺☺☺ Simmondsia Chinensis (Jojoba) Seed Oil*, A.A.
☺☺☺ Prunus Amygdalus Dulcis (Sweet Almond) Oil*, A.A.
☺☺ Glucose Glutamate, B
☺☺☺ Aloe Barbadensis Leaf Juice*, A.A.
☺☺☺ Lysolecithin, B
☺☺☺ Butyrospermum Parkii (Shea Butter), A.A.
☺☺☺ Xanthan Gum, B
☺☺☺ Tocopheryl Acetate, A.A.
☺☺☺ Hydrogenated Lecithin, B
☺☺☺ Tocopherol, A
☺☺☺ Rosa Damascena Flower Water*, B, A.A.
☺☺☺ Lavandula Angustifolia (Lavender) Flower Water*, B, A.A.
☺☺☺ Melissa Officinalis Water*, B, A.A.
☺☺☺ Brassica Campestris (Rapeseed) Sterols, B
☺☺☺ Ascorbyl Palmitate, A
☺☺☺ Ascorbic Acid, A
Fragrance (Parfum)
[+/-
☺☺☺ Titanium Dioxide (CI 77891), A
☺☺☺ Iron Oxides (CI 77491), A
☺☺☺ Iron Oxides (CI 77492), A
☺☺☺ Iron Oxides (CI 77499)], A
* Ingrédients issus de l'agriculture biologique.

☺☺☺ Base/Agents actifs
Les bons ingrédients de la base : l'huile d'olive et le glycérol. Les phases aqueuse et huileuse sont liées par des émulsifiants doux (stéarate de glycérol et lécithine). Autres ingrédients pour soigner la peau : les huiles de jojoba, d'abricot et de pêche, le beurre de karité, l'extrait d'aloès et les hydrolats (rose, lavande et mélisse).

☺☺☺ Additifs
Un mélange d'antioxydants : vitamines E et C, et palmitate de vitamine C. Tous les colorants sont d'origine minérale, ce qui est primordial pour un fond de teint.

☺☺☺ Conservation
Grâce au taux élevé d'alcool, tout autre conservateur est inutile.

108 L'Oréal : Fond de teint Idéal Balance

INCI
☺☺☺ Talc, B
☹ Nylon-12, B
☹ Synthetic Wax, B
Note de soin pour la peau : ●●
☺☺☺ Titanium Dioxide, B (FPS)
☹ HDI/Trimethylol Hexyllactone Crosspolymer, B
☺☺☺ Glass Beads, B
☺☺ Isononyl Isononanoate, B
☹ Dimethicone, B
Note écologique : ●●
☺☺ Isocetyl Stearate, B
☹ Vinyl Dimethicone Methicone Silsesquioxane Crosspolymer, B
Note écologique : ●●
☺☺☺ Zinc Oxide, B (FPS)
☺☺☺ Magnesium Stearate, B
●● Phenoxyethanol, C
☹ Pentylene Glycol, B, C
☹ Cetyl Dimethicone, B
Note écologique : ●●
● Methylparaben, C
● Trimethylsiloxysilicate, B
☹ Dimethicone /Vinyl Dimethicone Crosspolymer, B
Note écologique : ●●
☺☺☺ Triisocetyl Citrate, B
☹ Propylene Glycol, B
Aqua/Water, B
● Ethylparaben, C
● Butylparaben, C
● Isopropylparaben, C
● Propylparaben, C
☺☺☺ Hamamelis Virginiana/Witch Hazel Extract, A.A.
☺☺☺ Nelumbo Nucifera/Nelumbium Speciosum Flower Extract, A.A.
+/- may contain
☺☺ CI 77163/Bismuth Oxycloride, A
☺☺☺ CI 77499, A
☺☺☺ CI 77492, A
☺☺☺ CI 77491/Iron Oxides, A
☺☺☺ CI 77891/Titanium Dioxide, A
☺☺☺ CI 77007/Ultramarines, A
● CI 15850/Red 7, A
☺☺ CI 73360/Red 30, A
☺☺☺ CI 75470/Carmine, A
☺ CI 77288/Chromium Oxide Greens, A
☺ CI 77289/Chromium Hydroxide Green, A
☺ CI 77510/Ferric Ferrocyanide, A
☺ CI 77742/Manganese Violet, A
● CI 16035/Red 40 Lake, A
● CI 19140/Yellow 5 Lake, A
☺☺ CI 42090/Blue 1 Lake, A

☹/● Base/Agents actifs
Ce fond de teint est également constitué d'une base très « artificielle » : principalement des cires et des corps gras de synthèse, ainsi que des silicones. Les ingrédients d'origine naturelle : le talc, les pigments (dioxyde de titane et oxyde de zinc) et deux extraits (hamamélis et fleur de lotus).

● Additifs
Parmi les colorants se trouvent aussi des colorants azoïques.

● Conservation
Différents parabènes et le pentylène glycol qui aide à la conservation. Il est à noter que pour une formulation pratiquement sans eau comme celle-ci, un conservateur est superflu.

109 Avène : Couvrance, Fond de teint correcteur fluide, FPS 15

INCI

Water (Aqua), B
☹ Cyclomethicone, B
Note écologique : 😞😞
☺☺ Butylene Glycol, B
☺☺ Ethylhexyl Methoxycinnamate, A.A. (FPS)
☺☺☺ Zinc Oxide, A.A. (FPS)
☹ Dimethicone, B
Note écologique : 😞😞
☹ Phenyl Trimethicone, B
Note écologique : 😞😞
☺☺ Octyldodecanol, B
😞😞 Cetyl PEG/PPG-10/1 Dimethicone, B
Note écologique : 😞😞
☺☺ Isononyl Isononanoate, B
☺☺☺ Magnesium Sulfate, A
☺☺☺ Sorbitan Sesquioleate, B
☺☺☺ Ascorbyl Palmitate, A
😞😞😞 BHT, A
☺☺ Ethylene Brassylate, B
😞 Methylparaben, C
😞😞 Phenoxyethanol, C
☺☺ Potassium Sorbate, C
☺☺☺ Sodium Dehydroacetate, C
☺☺☺ Tocopheryl Glucoside, B
😞 Trimethylsiloxysilicate, B
Note écologique : 😞😞
☺☺☺ Xanthan Gum, B
may contain (+/-)
☺☺☺ Iron Oxides (CI 77491/CI 77492/CI 77499), A
☺☺☺ Talc, B
☺☺☺ Titanium Dioxide (CI 77891), A
☺☺☺ Ultramarines (CI 77007), A

😞 Base/Agents actifs

Une base très synthétique avec cinq silicones nocives pour l'environnement et d'autres corps gras de synthèse. Il n'y même pas d'ingrédients naturels comme des huiles ou extraits végétaux.

😞😞 Additifs

Les colorants ne posent pas de problème, le sulfate de magnésium et le palmitate de vitamine C non plus. Mais malheureusement, le BHT est utilisé comme antioxydant.

😞 Conservation

Outre le sorbate de potassium et le sel sodique de l'acide déhydro-acétique, du phénoxyéthanol et des parabènes

Les lèvres

110 The Body Shop : Liquid Lip Colour 01

INCI

☹ Polybutene, B
☹ Diisopropyl Dimer Dilinoleate, B
☺☺ Hydrogenated Polyisobutene, B
☺☺ Hexyldecanol, B
☺☺☺ Sclerocarya birrea (Marula) Oil, A.A.
☺☺☺ Caprylic/Capric/Triclyceride, B
☺☺☺ Tocopheryl Acetate, A.A.
☺☺☺ Ricinus Communis (Castor Seed) Oil, B
😞😞 Phenoxyethanol, C
☺☺☺ Buxus Chinensis (Jojoba), (nouvelle appellation INCI : Simmondsia Chinensis), A.A.
☺☺☺ Persea Gratissima (Avocado) Oil, A.A.
😞 Methylparaben, C
😞 Butylparaben, C
😞 Ethylparaben, C
😞 Propylparaben, C
😞 Isobutylparaben, C
☺☺☺ Tocopherol, A
😞 Red 7 Lake, (CI, probablement CI 15850), A
😞 Yellow 6 Lake, (CI, probablement CI 15985), A

☹ Base/Agents actifs

La base est constituée de polymères de synthèse, nocifs pour l'environnement, mais aussi d'une huile végétale en quantité non négligeable (huile de marula). Les agents actifs positifs comme l'acétate de vitamine E ou les huiles de jojoba et d'avocat, n'apparaissent que dans la seconde moitié de la liste INCI. Or, à partir du Tocopheryl Acetate, les ingrédients ne sont plus présents qu'en faible quantité (1 % et moins).

😞 Additifs

En plus de la vitamine E (antioxydant), deux colorants qui ne sont pas déclarés correctement. La probabilité est grande qu'il s'agisse de colorants azoïques.

😞 Conservation

Parabènes et phénoxyéthanol.

111 Couleur Caramel : Rouge à Lèvres

INCI

☺☺☺ Ricinus Communis (Castor) Oil, B
☺☺ Hydrogenated Stearyl Olive Esters, B
☺☺☺ Euphorbia Cerifera (Candilla) Wax, B
☺☺☺ Oleic/Linoleic/Linolenic Polyglycerides, B
☺☺ Sucrose Acetate Isobutyrate, B
☺☺☺ Prunus Armeniaca (Apricot) Kernel Oil Unsaponifiables, A.A.
☺☺☺ Butyrospermum Parkii (Shea Butter) Fruit*, A.A.
☺☺☺ Olea Europaea (Olive) Fruit Oil*, G, A.A.
☺☺☺ Prunus Armeniaca (Apricot) Kernel Oil, A.A.
☺☺☺ Simmondsia Chinensis (Jojoba) Seed Oil*, A.A.
☺☺☺ Asparagopsis Armata Extract, A.A.
☺☺☺ Vitis Vinifera (Grape) Seed Oil*, B
☺☺☺ Aspalathus Linearis Leaf Extract, A.A.
☺☺☺ Tocopherol, A
Aroma
(+/-may contain
☺☺☺ CI 77891 (Titanium Dioxide), A

☺☺☺ CI 77491 (Iron Oxide), A
☺☺☺ CI 77492 (Iron Oxide), A
☺☺☺ CI 77499 (Iron Oxide), A
☺☺☺ CI 75470 (Carmine), A
☺☺☺ CI 77007 (Ultramarines), A
CI 77742 (Manganese Violet), A
CI 77510 (Ferric Ferrocyanide), A
* Ingrédients issus de l'agriculture biologique.

☺☺☺ **Base/Agents actifs**
Ce rouge à lèvres est un mélange d'huiles, de cires et de colorants (sans eau). Il contient aussi des composants précieux pour la peau : huiles de ricin, d'amande, d'abricot, d'olive et de jojoba ; cire de candelilla, beurre de karité et trois extraits de plantes (raisin, algue à crochets et thé rouge/rooibos).

☺☺☺ **Additifs**
Tocophérol (antioxydant) et des colorants exclusivement naturels : dioxyde de titane, oxydes de fer, bleu ultramarine et violet de manganèse.

Conservation
Pas nécessaire dans une formulation sans eau.

*112 Logona : Lipp Gloss n° 3 rubis**

INCI
☺☺☺ Ricinus Communis (Castor) Seed Oil, B
☺☺☺ Tricaprylin, B
☺☺☺ Rhus Verniciflua Peel Wax, A.A.
☺☺☺ Cera Alba (Beeswax), B
☺☺☺ Lanolin, B, A.A.
☺☺☺ Euphorbia Cerifera (Candelilla) Wax, B
☺☺☺ Copernica Cerifera (Carnauba) Wax, B
☺☺☺ Silica, B
☺☺☺ Mica, B
Aroma (Flavor)
☺☺☺ Tocopherol, A
☺☺☺ Talc, B
☺☺☺ [+/- CI 75470, CI 77891, CI 77491, CI 77492], A

☺☺☺ **Base/Agents actifs**
Dans ce gloss, l'huile de ricin occupe la première place de la liste INCI. On y trouve ensuite un mélange soignant constitué de cires végétales (entre autres celle d'une baie asiatique et la tricapryline, un corps cireux d'origine naturelle). Les autres ingrédients naturels de cette base sont des minéraux : silice, talc et mica.

☺☺☺ **Additifs**
La vitamine E pour la stabilisation (antioxydant) et des colorants exclusivement naturels.

Conservation
Pas nécessaire dans une formulation sans eau.

113 Dr. Hauschka : Lipliner

INCI
☺☺☺ Hydrogenated Palm Kernel Glycerides, B
☺☺☺ Talc, B
☺☺☺ Hydrogenated Palm Glycerides, B
☺☺☺ Hydrogenated Vegetable Oil, B
☺☺☺ Caprylic/Capric Triglyceride, B
☺☺☺ Rhus Succedanea, B
☺☺☺ Solum Diatomeae, B
☺☺☺ Rosa Gallica, B
☺☺☺ Cera Flava, B
☺☺☺ Anthyllis Vulneraria, A.A.
☺☺☺ Hamamelis Virginiana, A.A.
☺☺☺ Camellia Sinensis, A.A.
☺☺☺ Tocopherol, A
☺☺☺ Ascorbyl Palmitate, A., A.A.
☺☺☺ Rosa Damascena, A.A.
☺☺ Citronellol*, P
☺☺ Geraniol*, P
☺☺ Linalool*, P
[+/-
☺☺☺ Mica, B
☺☺☺ CI 75470, A
☺☺☺ CI 77491, A
☺☺☺ CI 77492, A
☺☺☺ CI 77499, A
☺☺ CI 77742, A
☺☺☺ CI 77891], A
*Composants d'huiles essentielles naturelles

☺☺☺/☺☺ **Base/Agents actifs**
La base est principalement constituée d'huiles hydrogénées. Les cires végétales viennent après les composants hydrogénés. Les extraits de plantes (extrait de véritable trèfle jaune des sables, d'hamamélis et de thé) sont de très bons composants.
Étant donné que les matières premières hydrogénées, -et non les cires végétales-, ont une position prépondérante, le produit manque le meilleur score « très bien ».

☺☺☺ **Additifs**
Uniquement des éléments positifs, comme le tocophérol en tant qu'antioxydant et différents colorants minéraux naturels (carmine, oxyde de fer, dioxyde de titane et un pigment violet).

Conservation
Pas nécessaire dans une formulation sans eau.

114 Origins : Lip Remedy (Baiser d'adieu aux lèvres sèches)

INCI

Aqueous infusions, B
☺☺☺ Betula Alba (Birch) Leaves, B, A.A.
☺☺☺ Chamomilla Recutia (Matricaria), B, A.A.
☺☺☺ Beeswax (Cera Alba), B
☺☺ BIS-Diglyceryl Polyacyladipate-2, B
☺☺☺ Caprylic/Capric Triglyceride, B
☺☺ Butylene Glycol, B
☺☺☺ Tridecyl Stearate, B
☺☺ Neopentyl Glycol Dicaprylate/Dicaprate, B
☺☺☺ Olea Europaea (Olive) Fruit Oil, B, A.A.
☺☺☺ Butyrospermum Parkii (Shea Butter), A.A.
☺☺☺ Jojoba Esters, B
☹☹ Cetyl PEG/PPG-10/l Dimethicone, B
Note écologique : ☹☹
☹ Tridecyl Trimellitate, B
Note de soin pour la peau : ☹☹
☹ Steralkonium Hectorite, B
☺☺☺ Menthol, A.A.
☺☺☺ Camphor, A.A.
☺☺☺ Yeast Extract (Faex), A.A.
Essential Oils (Olea)
☺☺☺ Malaleuca Alternifolia (Tea Tree), A.A., P
☺☺☺ Thymus Vulgaris, P
☺☺ Linalool, P (and)
☺☺☺ Gaultheria Procumbens (Wintergreen), P
☺☺☺ Zea Mays (Corn) Oil, B
☺☺ Propylene Carbonate, B
☺☺☺ Sodium Chloride, A
☺☺☺ Allantoin, A.A.
☹ Sodium Borate, A
☹☹ Trisodium EDTA, A
☹☹ Imidazolidinyl Urea, C
☺☺ Dehydroacetic Acid, C
☹ Methylparaben, C
☹ Propylparaben, C
☹ Butylparaben, C

☹/☹ **Base/Agents actifs**

Dans ce produit de soin pour les lèvres : des hydrolats (bouleau, camomille) au lieu de l'eau. Le 4e ingrédient de la liste est la cire d'abeilles, c'est un bon début. Mais les ingrédients qui suivent s'éloignent du droit chemin de la nature puisque, mis à part les huiles et les cires végétales (olive, beurre de karité, jojoba), les autres sont synthétiques ou éthoxylées.

☹☹ **Additifs**

Le borate de sodium (Sodium Borate, sel sodique de l'acide borique) et l'EDTA. Le premier est une substance minérale au profil toxicologique problématique.

☹☹ **Conservation**

Acide déhydro-acétique, des parabènes et Imidazolidinyl Urea, un conservateur qui peut libérer du formaldéhyde.

Ombres à paupière/ Eye-liners

115 Dr. Hauschka : Ombres à paupières Duo 1-5

INCI

☺☺☺ Talc, B
☺☺☺ Magnesium Stearate, B
☺☺☺ Rosa Gallica, A.A.
☺☺☺ Buxus Chinensis, A.A. (nouvelle appellation INCI : Simmondsia Chinensis)
☺☺☺ Serica (Silkpowder), A.A.
☺☺☺ Solum Diatomeae, B
☺☺☺ Silica, B
☺☺☺ Anthyllis Vulneraria, A.A.
☺☺☺ Hamamelis Virginiana, A.A.
☺☺☺ Camelia Sinensis, A.A.
Parfum
☺☺☺ +/- Mica CI 77510, CI 75470, CI 77491, CI 77492, CI 77499, CI 77891, CI 77007, A

☺☺☺ **Base/Agents actifs**

Cette ombre à paupières est une poudre pressée, à base de substances minérales (comme la terre à diatomées, le talc et le stéarate de magnésium), à laquelle s'ajoutent des extraits de plantes et des huiles végétales. La terre de diatomées est une terre poreuse qui provient de sédiments naturels datant de quelques millions d'années.

☺☺☺ **Additifs**

Uniquement des colorants minéraux.

Conservation

Pas nécessaire dans une formulation sans eau.

116 Couleur Caramel : Eye-Liner

INCI

Aqua (Water), B
☺☺☺ Sorbitol, B
☺☺☺ Glycerin, B, A.A.
☺☺☺ Acacia Senegal Gum, B
☺☺☺ Butyrospermum Parkii (Shea Butter) Fruit, A.A.
☺☺☺ Tocopheryl Acetate, A.A.
☺☺☺ Citric Acid, A
☺☺☺ Cellulose Gum, B
☺☺ Benzyl Alcohol, C
☺☺☺ Magnesium Aluminium Silicate, B
☹☹ Sodium Hydroxymethyl Glycinate, C
☹☹ Polysorbate 20, B
(+/-may contain
☺☺☺ Mica, B
☺☺☺ CI 77891 (Titanium Dioxide), A
☺☺☺ CI 77491 (Iron Oxide), A
☺☺☺ CI 77492 (Iron Oxide), A
☺☺☺ CI 77499 (Iron Oxide), A
☺☺☺ CI 77007 (Ultramarine), A
☺☺☺ CI 77266 (Carbon Black)), A

☺☺ **Base/Agents actifs**
La base de cet eye-liner : un gel constitué d'eau, de sorbitol, de glycérol et d'un gélifiant naturel, la gomme arabique. Dans cette bonne formule de gel, des agents actifs comme le beurre de karité et un acétate de vitamine E. Point négatif du produit : le Polysorbate 20, un émulsifiant éthoxylé.

☺☺☺ **Additifs**
L'acide citrique pour réguler le pH et des colorants naturels (dioxyde de titane, différents oxydes de fer, ultramarin et noir de suie).

☹ **Conservation**
Alcool benzylique et hydroxyméthylglycinate de sodium (Sodium Hydroxymethyl Glycinate). Ce dernier est-il problématique ou non ? Les avis des experts concernant ce conservateur divergent, c'est pourquoi il obtient la note « satisfaisant » et non « bien ».

Les poudres Les rouges à joues

117 Couleur Caramel : Poudre Compacte

INCI
☺☺☺ Talc, B
☺☺☺ Mica, B
☺☺☺ Zinc Stearate, B
☺☺☺ Helianthus Annuus (Sunflower) Seed Oil*, A.A.
☺☺☺ Vitis Vinifera (Grape) Seed Oil*, B
☺☺☺ Butyrospermum Parkii (Shea Butter) Fruit*, A.A.
☺☺☺ Asparagopsis Armata Extract, A.A.
☺☺☺ Porphyra Umbilicalis Extract, A.A.
☺☺☺ Aspalathus Linearis Leaf Extract, A.A.
☺☺☺ Glycine Soja (Soybean) Oil*, B
☺☺ Squalane, A.A.
☺☺☺ Tocopherol, A
(+/-may contain
☺☺☺ CI 77891 (Titanium Dioxide), A
☺☺☺ CI 77491 (Iron Oxide), A
☺☺☺ CI 77492 (Iron Oxide), A
☺☺☺ CI 77499 (Iron Oxide)), A
* Ingrédients issus de l'agriculture biologique.

☺☺☺ **Base/Agents actifs**
Principaux composants de la base : des minéraux (talc et mica). Le stéarate de zinc facilite la pose (effet glissant). Les composants huileux sont d'une grande richesse (huiles de tournesol, de pépins de raisin et de soja). S'y ajoutent le beurre de karité et trois extraits de plantes aux propriétés hydratantes (deux extraits d'algues et l'extrait de rooibos).

☺☺☺ **Additifs**
Le tocophérol comme antioxydant, ainsi que le dioxyde de titane et divers oxydes de fer comme colorants.

Conservation
Pas nécessaire dans une formulation sans eau.

118 Sans Souci : Compact Powder

INCI
☺☺☺ Talc, B
☺☺☺ Aluminium Starch Octenylsuccinate, B
☺☺ Octyldodecyl Stearoyl Stearate, B
☺☺☺ Kaolin, B
☺☺☺ BIS-Diglyceryl Polyacyladipate-2, B
☹ Dioctylcyclohexane, B
☻☻ Phenoxyethanol, C
☺☺☺ Tocopheryl Acetate, A.A.
☺☺☺ Silica, B
☺☺☺ Lauroyl Lysine, B
Fragrance/Parfum
☻ Methylparaben, C
☺☺ Potassium Sorbate, C
☺☺☺ Sodium Dehydroacetate, C
☻ Ethylparaben, C
☻ Butylparaben, C
☻ Propylparaben, C
☻ Isobutylparaben, C
☹ Caprylylsilane, B
Note écologique : ☻☻
☹ Polymethyl Methacrylate, B
Note écologique : ☻☻
☺☺☺ Sodium Hyaluronate, A.A.
☺☺☺ Mica (CI 77019), B
☺☺☺ Titanium Dioxide (CI 77891), A
☺☺☺ Iron Oxide (CI 77491, CI 77492, CI 77499), A

☺☺/☹ **Base/Agents actifs**
Des amidons modifiés et des substances minérales comme le kaolin, la silice et le mica, sans oublier la précieuse base pour poudres qu'est le Lauroyl Lysine. S'y ajoutent de bons agents actifs : acétate de vitamine E et acide hyaluronique. Malheureusement, cette formule partiellement bonne est gâchée par l'acrylate (Polymethyl Methacrylate) et les silicones.

☺☺☺ **Additifs**
Uniquement des oxydes de fer et du dioxyde de titane.

☻ **Conservation**
Du sorbate de potassium, du phénoxyéthanol, des parabènes et de l'acide déhydro-acétique.

*119 Lavera : Fard à joues jojoba bio et calendula bio n° 1/2**

INCI
☺☺☺ Talc, B
☺☺☺ Magnesium Stearate, B
☺☺☺ Tricaprylin, B
☺☺☺ Tocopheryl Acetate, A.A.
☺☺☺ Silica, B
☺☺☺ Glycine Soja (Soybean) Oil*, B
☺☺☺ Simmondsia Chinensis (Jojoba) Seed Oil*, A.A.
☺☺☺ Olea Europaea (Olive) Fruit Oil*, B, A.A.
☺☺☺ Calendula Officinalis Flower Extract*, A.A.
☺☺☺ Ceramide 3, A.A.

Fragrance(Parfum)
[+/-
☺☺☺ Mica, A
☺☺☺ Titanium Dioxide (CI 77891), A
☺☺☺ Iron Oxides (CI 77491), A
☺☺☺ Iron Oxides (CI 77492), A
☺☺☺ Iron Oxides (CI 77499), A
☺☺☺ Manganese Violet (CI 77742), A
☺☺☺ Ultramarines (CI 77007)], A
* Ingrédients issus de l'agriculture biologique.

☺☺☺ **Base/Agents actifs**
La base de cette poudre est constituée de talc, de stéarate de magnésium et d'un corps cireux d'origine naturelle (Tricaprylin) qui permet de bien étaler le produit. Vient ensuite un agent actif, l'acétate de vitamine E. Cette bonne formule est complétée par de petites quantités d'huiles végétales (de soja, de jojoba et d'olive) et par un extrait de calendula.

☺☺☺ **Additifs**
Exclusivement des colorants minéraux et naturels.

Conservation
Pas nécessaire dans une formulation sans eau.

120 Lancaster : Fard à joues poudré satin

INCI
☺☺☺ Talc, B
☺☺☺ Mica, B
☺☺☺ Zea Mays (Corn) Starch, B
☹ Polyethylene, B
Note écologique : ☹☹
☺☺☺ Silica, B
☹ Dimethicone, B
Note écologique : ☹☹
☺☺ Zinc Stearate, B
☺☺☺ Cetearyl Octanoate, B
☺☺ Octyldodecyl Stearoyl Stearate, B
☺☺ Pentaerytrityl Tetraisostearate, B
☺☺ Sorbic Acid, C
☹ Methylparaben, C
☹ Butylparaben, C
☺☺☺ Lauroyl Lysine, A.A.
☹ Propylparaben, C
☺☺☺ Olea Europaea (Olive) Fruit Oil, B, A.A.
☹☹ Tetrasodium EDTA, A
☹ Butylparaben, C
☺☺☺ Solanum Lycopersicum (Tomato) Fruit Oil, A.A.
☹☹ BHT, A
Pour ce produit sont indiquées 20 couleurs (chiffres CI) susceptibles de s'y trouver (voir additifs).

☺☺/☹ **Base/Agents actifs**
La base de cette poudre est en partie bonne (talc, silice et mica) mais on y trouve aussi des polyéthylènes nocifs pour l'environnement et une silicone.

☹☹ **Additifs**
EDTA et BHT. Parmi les colorants énumérés se trouvent également quelques colorants azoïques.

☹ **Conservation**
Acide sorbique et parabènes.

Colorants pour les cheveux

Pour les produits 121 à 125, le fossé est tellement grand entre le design et le texte de l'emballage d'une part, et la vraie nature du colorant d'autre part, que le seul qualificatif qui nous vient à la bouche est « douteux ».
Santotint (produit 123) s'habille d'un bel emballage jaune et attire les consommatrices par ses formules prometteuses : « au millet doré et aux extraits végétaux » ou « sans ammoniaque ». Si le produit ne contient effectivement pas d'ammoniaque à l'odeur pénétrante, il n'empêche que les colorants employés sont suspects d'un point de vue toxicologique.
Bien que l'emballage Herbatint (produit 124) porte fièrement le vert et ait des airs naturels (« aux extraits végétaux, enrichi à l'Aloe Vera »), la consommatrice se trouve face à un mélange saturé de chimie.
Quant à la Crème Coloration de Puravera (125), elle n'a rien de la « douceur » évoquée dans le descriptif du produit, bien au contraire. On y trouve même un précurseur de couleur comme le 2-Amino-4-Hydroxyethylaminoanisol Sulfate, qui ne doit ou ne devrait plus être employé car il est soupçonné d'être toxique.
Chez Martine Mahé (produit 122), on peut lire en grandes lettres vertes sur l'emballage « Teinture aux plantes » et les photos de plantes viennent renforcer cette image écologique. Or, la liste INCI révèle qu'un grand nombre des colorants utilisés sont douteux sur le plan toxicologique (colorants azoïques, amines aromatiques).
Les composants suspectés de toxicité sont généralement situés à la fin de la liste INCI sous la mention « may contain », ce qui signifie que ces ingrédients peuvent être ou ne pas être dans le produit. En effet, certains fabricants proposent une étiquette unique pour toute une gamme de nuances. Impossible, dans ces conditions, de savoir précisément quels colorants sont présents dans la teinte qu'on achète !

121 Beliflor : Coloration crème, 33 Café

INCI Crème colorante

Aqua/Water, B
● Sodium Lauryl Sulfate, B
☹ Ethanolamine, B
☹ Cocamide MEA, B
☹ Cocamide MIPA, B
☺☺ Myristyl Alcohol, B
☺☺☺ Cetearyl Alcohol, B
☺☺ Cocamidopropyl Betaine, B
●● Oleth-20, B
●●● p-Phenylenediamine, A.A. (colorant)
☹ Propylene Glycol, B
●● Resorcinol, A
●● Tetrasodium EDTA, A
☺☺☺ Sodium Sulfite, A
●●● 4-Chlororesorcinol, A
●●● p-Aminophenol, A.A. (colorant)
●● 4-Amino-2 Hydroxytoluene, A.A. (colorant)
☺☺☺ Triticum Vulgare, A.A.
☺☺☺ Buxus Chinensis, A.A.
●● m-Aminophenol, A.A. (colorant)
●●● 2-Methylresorcinol, A
●● HC Yellow n° 2, A.A. (colorant)
☺☺☺ Butyrospermum Parkii, A.A.
☺☺☺ Ascorbic Acid, A
●● Ethoxydiglycol, B
●● HC Red n° 3, A.A., (colorant)
●● Toluene-2,5-Diamine Sulfate, A.A. (colorant)
●●● 2-Amino-4 Hydroxyethylaminoanisole Sulfate, A.A. (colorant)
☺☺☺ Aloe Barbadensis, A.A.
●● Trideceth-9, B
●● PEG-40 Hydrogenated Castor Oil, A
☺☺☺ Tocopherol, A
Parfum/Fragrance

●●● Base/Agents actifs/Additifs

Immédiatement après l'eau, on trouve dans cette crème colorante un tensioactif qui irrite la peau, le lauryl sulfate de sodium. Elle contient aussi quelques PEG et divers colorants azoïques. Mais le plus grand problème est représenté par les coupleurs 4-Chlororesorcinol et 2-Methylresorcinol, le révélateur p-Aminophenol et le précurseur de couleur 2-Amino-4 Hydroxyethylaminoanisole Sulfate. Aucun d'entre eux ne devrait plus être utilisé compte tenu des soupçons de toxicité qui pèsent sur eux. Les ingrédients naturels présents en petites quantités (les huiles de germe de blé et de jojoba, le beurre de karité et l'extrait d'aloès) ne changent rien au fait qu'il s'agit ici d'un produit chimique conventionnel de coloration des cheveux.

Le produit contient un système antioxydant à base de vitamines E et C, mais aussi de l'EDTA et plusieurs composés au résorcinol, douteux sur le plan toxicologique.

Conservation

Pas besoin de conservation étant donné la présence massive des amines aromatiques et le pH qu'elles entraînent.

122 Martine Mahé : Teinture aux Plantes, N° 2 Châtain Foncé

INCI

Aqua, B
☹ Cocamide MIPA, B
●● Ethoxydiglycol, B
☹ Sodium Carboxymethyloleyl Polypropylamine, B
☺☺☺ Carthamus Tinctorius, A.A.
●● Oleth-2/Ceteth-2, B
☺☺☺ Sodium Chloride, A
●● Sodium Dodecylbenzenesulfonate, B
☺☺ Hydroxyethylcellulose, B
☹ Propylene Glycol, B
☺☺☺ Vaccinium Myrtillus, A.A.
☹ Amodimethicone, B
Note écologique : ●●
● Cetrimonium Chloride, A.A.
●● Trideceth-12, B
☺☺ Aminomethyl Propanol, B
Parfum
(+/- HC
●● Blue n° 2, A.A. (colorant)
●● HC Red n° 3, A.A. (colorant)
●● HC Yellow n° 2, A.A. (colorant)
●● HC Yellow n° 4, A.A. (colorant)
●● Disperse Black 9, A.A. (colorant)
☺☺ Disperse Blue 3, A.A. (colorant)
● Disperse Violet 1, A.A. (colorant)
●● p-Aminodiphenylamine, A.A. (colorant)
●● Basic Blue 99, A.A. (colorant)
●● Acid Black 1, A.A. (colorant)
●●● Acid Orange 3, A.A. (colorant)

●● Base/Agents actifs/Additifs

Ce sont les colorants (divers colorants azoïques et les amines aromatiques) qui posent un grand problème dans ce produit. À part cela, la base est surtout constituée de matières synthétiques (des PEG, une silicone, un quat). Les deux extraits de plantes (huile de carthame des teinturiers et extrait de myrtille) ont surtout une fonction publicitaire comme nous le montre le slogan sur l'emballage : « La coiffure par les plantes ». Au vu des ingrédients de la liste INCI, cette étiquette ne correspond pas à la réalité puisque ce qui domine, c'est la chimie et les couleurs de synthèse.

La présence de sel comme additif ne pose pas de problème.

Conservation

Un conservateur n'est pas nécessaire.

123 Sanotint : Châtain Doré

INCI Hair-Dye

Aqua, B
☺☺☺ Ceterayl Alcohol, B
☹ Ethanolamine, B
☻☻ Polysorbate 80, B
☹ Propylene Glycol, B
☺☺ Isopropyl Stearate, B
☻☻ Ceteareth-30, B
☻ Sodium Lauryl Sulfate, B
☻☻ Tetrasodium EDTA, A
Parfum
☺☺ Linalool, P
☺☺ Benzyl Salicylate, P
☺☺ Amyl Cinnamal, P
☺☺ Sodium Hydrosulfite, A
☺☺☺ Panicum Miliaceum, A.A.
☺☺☺ Calcium Pantothenate, A.A.
☺☺☺ Vitis Vinifera, A.A.
☺☺☺ Betula Alba, A.A.
☺☺☺ Olea Europaea Leaf Extract, A.A.
☺☺☺ Biotin, A.A.
(+/-
☻☻☻ p-Phenylenediamine, A.A. (colorant)
☻☻ Resorcinol, A
☻☻ m-Aminophenol, A.A. (colorant)
☻☻ o-Aminophenol, A.A. (colorant)
☻☻☻ p-Aminophenol, A.A. (colorant)
☻☻☻ Hydroquinone-4-Chlororesorcinol, A.A. (colorant)
☻☻ 1,5 Naphtalenediol, A.A. (colorant)
☻☻☻ m-Phenylenediamine, A.A. (colorant)
☻☻ 4-Amino-2 Hydroxytoluene, A.A. (colorant)
☻☻ 1-Naphtol, A.A. (colorant)
☻☻☻ p-Methylaminophenol Sulfate, A.A. (colorant)
☻☻☻ 2-Methylresorcinol, H
☻☻☻ N-Phenyl-p-Phenylenediamine Sulfate, A.A. (colorant)

☻☻☻ Base/Agents actifs/Additifs

Les principaux composants de la base : quelques PEG et le lauryl sulfate de sodium, un tensioactif qui irrite la peau. En bas de la liste INCI, avant « may contain », apparaissent quelques ingrédients végétaux comme le millet (Panicum Miliaceum), l'huile de pépins de raisin, l'extrait de bouleau et l'extrait d'olive, qui ne changent en rien la nature du produit : l'objectif principal (la coloration) est obtenu par des moyens toxicologiquement suspects. Presque la moitié des ingrédients utilisés pour la coloration (sous +/-) sont suspects de toxicité. Trois des substances (Hydroquinone-4-Chlororesorcinol, p-Methylaminophenol Sulfate et N-Phenyl-p-Phenylene-diamine Sulfate) ne devraient en principe même plus être employées.

Les additifs sont surtout des matières problématiques comme les différents composés de résorcinol (coupleurs) et l'EDTA.

Conservation

Pas de conservateur étant donné le mélange massif d'amines aromatiques et le pH qu'elles entraînent.

124 Herbalint : Gel Colorant, 4c, Châtain Cendré

INCI

Gel Colorant
☻☻ Laureth-5, B
☹ Propylene Glycol, B
Aqua, B
☻☻ PEG-2 Oleamine, B
☹ Ethanolamine, B
☺☺☺ Aloe Barbadensis, A.A.
☻☻ PEG-75 Meadowfoam Seed Oil, A.A.
☺☺☺ Betula Alba, A.A.
☻ Cetrimonium Chloride, A.A.
☺☺☺ Hamamelis Virginiana, A.A.
☺☺ Sodium Bisulfite, A
☻☻ Tetrasodium EDTA, A
May contain :
☻☻☻ m, p-Phenylendiamine, A.A. (colorant)
☻☻ 2-Amino-3 Hydroxypiridine, A.A. (colorant)
☻☻☻ m, p-Aminophenol, A.A. (colorant)
☻☻ 2-Methyl-1,3 Benzediol, A.A. (colorant)
☻☻ 4-Chloro-1,3-Benzediol, A.A. (colorant)
☻☻☻ 2-Amino-4-Hydroxyethylaminoanisole Sulfate, A.A. (colorant)
☻☻☻ p-Methylaminophenol Sulfate, A.A. (colorant)

☻☻☻ Base/Agents actifs/Additifs

La base de ce gel colorant est constituée de substances éthoxylées (PEG), d'un quat (conditionneur) et de quelques extraits de plantes (aloès, bouleau et hamamélis). Ces ingrédients naturels ne peuvent cependant pas faire oublier que les composants centraux (nécessaires à la coloration) sont tous douteux sur le plan toxicologique. D'ailleurs quelques-uns d'entre eux (voir tableau page 272) ne sont plus, ou tout du moins ne devraient plus être employés compte tenu des soupçons qui pèsent sur eux.

Les additifs : le bisulfite de sodium (un réducteur d'origine minérale) et l'EDTA.

Conservation

La présence d'amines aromatiques et le pH qu'elles entraînent rendent inutile tout conservateur.

LES RISQUES POTENTIELS DES SUBSTANCES COLORANTES EMPLOYÉES DANS LES PRODUITS 121 À 125

Que se passe-t-il lors de la coloration de la chevelure par des colorants chimiques ? La nouvelle teinte est obtenue par une réaction chimique à la surface et à l'intérieur du cheveu. Pour obtenir certaines nuances, 8 à 10 substances colorantes sont parfois nécessaires.

Voici comment se déroule le processus de teinture : dans un produit colorant, les précurseurs incolores (appelés colorants d'oxydation) sont soumis à des réactions chimiques (réactions d'oxydation, procédés de couplage, condensations). Ces colorants d'oxydation sont des composés pouvant être divisés (suivant leurs caractéristiques chimiques) en bases d'oxydation (révélateurs) et en nuanceurs (coupleurs).

- De par leur composition chimique, les bases d'oxydation sont des composés aromatiques facilement oxydables. Les plus souvent utilisées : le p-phenylenediamine et le p- ou o-aminophénol.
- Les coupleurs, comme par exemple le m-aminophénol ou le m-dihydroxybenzol, sont également des composés aromatiques.

La nuance de couleur est obtenue en deux temps (deux réactions chimiques partielles) en fonction des révélateurs et coupleurs employés.

En septembre 2004, l'Office Fédéral pour l'Évaluation des Risques (Deutsches Bundesamt für Risikobewertung – BfR) déclarait au sujet des colorants : « De l'avis du BfR, il est nécessaire d'approfondir les recherches sur les colorants capillaires actuellement utilisés. Si ce sont des amines aromatiques (ou s'ils en contiennent), il faut s'assurer qu'ils n'ont de propriétés ni cancérigènes ni mutagènes. » Or, parmi les substances colorantes contenues dans les produits 121 à 125, de nombreuses amines aromatiques sont répertoriées !

☹☹☹ m, p-Phenylenediamine
Révélateur, allergène de contact puissant, mutagène ; pas encore d'évaluation SCCP* définitive.

☹☹ m-Aminophenol
Révélateur, amine aromatique, toujours autorisé.

☹☹ o-Aminophenol
Révélateur, amine aromatique, toujours autorisé.

☹☹☹ p-Aminophenol
Révélateur, génotoxique in vitro et in vivo, suivant le SCCP* situation sécuritaire insuffisante.

☹☹☹ Hydroquinone-4-Chlororesorcinol
Coupleur qui, de l'avis de nombreux experts, ne devrait plus être utilisé pour des raisons de sécurité.

☹☹ 1,5 Naphtalenediol
Précurseur de colorant, amine aromatique.

☹☹ 4-Amino-2 Hydroxytoluene
Précurseur de colorant, amine aromatique.

☹☹ 1-Naphtol
Précurseur de colorant, amine aromatique.

☹☹☹ p-Methylaminophenol Sulfate
Précurseur de colorant qui ne devrait plus être employé car considéré comme sensibilisant par le SCCPNFP*

☹☹☹ 2-Methylresorcinol
Coupleur, douteux sur le plan toxicologique (potentiel allergène très élevé).

☹☹☹ N-Phenyl-p-Phenylenediamine Sulfate
Précurseur de colorant qui n'est plus employé aujourd'hui à cause des graves soupçons de toxicité qui pèsent sur lui.

☹☹ p-Aminodiphenylamine
Amine aromatique.

☹☹☹ **4-Chlororesorcinol**
Coupleur, douteux sur le plan toxicologique (potentiel allergène très élevé).

☹☹ **Toluene-2,5-Diamine Sulfate**
Révélateur, amine aromatique.

☹☹☹ **2-Amino-4Hydroxyethylaminoanisole Sulfate**
Précurseur de colorant, amine aromatique, n'est plus employé aujourd'hui à cause des graves soupçons de toxicité qui pèsent sur lui

☹☹ **2-Amino-3 Hydroxypiridine**
Précurseur de colorant, amine aromatique.

☹☹ **2-Methyl-1,3 Benzediol**
Précurseur de colorant, amine aromatique.

☹☹ **4-Chloro-1,3-Benzediol**
Précurseur de colorant, amine aromatique.

☹☹ **p-Methylaminophenol Sulfate**
Précurseur de colorant, amine aromatique.

☹☹ **2,4-Diaminophenoxyethanol Sulfate**
Précurseur de colorant, amine aromatique.

☹☹ **HC Blue n° 2**

☹☹ **HC Yellow n° 2**

☹☹ **HC Red n° 3**

☹☹ **HC Yellow n° 4**
Colorants directs, amines aromatiques.

☹☹ **Disperse Black 9**
Colorant direct, monoazoïque.

☺☺ **Disperse Blue 3**
Colorant direct, colorant anthrachinone.

☹ **Disperse Violet 1**
Colorant direct, colorant anthrachinone, pas encore d'évaluation définitive par le CSPC* par manque de données suffisantes.

☹☹ **Basic Blue 99**
Colorant direct à base de naphtochinone avec une partie organohalogénée.

☹☹ **Acid Black 1**
Colorant azoïque direct.

☹☹☹ **Acid Orange 3**
Colorant azoïque à base de benzidine.

* SCCP et SCCPNFP : Dans le cadre de la réorganisation des commissions scientifiques de l'UE, le sccp (Comité Scientifique des Produits de Consommation) a été instauré pour succéder au SCCPNFP (Comité Scientifique des Produits Cosmétiques et des Produits Non Alimentaires). Ses tâches correspondent à celles de son prédécesseur : il s'occupe de la sécurité des produits de consommation non alimentaires (par ex. cosmétiques, jouets, textiles).

125 Puravera : Sanfte Creme-Coloration

INCI
Color-Creme (Crème Colorante)
Aqua (Water), B
☹☹ Laureth-3, B
☺☺☺ Cetearyl Alcohol, B
☹ Ethanolamine, B
☹ Polysorbate-80, B
☹ Propylene Glycol, B
☹☹ Laureth-4, B
☺☺☺ Sorbitan Stearate, B
☺☺ Glycol Distearate, B
☺☺ Cocamidopropyl Betaine, B
☺☺☺ Sorbitan Oleate, B
☺☺☺ Glyceryl Isostearate, B
☺☺☺ Cocos Nucifera (Coconut) Oil, B
☺☺☺ Oleyl Alcohol, B
☺☺☺ Stearic Acid, B
☹☹ PEG-40 Hydrogenated Castor Oil, B
Parfum (Fragrance)
☺☺☺ Ceramide-3, A.A.
☺☺☺ Cera Alba (Beeswax), B
☹☹ Polyquaternium-16, A.A.
☹ Lauramide Oxide, B
☹☹ Ceteareth-20, B
☺☺☺ Palmitic Acid, B
☺☺☺ Hydrogenated Castor Oil, B
☺☺☺ Lecithin, B, A.A.
☹☹ Polyquaternium-10, A.A.
☺☺☺ Phytic Acid, A
☺☺ Sodium Hydrosulfite, A
☺☺☺ Sodium Sulfite, A
☺☺☺ Glycerin, B, A.A.
☹☹ Etidronic Acid, A
☹ Ethylparaben, C
☹ Methylparaben, C
☹ Propylparaben, C
☺☺ Isocetyl Alcohol, B
(+/-) :
☹☹ m-Aminophenol, A.A. (colorant)
☹☹☹ p-Aminophenol, A.A. (colorant)
☹☹☹ 2-Amino-4-Hydroxyethylaminoanisol Sulfate, A.A. (colorant)
☹☹ 4-Amino-2-Hydroxytoluene, A.A. (colorant)
☹☹ 2,4-Diaminophenoxyethanol Sulfate, A.A. (colorant)
☹☹☹ 2-Methylresorcinol, A
☹☹ 1-Naphtol, A.A. (colorant)
☹☹ Phenyl Methyl Pyrazolone,
☹☹☹ p-Phenylenediamine, A.A. (colorant)
☹☹ Resorcinol, A
☹☹ Toluene-2,5-Diamino Sulfate, A.A. (colorant)

☹☹☹ Base/Agents actifs
La base de cette crème colorante est constituée de plusieurs matières premières éthoxylées (PEG), des quats (conditionneurs) et quelques ingrédients naturels comme l'huile de coco, la cire d'abeille et la lécithine. Tous les colorants listés sous (+/-) sont douteux sur le plan toxicologique. Les risques potentiels associés au 2-Amino-4-Hydroxyethylaminoanisol Sulfate, par exemple, ne sont plus un secret depuis bien longtemps. C'est pourquoi ce précurseur de couleur ne devrait plus être employé.

☹☹ Additifs
L'acide phytique, quelques sulfites (réducteurs) et l'acide étidronique.

Conservation
Et pour couronner ce mélange dur d'amines aromatiques, quelques parabènes pour la conservation.

126 Logona : Crème colorante végétale lie de vin *

INCI
Aqua (Water), B
☺☺/☺ Alcohol denat.*, A
☺☺☺ Bentonite, B
☺☺☺ Lawsonia Inermis (Henna) Extract, A.A.
☺☺☺ Coco Glucoside, B
☺☺☺ Glycerin, B, A.A.
☺☺☺ Maltodextrin, A
☺☺☺ Sorbitol, B
☺☺☺ Xanthan Gum, B
☺☺☺ Algin, B
☺☺☺ Citric Acid, A
Parfum (Essential Oil)
☺☺ Linalool, P
☺☺ Limonene, P
* Ingrédients issus de l'agriculture biologique.

☺☺☺ Base/Agents actifs
En réalité, ce produit colorant n'est pas une crème mais un gel. Deux gélifiants (la gomme xanthane et l'alginate) ont été ajoutés à une base d'eau, d'alcool et de terre minérale (la bentonite). Le tensioactif doux utilisé est un dérivé du sucre. On trouve aussi des ingrédients comme le glycérol et le sorbitol, qui soignent la peau. Le seul colorant est naturel : l'extrait de henné.

☺☺☺ Additifs
L'acide citrique pour réguler le pH.

☺☺☺ Conservation
Comme l'alcool est positionné trés haut dans la liste INCI, il n'est pas nécessaire d'ajouter de conservateur.

Protection solaire

127 Phyt's : 1er soleil SFP 40, crème solaire très haute protection SPF 40*

INCI

Aqua (Water), B
☺☺☺ Helianthus annuus (Sunflower Seed Oil)*, A.A.
☺☺☺ Titanium Dioxide, A.A. (FPS)
☺☺☺ Cetearyl Alcohol Cocoglucoside, B
☺☺☺ Zinc Oxide, A.A. (FPS)
☺☺☺ Sesamum Indicum (Sesame Seed Oil)*, A.A.
☺☺☺ Cera Alba (Beeswax), B
☺☺☺ Xanthan Gum, B
☺☺☺ Butyrospermum Parkii (Shea Butter)*, A.A.
☺☺☺ Adansonia Digitata (Oil), A.A.
☺☺☺ Caulophyllum Inophyllum (Seed Oil), A.A.
☺☺☺ Cananga Odorata (Ylang Ylang Flower Oil)*, P
☺☺☺ Lavandula Latifolia (Lavender Oil)*, P
☺☺☺ Tocopherol (Natural Vitamin E), A
et ingrédients naturellement présents dans les huiles essentielles :
☺☺ Limonene, P
☺☺ Linalool, P
☺☺ Farnesol, P
☺☺ Geraniol, P
☺☺ Benzyl Benzoate, P
☺☺ Benzyl Salicylate, P
* Issus de l'agriculture biologique.

☺☺☺ **Base/Agents actifs**

La base de ce produit est composée d'eau et d'huiles (tournesol et sésame, bénéfiques pour la peau) liées par un tensioactif de sucre. De bons ingrédients naturels donnent la consistance (cire d'abeilles, beurre de karité…). Autres éléments positifs : deux huiles des tropiques (une huile des graines de l'arbre de tamanu et une huile de baobab). La protection solaire est assurée par des filtres minéraux.

☺☺☺ **Additifs**

Uniquement de la vitamine E comme antioxydant.

☺☺☺ **Conservation**

Pas de conservateur apparent.

128 L'Oréal : Crème solaire IP 30 active anti-rides

INCI

Aqua, B
☹ Octocrylene, A.A. (FPS)
☺☺☺ Glycerin, B, A.A.
☹ Propylene Glycol, B
☺☺ C12-15 Alkyl Benzoate, B
☹ Cyclopentasiloxane, B
Note écologique : **☹☹**
☺☺☺ Titanium Dioxide, A.A. (FPS)
☹ Butyl Methoxydibenzoylmethane, A.A. (FPS)
☹ Isohexadecane, B
Note de soin pour la peau : **☹☹**
☺☺☺ Stearic Acid, B
☺☺ Potassium Cetyl Phosphate, B
☹ VP/Eicosene Copolymer, B
☹☹ Phenoxyethanol, C
☹☹ PEG 100 Stearate, B
☺☺☺ Glyceryl Stearate, B
☹ Drometrizole Trisiloxane, A.A. (FPS)
☹☹ Triethanolamine, A
☹ Dimethicone, B
Note écologique : **☹☹**
☺☺ Aluminium Hydroxide, B
☹ Methylparaben, C
☺☺☺ Ethylhexylglycerin, B
☹ Terephthalylidene Dicamphor Sulfonic Acid, A.A. (FPS)
☺☺☺ Glycine Soja, B
☺☺☺ Tocopherol, A
☹☹ Disodium EDTA, A
☺☺☺ Xanthan Gum, B
☹ Butylparaben, C
☹ Propylparaben, C
☹ CI 15985, A
☹ CI 16035, A
Parfum
CI 7427/1 (substance codée)

☹ **Base/Agents actifs**

Un puissant mélange de filtres solaires pour un facteur de protection 30 ! Cinq des six agents actifs sont des filtres UV synthétiques, et le premier suit immédiatement l'eau ! S'ajoutent des silicones, un PEG et des corps gras de synthèse. Seul facteur positif : le glycérol.

☹☹ **Additifs**

Deux colorants azoïques et l'EDTA.

☹ **Conservation**

Du phénoxyéthanol et des parabènes.

129 Melvita : Pro Sun Natura Crème Solaire FPS 25

INCI

Aqua, B
☺☺ C12-15 Alkyl Benzoate, B
☺☺☺ CI 77891, A.A. (FPS)
☺☺☺ Zinc Oxide, A.A. (FPS)
☺☺ Dicaprylyl Carbonate, B
☺☺☺ Glycerin, B, A.A.
☺☺☺ Polyglyceryl-2 Dipolyhydroxystearate, B
☺☺☺ Polyglyceryl-3 Diisostearate, B
☺☺☺ Maltodextrin, A
☺☺☺ Polyhydroxystearic Acid, B

☺☺☺ Helianthus Annuus, A.A.
☺☺☺ Magnesium Sulfate, A
☺☺☺ Zinc Stearate, B
☺☺ Alumina, A
☹ Aluminium Stearate, B
☺☺ Benzyl Alcohol, C
☺☺☺ Mauritia Flexuosa, A.A.
☺☺☺ Simmondsia Chinensis, A.A.
☺☺☺ Dehydroacetic Acid, C
☺☺☺ Kaempferia Galanga, P
☺☺☺ Xanthan Gum, B
☺☺☺ Pelargonium Graveolens, P
☺☺☺ Ginkgo Biloba, A.A.
☺☺☺ Phytic Acid, A

☺☺ **Base/Agents actifs**
La protection contre les rayons UV est assurée par des filtres minéraux. Le CI 77891 (en 2e position dans la liste INCI) est probablement une déclaration erronée, car il s'agit du dioxide de titane utilisé comme filtre UV. Il aurait dû être déclaré en « Titanium Dioxide », CI 77891 étant son appellation INCI lorsqu'il est utilisé comme colorant.
La base est une formule eau-dans-l'huile avec des émulsifiants naturels (esters polyglycériques). Elle contient un part élevée d'huile estérifiée (voir page 243). L'authentique huile végétale (tournesol) ne se trouve que bien plus bas dans la liste. Deux agents actifs soignants : la camomille et le jojoba.

☺☺☺ **Additifs**
Uniquement des additifs ne présentant pas d'inconvénients comme le sulfate de magnésium, la maltodextrine et l'acide phytique.

☺☺ **Conservation**
Alcool benzylique et acide déhydro-acétique.

130 Lavera Sun : Spray solaire « Kids » pour enfants IP 25*

INCI
Aqua, B
☺☺☺ Glycine Soja*, B
☺☺☺ Titanium Dioxide, A.A. (FPS)
☺☺ Alcohol*, A
☺☺☺ Caprylic/Capric Triglyceride, B
☺☺☺ Glycerin, B, A.A.
☺☺☺ Lysolecithin, B
☺☺☺ Sodium Lactate, A
☺☺☺ Dipotassium Glycyrrhizate, A.A.
☺☺☺ Calendula Officinalis*, A.A.
☺☺☺ Hamamelis Virginiana*, A.A.
☺☺☺ Rosa Damascena*, A.A.
☺☺☺ Xanthan Gum, B
☺☺☺ Hydrogenated Palm Glycerides, B
☺☺☺ Hydrogenated Lecithin, B
☺☺☺ Betaglucan, A.A.
☺☺☺ Tocopherol, A
☺☺☺ Brassica Campestris (Rapeseed) Sterols, A.A.
☺☺ Alumina, A
☺☺☺ Ascorbyl Palmitate, A .A.
☺☺ Ascorbic Acid, M.A.
☺☺☺ Stearic Acid, B
Parfum
☺☺ Citral, P
☺☺ Coumarin, Eugenol, P
☺☺ Geraniol, Citronellol, P
☺☺ Limonene, Linalool, P
☺☺☺ CI 75810, A
* Ingrédients issus de l'agriculture biologique

☺☺☺ **Base/Agents actifs**
La base : huile de soja et un filtre UV minéral. Les autres plus : les émulsifiants naturels et les agents actifs végétaux bénéfiques pour la peau, comme le glycérol, le dipotassium glycyrrhizate (issu de la racine de réglisse), le bétaglucane et les extraits de rose et de calendula. Employer le dipotassium glycyrrhizate dans une crème solaire est une idée particulièrement astucieuse car il a des propriétés anti-inflammatoires. Il protège la peau en cas de rougissement. Le bétaglucane offre aussi une protection à la peau.

☺☺☺ **Additifs**
Des colorants naturels, des acides et un mélange antioxydant composé des vitamines A, C et de palmitate de vitamine C.

☺☺☺ **Conservation**
Puisque l'alcool se trouve assez haut dans la liste INCI, un mode de conservation supplémentaire n'est pas nécessaire.

131 Vichy : Capital Soleil Ultra Protection IP 60

INCI
Aqua/Water, B
☹ Cyclopentasiloxane, B
Note écologique : ☻☻
☺☺ Isononyl Isononanoate, B
☹ Octocrylene, A.A. (FPS)
☺☺/☹ Alcohol denat., A
☹ Dicaprylyl Carbonate, B
☹ Cyclohexasiloxane, B
Note écologique : ☻☻
☺☺☺ Glycerin, B, A.A.
☺☺☺ Titanium Dioxide, A.A. (FPS)
☻ Butyl Methoxydibenzoylmethane, A.A. (FPS)
☺☺ BIS-Ethylhexyloxyphenol Methoxyphenyl Triazine, A.A. (FPS)
☹ Dimethicone, B
Note écologique : ☻☻
☹ Propylene Glycol, B
☻☻ PEG-30 Dipolyhydroxystearate, B
☺☺☺ Silica, B
☹ Nylon-12, B
☹ Polymethylsilsequioxane, B
Note écologique : ☻☻
☻ Drometrizole Trisiloxane, A.A. (FPS)

😞 Ethylhexyl Triazone, A.A. (FPS)
😞 Isobutylparaben, C
☺☺☺ Glycine Soja/Soybean Oil, B
☹ Terephthalylidene Dicamphor Sulfonic Acid, A.A. (FPS)
😞😞 Triethanolamine, A
😞 Methylparaben, C
☹ Diphenyl Dimethicone, B
Note écologique : 😞😞
☺☺ Alumina, A
😞😞 Phenoxyethanol, C
☺☺☺ Tocopherol, A
😞 Propylparaben, C
😞😞 Lauryl PEG/PPG-18/18 Methicone, B
Note écologique : 😞😞
😞😞 Pentasodium Ethylenediamine Tetramethylene Phosphate, A
😞 Ethylparaben, C
😞 Methylparaben, C
Code F.I.L. C22994/1

😞 Base/Agents actifs
Six filtres UV synthétiques différents, des silicones et des émulsifiants siliconés ainsi que des PEG. La base est un « produit artificiel » et, parmi les agents actifs pour le soin de la peau, rien de très convaincant hormis le glycérol. Pas d'huiles végétales véritables en quantité digne de ce nom. Quant à la petite goutte d'huile de soja tout en bas de la liste INCI, elle ne change rien.

😞😞 Additifs
L'EDTA, la triéthanolamine et autres sont à considérer comme négatifs.

😞 Conservation
Du phénoxyéthanol et des parabènes.

132 Weleda : Crème solaire à l'Edelweiss SPF 20*

INCI
Water (Aqua), B
☺☺☺ Sesamum Indicum (Sesame) Seed Oil, A.A.
☺☺☺ Titanium Dioxide, A.A. (FPS)
☺☺☺ Alcohol, A, C
☺☺☺ Glycerin, B, A.A.
☺☺☺ Lysolecithin, B
☺☺☺ Butyrospermum Parkii (Shea Butter), A.A.
☺☺☺ Tapioca Starch, B
☺☺☺ Daucus Carota Sativa (Carrot) Root Extract, A.A.
☺☺☺ Simmondsia Chinensis (Jojoba) Seed Oil, A.A.
☺☺ Alumina, A
☺☺☺ Gnaphalium Leontopodium Flower Extract, A.A.
☺☺☺ Xanthan Gum, B
☺☺☺ Stearic Acid, B
☺☺☺ Zinc Oxide, A.A. (FPS)
☺☺☺ Glyceryl Stearate SE, B
Fragrance (Parfum)*
☺☺ Limonene*, P
☺☺ Linalool*, P
☺☺ Benzyl Benzoate*, P
☺☺ Geraniol*, P
☺☺ Citral*, P
☺☺ Coumarin*, P
* Provenant d'huiles essentielles naturelles.

☺☺☺ Base/Agents actifs
Une formule de protection solaire à base de pigments anorganiques et un pourcentage élevé d'ingrédients bénéfiques pour la peau : les huiles de sésame, de carotte et de jojoba, le beurre de karité et l'extrait d'edelweiss. L'edelweiss sauvage étant protégé, il faut le cultiver.

☺☺☺ Additifs
Seulement de l'alcool. Puisqu'il se trouve assez haut dans la liste INCI, il n'est pas nécessaire de prévoir de conservation.

☺☺☺ Conservation
Voir les additifs.

133 Biokosma : Sun Protect Spray SPF 26 Tibetan

INCI
Aqua (Water), B
☺☺ Isoamyl p-Methoxycinnamate, A.A. (FPS)
☺☺ Ethylhexyl Methoxycinnamate A.A. (FPS)
☺☺☺ Glyceryl Stearate, B
😞😞 Ceteareth-20, B
😞 Butyl Methoxydibenzoylmethane, A.A. (FPS)
☺☺ BIS-Ethylhexyloxyphenol Methoxyphenyl Triazine, A.A. (FPS)
☺☺☺ Glycerin, B, A.A.
☺☺☺ Dicaprylyl Ether, B
😞😞 Ceteareth-12, B
😞😞 Phenoxyethanol, C
Parfum
☺☺☺ Cetearyl Alcohol, B
☺☺☺ Cetyl Palmitate, B
😞 Methylparaben, C
😞 Ethylparaben, C
😞 Propylparaben, C
😞 Butyparaben, C
☺☺ Potassium Sorbate, C
☺☺ Isopropyl Myristate, B
☺☺☺ Citric Acid, A
☺☺☺ Lecithin, B, A.A.
☺☺☺ Tocopherol, A

☹/😞 Base/Agents actifs
Ce produit contient un part importante de filtres UV de synthèse. Ces derniers sont au nombre de quatre, et deux d'entre eux sont placés directement derrière l'eau sur la liste INCI, ce qui signifie qu'ils sont quantitativement très importants par rapport aux autres composants. Quant aux deux autres filtres, ils se trouvent devant le glycérol, la seule substance pouvant soigner la peau. Pas de trace d'huiles ou d'extraits naturels dans ce

produit. Autre caractéristique négative : la présence de deux émulsifiants éthoxylés.

☺☺☺ **Additifs**
De l'acide citrique pour réguler le pH et de la vitamine E comme antioxydant.

☹ **Conservation**
Des parabènes, du phénoxyéthanol et du sorbate de potassium.

Table des matières